ro
ro
ro

rororo

Nicolas Remin wurde 1948 in Berlin geboren. Er studierte Allgemeine und Vergleichende Literaturwissenschaft, Philosophie und Kunstgeschichte an der Freien Universität Berlin und in Santa Barbara / Kalifornien. Nach seiner Rückkehr aus den USA arbeitete er als Synchronautor und Synchronregisseur. Nicolas Remin lebt heute als freier Schriftsteller in der Lüneburger Heide. Im Rowohlt Taschenbuch Verlag erschienen bisher: «Schnee in Venedig» (rororo 25299), «Venezianische Verlobung» (rororo 25300), «Gondeln aus Glas» (rororo 25301) sowie «Die Masken von San Marco» (rororo 24202).

«In gewohnt vergnüglicher Weise entführt Nicolas Remin seine Leser in das alte Venedig, öffnet den Vorhang zu einer Reise in die längst vergangene Zeit der kaiserlichen Herrschaft über die Lagunenstadt.» (Krimi-Couch)

«Glatt wie eine Gondel im Canale Grande gleitet man durch das Buch – ideal für neblige Wintertage.» (Neue Luzerner Zeitung)

«Wie schon in seinen früheren Romanen versteht es Remin auch in diesem fünften Buch über Tron, das Venedig des 19. Jahrhunderts lebendig werden zu lassen und eine spannende Geschichte mit historischen Einblicken zu verbinden.» (NDR 1)

Nicolas Remin

Requiem am Rialto

Commissario Trons
fünfter Fall

Rowohlt Taschenbuch Verlag

Veröffentlicht im Rowohlt Taschenbuch Verlag,
Reinbek bei Hamburg, Januar 2011

Umschlaggestaltung any.way, Barbara Hanke / Cordula Schmidt
(Abbildung: Keith Levit / Images.com)
Satz Berthold Bembo PostScript (InDesign) bei
hanseatenSatz-bremen, Bremen
Druck und Bindung CPI – Clausen & Bosse, Leck
Printed in Germany
ISBN 978 3 499 24688 3

Requiem am Rialto

I

Livia Azalina, blond und grünäugig, lehnte sich in die Polster ihres Erste-Klasse-Coupés zurück, legte die Beine auf den gegenüberliegenden Sitz und zündete sich eine Zigarette an. Dann starrte sie durch ihr undeutliches Spiegelbild hindurch in die Dunkelheit hinter den Scheiben und dachte an das heiße Bad, das sie in weniger als einer Stunde nehmen würde. Obwohl sie den größten Teil des Nachmittags schlafend verbracht hatte, fühlte sie sich immer noch erschöpft und um mindestens zehn Jahre gealtert.

Kurz hinter Padua hatte es angefangen zu regnen, und vermutlich würde es immer noch regnen, wenn der Zug in Venedig ankam. Ihr Gondoliere – sie konnte sich inzwischen den Luxus einer eigenen Gondel leisten – hatte die Anweisung, sie am Anleger vor dem Bahnhof zu erwarten. Fünfzehn Minuten später würde sie ihre wohlgeheizte Wohnung betreten. Sie hatte sich fest vorgenommen, ein paar Tage lang niemanden zu sehen, schon gar keinen Mann. Den Termin, den sie übermorgen Abend mit einem pensionierten Hofrat hatte, würde sie absagen.

Normalerweise hätte Livia Azalina es strikt abgelehnt, außerhalb Venedigs zu arbeiten. Seitdem sie aufgrund ihrer hohen Einkünfte beinahe als *honorate* galt, bestimmte sie ihre Arbeitsbedingungen weitgehend selbst. Ihre Kundschaft, ein fester Stamm, der sich aus gehobenen Kreisen rekrutierte, pflegte sie ausschließlich in ihrem verspiegelten Boudoir in der Rio Terrà Rampani zu empfangen. Aber das Angebot, das man ihr vor einer Woche gemacht hatte, war äußerst attraktiv gewesen und der Mann, der es vermittelt hatte, ein guter Kunde – ein *cortegiano*, auf dessen Wort sie sich verlassen konnte.

Der Auftrag hatte darin bestanden, zusammen mit einem halben Dutzend anderer Damen, ein paar Herren in einer Villa in der Nähe von Vicenza Gesellschaft zu leisten und sich anschließend mit einem der Cavalieri in ein Schlafgemach zurückzuziehen, wo sie ihm den Rest der Nacht und den Vormittag zur Verfügung stehen sollte. Bei solchen Aufträgen – mit denen die Herren in der Regel erfolgreiche Geschäftsabschlüsse feierten – hatte sie schon seit Jahren abgewinkt. Doch in diesem Fall war das angebotene Honorar sensationell gewesen, und an Ort und Stelle hatten sich die Herren als leidlich angenehm herausgestellt.

Sie war gestern bei einbrechender Dunkelheit in der Villa eingetroffen, nachdem ein gepflegter Landauer sie am Bahnhof von Vicenza abgeholt hatte. Im Salon des Hauses, wo sich die Herren und die anderen Mädchen bald versammelten, gab es Champagner, Kaviar, Austern, die auf einem Buffet arrangiert waren. Ein Besucher, der nichtsahnend zu ihnen gestoßen wäre, hätte die kleine Versammlung für eine seriöse Abendgesellschaft gehalten. Offenbar hatte man sich darauf geeinigt, im Salon das Dekorum zu wahren und erst in den Schlafzimmern zur Sache zu kommen.

Die Nacht und einen Teil des Vormittags hatte sie mit einem übermäßig aktiven Cavaliere verbracht, der Italienisch mit französischem Akzent sprach. Wie jede Frau ihres Gewerbes schätzte Livia Azalina übermäßig aktive Kunden wenig – speziell wenn ein Pauschalpreis vereinbart worden war. Aber sie hatte gelernt, ihre Gefühle zu verbergen. Nachdem sich der Cavaliere gegen Mittag verabschiedet hatte, war sie schließlich erschöpft eingeschlafen.

Gegen Abend wurde sie wieder von einer Kutsche zum Bahnhof von Vicenza gebracht, wo sie den Neun-Uhr-Zug nach Venedig nahm. Das vereinbarte Honorar hatte ihr ein Majordomus in einem Beutel aus Hirschleder überreicht. Sensationelle fünfhundert Gulden in Gold – was dem Halbjahressold eines kaiserlichen Generals entsprach. Sie hatte sofort nachgezählt. Es fehlte keine einzige Münze.

Wohin die anderen Damen verschwunden waren, wusste sie nicht. Zwei von ihnen kannte sie flüchtig – eine rundliche Blondine und eine stupsnasige Brünette, die vor ein paar Jahren noch auf der Straße gearbeitet hatten. So hatte sie ebenfalls angefangen, aber das war inzwischen mehr als zehn Jahre her, und sie zog es vor, sich nicht an diese Periode ihres Lebens zu erinnern.

Livia Azalina zündete sich eine zweite Zigarette an, stand auf und strich ihr Kleid glatt. Dann kniete sie sich auf die grünen Polster, um ihr Gesicht in dem Spiegel zu betrachten, der über den Sitzen angebracht war. Was sie sah, war selbst im funzeligen Schein der beiden Petroleumlampen, die das Coupé erhellten, deprimierend. Kein Zweifel – sie wurde alt. Die scharfen Linien links und rechts des Mundes und die kleinen Fältchen neben den Augenwinkeln waren nicht mehr zu übersehen. In ein paar Jahren würde auch mit reichlich Schminke nicht mehr viel zu machen sein. Im letzten Dezember war sie achtundzwanzig geworden, und es wurde langsam Zeit, sich aus diesem speziellen Geschäft zurückzuziehen. Hin und wieder hatte sie mit dem Gedanken gespielt, Venedig zu verlassen, zurück in das heimatliche Friaul zu gehen und einen ehrbaren Mann zu heiraten – jemanden, der von ihrer Vergangenheit nichts wusste.

Aber sah sie sich wirklich als Gattin eines Schreiners oder Bäckers? Mit quengelnden Bälgern, die an ihrer

Schürze hingen, und einem dicklichen Mann mit Mundgeruch und Fußschweiß? Gütiger Himmel – wahrhaftig nicht. Schon der Gedanke daran war grauenhaft. Außerdem bestand immer die Gefahr, dass irgendjemand aufkreuzte, der sie wiedererkannte. Und was dann? Auch das war eine schreckliche Vorstellung.

Als die Eisenbahn langsamer wurde und sich Fusina näherte, der kleinen Station am Rand der nördlichen Lagune, hatte sich der Regen verstärkt. Er prasselte in böigen Stößen auf das Dach des Coupés und lief in bizarren Mustern die Scheiben hinab. Ob jetzt noch jemand in ihr Coupé steigen würde? Nein, das war unwahrscheinlich. Der Zug war schwach besetzt, und in Fusina gab es nicht mehr als eine österreichische Kaserne, ein hässlicher Backsteinkasten, in dem ein Tiroler Pionierkorps logierte. Außerdem, sagte sie sich, trat niemand, der bei Verstand war, bei solchem Wetter freiwillig vor die Tür.

Aber als der Zug in Fusina anhielt, stieg doch noch jemand zu. Es war ein Mann mittleren Alters, der eine Regenpelerine trug und ihr vage bekannt vorkam. Als er sah, dass sich eine Dame in dem Coupé befand, murmelte er ein höfliches *Permesso* und deutete eine Verbeugung an. Dann setzte er sich auf die gegenüberliegende Bank. Livia Azalina fand es eigenartig, dass er seine Pelerine nicht auszog. Zwei Minuten später stieß die Lokomotive einen schrillen Pfiff aus, und die Waggons setzten sich ruckelnd in Bewegung. Eigentlich hatte sie eine unverbindliche Bemerkung über das schreckliche Wetter erwartet – die meisten Männer fühlten sich in einer solchen Situation bemüßigt, ein paar höfliche Worte zu wechseln. Stattdessen blieb der Mann stumm wie ein Fisch. Dann tat er etwas, das gegen alle Konventionen verstieß. Er beugte sich nach vorne, und Livia Azalina registrierte verärgert, dass er sie unverhohlen betrachtete – mit dem kühlen Blick eines Kunden, der an einem Obststand die angebotenen Früchte prüft. Er musterte ihre Lippen, ihren Hals und ihre Stirn. Dann wanderte sein Blick zu ihrem blonden Haar, verweilte ein paar unhöfliche Sekunden auf der Rundung ihrer Brüste, und schließlich sah sie, wie sich seine Lippen zu einem zynischen Grinsen verzogen. Plötzlich war sie sicher, dass der Mann wusste, in welcher Branche sie ihr Geld verdiente.

Livia Azalina schloss die Augen und nahm sich vor, den Burschen einfach zu ignorieren. Es konnte nicht sehr lange dauern, bis der Zug die nördliche Lagune überquert hatte und sie den Bahnhof erreichten. Nur ein paar Minuten, in denen sie durchaus in der Lage war, sich den Mann vom Leib zu halten. Es war weiß Gott nicht das erste Mal, dass sie auf die Weise behelligt wurde. Und diese Situation hier war eher lächerlich als bedrohlich. Wenn der Bursche sie anfasste – mein Gott, woher kannte sie ihn? –, dann würde sie sich am Bahnhof an einen der Sergenti wenden, die auf dem Bahnsteig patrouillierten. Sie duckte sich instinktiv in die Polsterung ihrer Rückenlehne zurück und versuchte, sich auf das Rattern der eisernen Räder zu konzentrieren. Was nicht funktionierte, denn durch das Geräusch hindurch glaubte sie auf einmal zu hören, wie der Mann aufstand.

Als sie die Augen aufschlug, sah sie, dass der Bursche sich tatsächlich erhoben hatte. Er stand jetzt unmittelbar vor ihr. Sein Kopf schwebte über ihr wie ein bleicher Mond, die beiden Arme hingen aus den Seitenschlitzen der Regenpelerine herab wie zwei gewaltige Pendel. Um seine Lippen spielte immer noch das zynische Grinsen, aber seine Augen waren kalt wie Eis. Auf einmal wusste Livia Azalina, dass etwas nicht stimmte – dass etwas überhaupt nicht stimmte.

Dann schnellte das rechte Pendel nach vorne und schoss auf ihr Gesicht zu. Der Faustschlag traf ihren Mund und schleuderte ihren Kopf gegen die Scheibe. Ein Schneidezahn brach ab und zerschnitt ihre Lippen. Über ihre Unterlippe ergoss sich Blut. Das Kinn war rot verschmiert, so wie bei einem Kind, das Erdbeeren gegessen hatte. Sie sackte zusammen, halb bewusstlos, und es nützte ihr herzlich wenig, dass sie sich jetzt plötzlich daran erinnerte, wann und wo sie den Mann gesehen hatte.

Livia Azalina versuchte zu schreien, aber es war zu spät. Die linke Hand des Mannes hatte sich, schnell wie der Kopf einer zuschnappenden Schildkröte, um ihre Kehle geschlossen – eine Zange aus Stahl, die immer stärker zudrückte und ihr die Luft nahm. Lichtblitze tanzten vor ihren Augen. Das Einzige, was sie jetzt noch hörte, war der Schlag ihres Herzens, der wie ein Schmiedehammer in ihrem Brustkorb hämmerte. Dann fühlte sie, wie ihr Gesicht heiß und rot wurde, es anschwoll, so als hätte man es mit kochendem Wasser übergossen. *Mein Gott, ich muss furchtbar aussehen*, dachte sie: ein kindischer und überflüssiger Gedanke. Der letzte, den ihr Kopf hervorbrachte.

In den wenigen Sekunden, in denen ihr Gehirn noch intakt war, registrierte Livia Azalina, wie der Mann sie auf die Polsterbank warf und ihr das Kleid aufriss. Dann blitzte eine Klinge in seiner Hand auf, aber bevor das Messer schneiden konnte, versank sie in eine gnädige Dunkelheit.

2

Eigentlich hätte es genau umgekehrt sein müssen, dachte Monsieur Grenouille. Dem Klischee zufolge hätte der Italiener in seiner abgewetzten Jacke den gutgekleideten Österreicher mit einem Messer bedrohen sollen. Doch es war der gutgekleidete und offenbar alkoholisierte Österreicher, der den Italiener in die Ecke des Wachraums der Questura getrieben hatte. Jetzt zerfetzte er die Luft vor ihm mit der Klinge, wobei er unablässig schrie: «Ich mach dich kalt! Ich mach dich kalt!»

Neben den beiden Männern stand ein uniformierter Sergente. Der machte allerdings keine Anstalten einzugreifen, sondern beschränkte sich darauf, die Hände zu ringen und mit flehender Stimme *Prego, Signori! Prego, Signori*! zu rufen. Worauf der messerschwingende Österreicher dem Sergente, ohne ihn anzusehen, antwortete: «Ich mach ihn kalt! Ich mach ihn kalt.» Es war wie ein Duett in einer Oper von Verdi.

Ein knappes Dutzend Personen verschiedenen Standes, die alle irgendein Anliegen in die Questura geführt hatte, waren freudig näher getreten, um nichts von dem aufregenden Schauspiel zu versäumen, das sich ihnen so unerwartet bot. Ein Mann mit einer grünen Schürze entkorkte in aller Ruhe eine Weinflasche. Ein anderer Mann verspeiste geröstete Kastanien aus einer Tüte und bot sie höflich seinem Nachbarn an. Monsieur Grenouille, der die Questura wegen eines gestohlenen Passes aufgesucht hatte, spürte, wie das Publikum darauf brannte, Blut fließen zu sehen. Dann hätten sie anschließend etwas zu erzählen.

Gegen ein wenig Blut hatte auch Monsieur Grenouille nichts einzuwenden. Das würde seiner Venedigreise einen Einschlag ins Abenteuerliche geben. Insofern war es ganz in seinem Sinn, dass die Auseinandersetzung zwischen den beiden Streithähnen jetzt an Dramatik zunahm – so als wüssten die beiden, was sie ihrem Publikum schuldig waren. Der schmierige Italiener hatte den Rücken an die Wand gepresst. Seine Hände kreisten in der Luft, offenbar in der Hoffnung, das Handgelenk des verrückten Österreichers zu packen, bevor die Klinge auf ihn herabsauste. Was sie jetzt auch tat, doch sie verfehlte die Brust des Italieners und blieb stattdessen an der rechten Hand des Mannes hängen.

Der Italiener schrie auf und riss die blutige Hand zurück, so als hätte er sie versehentlich über ein offenes Feuer gehalten. Na, bitte. Da war es endlich – das Blut, auf das die Zuschauer gehofft hatten. Nur ein paar Tropfen, denn die Klinge hatte die Hand des Italieners lediglich gestreift. Aber immerhin.

Beifälliges Gemurmel war zu vernehmen.

Der Mund des Italieners stand jetzt weit auf. Sein Gesicht war aschfahl. Monsieur Grenouille, der ebenfalls interessiert näher getreten war, konnte sehen, wie dem Mann der Schweiß in Strömen von der Stirn lief.

Der Sergente unternahm immer noch nichts.

Plötzlich packte der Österreicher den Italiener an der Schulter und riss ihn mit ganzer Kraft herum, sodass der Mann um seine eigene Achse wirbelte. Dann schlang er von hinten den linken Arm um seinen Hals. In der rechten Hand hielt er das Messer. Offenbar war er wild entschlossen, dem dicken Italiener die Klinge in die Brust zu rammen. Der hatte die Augen geschlossen und holte in kurzen, keuchenden Atemzügen Luft. Dazu bewegten sich seine Lippen. Obwohl nichts zu verstehen war, wusste Monsieur Grenouille, was er murmelte: *Ora pro nobis peccatoribus nunc et in hora mortis nostrae.* Wie auf Kommando wurde es still.

Religiöse Ergriffenheit breitete sich unter den Zuschauern aus. Aus den Augenwinkeln sah Monsieur Grenouille, wie der Mann mit den gerösteten Kastanien sich bekreuzigte. Der Mann mit der Weinflasche nahm seinen Hut ab.

In diesem Moment gab der Sergente einen Schuss in die Decke ab. Die Kugel riss ein faustgroßes Loch in den Putz und brachte die von der Decke herabhängenden Petroleumlampen zum Zittern. Gips rieselte aus dem Loch und schwebte wie feiner Pulverschnee auf den Fußboden. Das Publikum starrte erst auf das Loch in der Decke, dann auf den Sergente, der seinerseits erschrocken auf die Waffe in seiner Hand starrte. Dann hob er den Kopf, blickte zur Seite, und Monsieur Grenouille sah, wie sich Erleichterung auf seinem Gesicht ausbreitete. Worauf der Monsieur ebenfalls den Kopf drehte und den Mann bemerkte, der zusammen mit einem uniformierten Ispettore den Wachraum betreten hatte.

Der Mann war mittelgroß und hatte dunkelblondes, ins Graue spielendes Haar. Er trug einen abgewetzten Gehrock, dazu ein weißes Kavalierstuch, das ihm einen Einschlag ins Künstlerische gab. Auf seiner Nase saß ein goldgeränderter Kneifer. Monsieur Grenouille schätzte ihn auf Mitte fünfzig. Der Mann stand ruhig an der Tür. Das, was er im Wachraum sah, schien ihn nicht zu beeindrucken. Lediglich seine linke Augenbraue zog sich ein wenig nach oben, als er das Loch in der Decke sah.

Inzwischen hatte es der Italiener geschafft, sich der Umklammerung des Österreichers zu entziehen, war diesem aber noch lange nicht entkommen. Wieder drängte er sich kreidebleich in die Ecke, und wieder zerschnitt der Österreicher die Luft vor seiner Nase und schrie: «Ich mach dich kalt.»

Der Sergente stand immer noch untätig daneben. Nur

dass seine Augen jetzt zwischen dem Mann an der Tür und den beiden Streithähnen hin und her wanderten. Offenbar erwartete er von dem Mann, dass er das Problem löste. Das schien auch das Publikum zu erwarten, denn alle Augen waren zur Tür gerichtet. Bei dem Mann handelte es sich, vermutete Monsieur Grenouille, um den zuständigen Commissario. Natürlich fragten sich alle, was er jetzt unternahm.

Doch der Commissario unternahm gar nichts. Er stand einfach nur da und ließ den Blick nachdenklich durch den Raum schweifen. Das Gebrüll des Österreichers ignorierte er. Nachdem fast eine Minute verstrichen war und das Publikum bereits anfing, sich zu langweilen, setzte er sich in Bewegung und ging mit langsamen Schritten auf die Streithähne zu. Ein knapper Wink mit der Hand hatte den uniformierten Ispettore an seiner Seite angewiesen, zurückzubleiben.

Monsieur Grenouille sah, wie der Commissario auf dem Weg zu den beiden Männern vor einem Tisch, an dem ein anderer Sergente saß, stehenblieb. Er beugte sich vor und ergriff den Kaffeebecher auf dem Tisch. Hob ihn an seine Nase, roch daran und nickte befriedigt. Der Kaffee dampfte. Er war heiß und schien gerade erst aufgebrüht worden zu sein. Mit dem dampfenden Becher in der Hand ging der Commissario langsam weiter. Dicht vor den Männern blieb er stehen.

Eigentlich hatten alle erwartet, dass er jetzt etwas sagte. Aber er stand nur da und guckte. Was den Österreicher offenbar dazu veranlasste, sein Gebrüll einzustellen, das Messer sinken zu lassen und den Commissario mit weit aufgerissenen Augen anzuglotzen. Der nickte dem Österreicher zu und führte dann ohne Eile den Kaffeebecher zum Mund. Nein – nicht *ganz* zum Mund. Denn jetzt geschah etwas, womit niemand gerechnet hatte.

Die Bewegung war kurz und knapp, nicht mehr als ein kräftiges Schlenkern des Handgelenks. Der Becher des Commissarios schnellte nach oben, und heißer Kaffee schoss auf das Gesicht des Österreichers. Der ließ das Messer mit einem lauten Schrei fallen und fuhr sich mit beiden Händen über die Augen. Was dem Commissario die Gelegenheit gab, ihm einen wohlgezielten Tritt in den Schritt zu verpassen. Ein weiterer Tritt gegen seine Hüfte brachte den Burschen zu Fall. Ein letzter Tritt landete, als der Mann bereits am Boden lag, auf seiner Nase, aus der sich sofort ein Sturzbach roten Blutes ergoss.

Worauf der Italiener erleichtert auf die Knie sank und das Publikum, das die polizeilichen Maßnahmen des Commissarios mit beifälligem Gemurmel begleitet hatte, laut applaudierte.

Den Tritt auf die Nase fand Monsieur Grenouille ziemlich brutal. Andererseits rundete er – künstlerisch betrachtet – das Geschehen ab, setzte gewissermaßen einen effektvollen Schlussakkord. Und die Italiener hatten bekanntlich einen ausgeprägten Sinn für theatralische Effekte.

Der Commissario drehte sich langsam um. Er zupfte sein Kavalierstuch zurecht, und einen Moment lang hätte Monsieur Grenouille schwören können, dass er sich verbeugen würde, aber er beschränkte sich auf ein flüchtiges Lächeln.

«Ich will einen Bericht, Bossi», sagte er zu dem uniformierten Ispettore, der sich mit verwundertem Gesichtsausdruck genähert hatte. «In einer halben Stunde in meinem Büro.» Der Commissario warf einen angewiderten Blick auf den Fußboden, bevor er sich zum Gehen wandte. «Und dann soll jemand das Blut aufwischen.»

3

Alvise Tron, Commissario von San Marco, schob den Teller mit den Schlagsahneresten und den Kuchenkrümeln zur Mitte seines Schreibtischs und leckte die Kuchengabel sorgfältig ab. Dann trank er einen Schluck Kaffee, lehnte sich auf seinem knarrenden Sessel zurück – und staunte über sich selbst. Hatte er diesen Mann in der Wachstube tatsächlich mit drei kraftvollen Fußtritten unschädlich gemacht? *Er?* Dessen eigentliche Waffe das geschliffene, wie ein Florett oder eine Kuchengabel geführte Wort war? Hatte er die Gewalt über sich verloren? War die wilde Bestie, die angeblich in jedem Mann lauert, unkontrolliert ausgebrochen?

Tron beugte sich wieder nach vorne und leckte seinen Zeigefinger nass, um die auf dem Teller verbliebenen Kuchenkrümel in seinen Mund zu befördern. Dann trank er abermals einen Schluck Kaffee und kam zu dem Schluss, dass er genau das getan hatte, was er sich vorgenommen hatte. Nämlich seine Kritiker, speziell den Stadtkommandanten Toggenburg, der eine «kraftvolle Amtsführung» bei ihm vermisste, eines Besseren zu belehren. Er verbringe zu viel Zeit in den Cafés an der Piazza, sagte man ihm nach. Dort esse er jeden Vormittag Torte, anstatt sich in der Questura um die venezianische Kriminalität zu kümmern. So ein Unsinn! Schließlich gehörte es zu seinen Pflichten, sich über die Stimmung im Volke zu informieren. Und wo war die Stimme des Volkes besser zu vernehmen als in den Cafés an der Piazza?

Jedenfalls konnte er heute mit sich zufrieden sein. Er hatte den Verrückten, über dessen Mordabsicht kein Zweifel bestand, kraftvoll aus dem Verkehr gezogen. Außerdem, überlegte er weiter, gab der Umstand, dass sein Stiefel auf der Nase eines Österreichers gelandet war, dem Vorgang eine patriotische Note. Ein italienischer Absatz auf der Nase eines Österreichers! Und wie die österreichische Nase danach geblutet hatte! Keine Frage, dass die Leute auch deswegen applaudiert hatten. Zwar hegte Tron keinerlei patriotische Gefühle und galt unter den Anhängern der italienischen Einheit als unsicherer Kantonist. Aber vielleicht war es klug, sagte er sich, gelegentlich an die Zeit danach zu denken. Schließlich konnten die Österreicher das Veneto nicht auf ewig besetzt halten. Und ein Commissario, der allzu eng mit den Besatzungsmächten verbandelt war, hatte schlechte Karten, wenn das Veneto Teil des italienischen Königreichs werden würde. Man könnte auf den Gedanken kommen, jemand anderen als Commissario von San Marco zu installieren. Vielleicht Ispettor Bossi? Den dynamischen Adepten *moderner Polizeitechnik*? Der nie ein Hehl daraus gemacht hatte, dass er den Abzug der Österreicher kaum erwarten konnte?

Tron drehte den Kopf, und sein Blick fiel auf die Lithografie des Kaisers, die vorschriftsgemäß an der Wand jeder habsburgischen Amtsstube hing. Mit der beginnenden Stirnglatze und dem dumpfen Gesichtsausdruck bot Franz Joseph keinen besonders majestätischen Anblick. Das Bild hing schief, und das Glas hatte einen Sprung. Aber irgendwie, dachte Tron, hatte er sich daran gewöhnt.

Fünf Minuten später betrat Ispettor Bossi sein Büro. Er salutierte und nahm auf dem Bugholzstuhl vor dem Schreibtisch Platz. Wie immer wirkte der Ispettore, als wäre er gerade dem Bad entstiegen und hätte sorgfältig Toilette gemacht. Seine schwarzen Stiefel glänzten, auf seiner blauen Uniform war kein Stäubchen zu erkennen, und die Sterne auf seinen Schulterklappen funkelten. In der Hand hielt er seinen Notizblock.

«Wir haben sie vorsichtshalber in verschiedene Zellen verfrachtet», sagte Bossi. Er hatte sich so hingesetzt, dass seine penibel gebügelte Uniform keine unnötigen Falten warf. «Der Österreicher war zahm wie ein Lämmchen.»

«Und seine Nase?»

«Ist rot und angeschwollen, aber nicht gebrochen. Er hat es abgelehnt, einen Arzt zu sehen.»

Tron schob seinen Kuchenteller an den Rand des Schreibtischs. «Was ist denn eigentlich passiert?»

«Die beiden hatten einen Streit auf der Piazza, der in Tätlichkeiten ausgeartet ist», sagte Bossi. «Daraufhin sind sie von zwei Sergenti verhaftet und auf die Questura gebracht worden.»

«Und worum ging es bei diesem Streit?»

«Signor Grassi hatte sich eine Trikolore ins Knopfloch gesteckt. Direkt vor dem Café Quadri.»

Tron musste lachen. Das Quadri wurde traditionellerweise von kaiserlichen Offizieren frequentiert. Sich vor dem Café eine Schleife mit den italienischen Farben anzustecken war eine klare Provokation.

«Der Österreicher, der offenbar gerade aus dem Quadri kam», fuhr Bossi fort, «hat Grassi aufgefordert, die Schleife zu entfernen.»

«Und Grassi hat sich geweigert?»

Bossi nickte. «Worauf der Österreicher versucht hat, die Schleife abzureißen. Nachdem er ihm vorher einen Faustschlag versetzt hatte.»

«Ist dieser Grassi bereits auffällig geworden?»

«Nicht bei uns in der Questura. Ob er eine Akte auf der Kommandantura hat, kann ich nicht sagen.» Der Ispettore warf einen Blick auf seine Notizen. «Grassi betreibt eine Fleischerei am Campo San Giobbe: Sergente Caruso kennt den Mann. Seine Frau kauft bei ihm.»

«Und der Österreicher? Ist er zu Besuch in Venedig?»

Bossi schwieg einen Moment. «Daraus könnte sich vielleicht ein Problem ergeben», sagte er schließlich. «Der Bursche behauptet, ein Oberst der kaiserlichen Armee zu sein.»

Tron hob überrascht den Kopf. «Er behauptet, *was* zu sein?»

«Ein Oberst der kaiserlichen Armee», wiederholte Bossi.

«Der keine Uniform trägt? Konnte er sich ausweisen?»

«Er hat verlangt, dass wir jemanden zur Kommandantura schicken», sagte Bossi.

«Haben Sie das getan?»

«Bossi schüttelte den Kopf. «Ich wollte erst mit Ihnen sprechen.»

«Halten Sie es für möglich, dass ein kaiserlicher Offizier sich so aufführt?»

«Der Mann war ziemlich betrunken.» Bossi sah Tron besorgt an. «Meinen Sie, wir sollten die Militärpolizei einschalten, Commissario?»

«Das können wir immer noch. Wir lassen ihn erst mal schmoren.»

«Wie lange?»

«Eine Nacht sollte er mindestens in Arrest bleiben. Der Bursche hat im Wachraum der Questura einen Mordversuch unternommen. Solange er keine Uniform trägt, ist er für mich ein Zivilist ohne Papiere.»

«Was machen wir mit Grassi?»

«Sie nehmen ein Protokoll auf, und dann lassen Sie ihn gehen», sagte Tron.

«Einfach so?»

«Signor Grassi kann sich ausweisen und hat einen festen Wohnsitz. Wir können ihn jederzeit wieder vorladen. Ich bezweifle, dass er sich gleich auf Turiner Gebiet absetzen wird. Wer schreibt den Bericht?»

«Sergente Caruso. Er hat den Schuss in die Decke abgegeben.»

«Dann soll er auf jeden Fall erwähnen, dass der Österreicher betrunken war, wirres Zeug geredet hat und nicht vernommen werden konnte.» Tron entdeckte noch ein paar Kuchenkrümel auf seinem Teller und brachte es fertig, sich rechtzeitig zu bremsen und sie *nicht* mit dem angeleckten Finger zum Mund zu führen. «Hat uns der Mann einen Namen genannt?»

Bossi nickte. «Er hat behauptet, sein Name wäre Stumm von Bordwehr.»

Tron verdrehte die Augen. «Oberst Stumm von Bordwehr? Das ist lächerlich. Caruso soll das in seinen Bericht aufnehmen. Niemand heißt Stumm von Bordwehr.»

Bossi erhob sich. Er strich seine Uniformjacke glatt und schnippte ein imaginäres Staubkörnchen vom Ärmel. Tron dachte, dass er sich jetzt zum Gehen wenden würde, aber offenbar hatte der Ispettore noch etwas auf dem Herzen. «Commissario?»

«Ja?»

Bossi räusperte sich. Dann sprach er in dem leicht gedämpften Tonfall, den er bei Dingen anschlug, die nicht unmittelbar mit dem Dienst zu tun hatten.

«Ich wusste gar nicht, dass Sie so ...» Der Ispettore hielt inne und sah Tron an. In seiner Miene mischten sich Erstaunen und Bewunderung. Ihm schien kein passendes Wort einzufallen.

Tron lehnte sich zurück und hob amüsiert die Augenbrauen. «So *was*?»

«So *energisch* sein können, Commissario», sagte Bossi schließlich.

Tron musste lachen. «Meinen Sie den Tritt zwischen die Beine?»

Bossi grinste. «Der Tritt auf die Nase war auch nicht schlecht.»

«Ich wollte kein Risiko eingehen.» Tron setzte ein dienstliches Gesicht auf. «Immerhin hat der Mann versucht, ein Tötungsdelikt zu begehen.»

«Es waren alle sehr beeindruckt», sagte Bossi. «Die Geschichte macht gerade die Runde in der Questura.» Sein Grinsen wurde noch breiter. «Dass der Bursche ein Österreicher war, hat den Kollegen besonders gut gefallen.» Er warf einen Blick auf die Lithografie des Kaisers und stieß einen Seufzer aus. «Und was machen wir, wenn er tatsächlich ein kaiserlicher Oberst ist?»

Tron streckte seinen Zeigefinger energisch nach einem Rest süßer Schlagsahne auf dem Teller aus. «Darüber denken wir nach, wenn es so weit ist.»

4

Alessandro, der livrierte weißhaarige Diener, dessen Vater bereits in den Diensten der Trons gestanden hatte, setzte den Teller mit der dampfenden Suppe behutsam vor der Contessa Tron ab und trat einen Schritt zurück. Die Contessa, Trons Mutter, dankte ihm mit einem leichten Nicken des Kopfes. Dann ergriff sie den Löffel, tunkte ihn in die Suppe und warf einen misstrauischen Blick über den Tisch.

Tron wusste, was von ihm erwartet wurde. Er tunkte seinen Löffel ebenfalls in die Suppe, kostete von der graubraunen, säuerlich riechenden Flüssigkeit und sagte lächelnd, indem er jede Silbe einzeln betonte: «Aus-ge-zeich-net.»

Worauf die Contessa einen befriedigten Gesichtsausdruck aufsetzte. «Man schmeckt es also *nicht*. Alessandro hatte behauptet, dass aufgewärmte Fischsuppen nicht mehr genießbar sind.»

Na, bitte – guten Appetit. Tron atmete tief durch und beugte sich heroisch über seinen Teller.

Die saure Fischsuppe passte jedenfalls zu den steinharten runden Brötchen, den *rosette*, die jedoch standesgemäß auf einer silbernen, mit Elfenbeingriffen versehenen Servierplatte arrangiert waren. Auch das grünlich schimmernde Hühnerfleisch, das den Hauptgang des Abendessens bildete, hatte Alessandro in einer silbernen Terrine serviert, auf der das Wappen der Trons prangte. Überhaupt vermittelte die Ausstattung des Speisezimmers – wegen der Gobelins an einer der Wände *sala degli arrazzi* genannt – noch ein wenig von dem Glanz, in dem sich das Haus Tron einst gesonnt hatte. Vor den beiden, aufgrund der Kälte geschlossenen Fenstern zum Canal Grande hingen mit Goldfäden durchwirkte Brokatvorhänge, an der gegenüberliegenden Wand stand ein Konsoltisch, dessen riesige Marmorplatte auf vergoldeten Delphinen ruhte. Darüber hingen, beinahe die ganze Wand einnehmend, Porträts von bedeutenden Persönlichkeiten, die das Haus Tron hervorgebracht hatte: ein Doge, drei Admiräle und zwei Prokuratoren von San Marco. Aber das alles war lange her, und verräterische helle Rechtecke auf der Tapete zeugten davon, dass die Trons gezwungen waren, sich von einigen der Porträts zu trennen.

Tron schlug den Kragen seines Gehrocks hoch und lehnte sich auf seinem Stuhl zurück. Ihn fröstelte – kein Wunder bei der eisigen Temperatur, die in der *sala degli arrazzi* herrschte. Die Fischsuppe dampfte auch nicht, weil sie heiß war, sondern weil der weiße Fayenceofen aus dem vorigen Jahrhundert kaum beheizt wurde. Aus Sparsamkeit bevorzugte die Contessa *scaldinos*, kleine, tragbare und mit glühender Holzkohle gefüllte Tongefäße. Die qualmten meist, weil Alessandro die strikte Anweisung hatte, preiswerte dalmatinische Holzkohle zu kaufen und nicht die teure aus dem Friaul.

«Julien ist gestern in Venedig angekommen», sagte die Contessa. Sie häufte sich ein wenig von dem grünlichen Hühnerfleisch auf den Teller und ignorierte die Rauchfahne, die neben ihrem Stuhl emporstieg.

Tron hob den Blick von seinem Teller. Für eine Frau in den Siebzigern hatte sich seine Mutter bemerkenswert gut gehalten. Mit ihrer schlanken Figur und ihrem sorgfältig ondulierten Haar sah sie mindestens zehn Jahre jünger aus. «Wer ist gekommen? Ich kenne keinen Julien.»

Die Contessa runzelte die Stirn. «Hat sie dir nichts davon erzählt?»

«Falls du die Principessa meinst – sie hat keinen Julien erwähnt.»

«Das wundert mich.» Die Contessa hatte ihre Fischsuppe ausgelöffelt und häufte sich abermals eine Portion grünlich violett schimmerndes Hühnerfleisch auf ihren Teller. «Worüber redet ihr eigentlich?»

«Offenbar nicht über diesen Julien.»

«Er ist Sonntagabend mit der Bahn aus Verona gekommen», erläuterte die Contessa. «Aber die Principessa hat ihn noch nicht getroffen. Der junge Mann scheint sehr beschäftigt zu sein.»

«Würdest du mir bitte erklären, von wem die Rede ist?»

«Von Julien Sorelli, dem Neffen der Principessa», sagte die Contessa. «Wenn ich es richtig verstanden habe, hatten die beiden eine äußerst lebhafte Korrespondenz.» Sie spießte ein Stückchen Hühnerfleisch auf ihre Gabel.

«Merkwürdig, dass sie das dir gegenüber nicht erwähnt hat.»

«Ich wusste gar nicht, dass Maria einen Neffen hat.»

«Er ist der Neffe ihres verstorbenen Mannes, des Fürsten von Montalcino. Dessen Schwester hat in Paris einen Italiener geheiratet.»

«Einen Signor Sorelli.»

«So ist es. Und Julien ist der Sohn der beiden.»

«Und was macht er hier in Venedig?»

Die Contessa sah Tron bedeutungsvoll an. «Julien ist der neue Privatsekretär des Comte de Chambord.»

Tron hob überrascht die Augenbrauen. Der Comte de Chambord, Herzog von Bordeaux und nach der Abdankung seines Großvaters im August 1830 der Erbe des französischen Throns, hatte seinen Anspruch auf die Königskrone nie aufgegeben. Man wusste, dass er vom venezianischen Exil aus um seinen Thron kämpfte – mit der Unterstützung royalistischer Fanatiker, die sich in einer geheimen Gesellschaft, der *Ligue Fédérale*, organisiert hatten.

«Arbeitet dieser Julien für die *Ligue Fédérale*?»

«Die *Ligue* ist eine Geheimgesellschaft, Alvise. Niemand, der für die Liga arbeitet, redet darüber.»

Tron hielt es für besser, das Thema zu wechseln. «Ich nehme an, der Comte de Chambord steht wieder auf deiner Liste.»

Die Contessa nickte. «Er hat bereits zugesagt. Was ich als Ehre betrachte, denn er macht sich gesellschaftlich rar. Maskenbälle zu besuchen ist nicht sein Stil.»

«Dein Maskenball ist etwas ganz Besonderes.»

Die Contessa lächelte. «Die Gästeliste kann sich jedenfalls sehen lassen», sagte sie. Und dann ohne Pause weiter: «Der Ball wäre eine gute Gelegenheit, eure Hochzeit anzukündigen.»

Tron hätte beinahe den Löffel in die Fischsuppe fallen lassen. «Wie bitte? *Was* anzukündigen?»

«Eure Hochzeit, Alvise. Diese Dauerverlobung ist kein Zustand.»

«Stammt die Idee von dir oder von der Principessa?»

«Sie liegt auf der Hand. Es ist nie auszuschließen, dass irgendjemand in ihr Leben tritt, der ...»

«Der was?»

Die Contessa überlegte einen Moment. «Jemand, der sie beeindruckt. Jemand von Familie. Der seinerseits von der Principessa beeindruckt ist.»

«Es gibt keinen Mann, der von der Principessa *nicht* beeindruckt ist.»

«Was dich eines Tages in Schwierigkeiten bringen könnte. Wann siehst du die Principessa?»

«Morgen Abend», sagte Tron.

«Dann solltest du über das, was ich dir eben mitgeteilt habe, nachdenken.»

Tron kam plötzlich ein Verdacht. «Hat dieser Julien Sorelli etwas mit deinem Vorschlag zu tun?»

Der zerstreute Blick, den die Contessa über den Tisch warf, war täuschend echt. «Nun, jetzt wo du es sagst ...» Die Contessa setzte eine nachdenkliche Miene auf. «Ich finde es jedenfalls merkwürdig, dass die Principessa diesen jungen Mann nie erwähnt hat.» Ihr Mund verzog sich zu einem winzigen Lächeln, das schnell wieder erstarb. «Man könnte fast auf den Gedanken kommen, sie hätte einen Grund, nicht darüber zu reden.»

Tron hatte es aufgegeben, so zu tun, als würde er essen. «Wahrscheinlich», sagte er, «hielt sie es für unwichtig. Ebenso unwichtig wie den Umstand, dass dieser Bursche jetzt in Venedig ist. Ich frage mich, warum du so darauf herumreitest.»

Die Antwort der Contessa kam sofort. «Weil ich ein ungutes Gefühl habe.» Sie wandte sich wieder dem Hühnerfleisch zu, spießte ein weiteres Stück davon auf, kaute und schluckte es hinunter. Dabei machte sie ein Gesicht, als würde sie Asche essen.

5

«Nicht schlecht», sagte Signor Zulani und rülpste.

Ein wenig Fett tropfte von seinem Schnurrbart herab, lief über seine wulstige Unterlippe und vermischte sich, weiter herabtropfend, mit den Krümeln der Bratkartoffeln, die sich in seinem Bart verfangen hatten. So genau war dies allerdings nicht zu erkennen, denn anstelle der teuren Petroleumlampen gab es im Hause Zulani lediglich billige Rüböllampen. Eine davon hing an der niedrigen Decke, die andere stand auf dem Küchentisch, und beide warfen einen trüben Lichtschein auf den Herrn des Hauses, die abgedeckte Pfanne und die dampfende *fegato alla veneziana* auf dem Tisch.

«Nicht schlecht», wiederholte Signor Zulani, indem er eine weitere Gabel zum Mund führte und anerkennend grunzte.

Bella Zulani, die Gattin von Signor Zulani, deren Äußeres immer schon in krassem Kontrast zu ihrem Vornamen gestanden hatte, nickte zufrieden. Sie hatte sich, eine Magenverstimmung vortäuschend, darauf beschränkt, eine Scheibe Brot zum Abendessen zu verspeisen und hin und wieder einen Schluck Wasser zu trinken. Nicht dass sie – als Reaktion auf dieses spezielle Mahl – einen plötzlichen Zusammenbruch ihres Gatten erwartete, aber man konnte nie wissen.

Signora Zulani hatte die Haut der Leber sorgfältig abgezogen, das Fleisch geschnetzelt und in einer Pfanne mit Olivenöl scharf angebraten. Dann hatte sie die Leber aus der Pfanne genommen und feingeschnittene Zwiebeln, Rosmarin und Thymian braun geröstet. Schließlich hatte sie die Leber wieder dazugegeben, alles vermischt und sorgfältig mit Pfeffer und Salz abgeschmeckt. Als Beilage gab es einen Berg Bratkartoffeln.

Das Resultat war eine Portion, die eine fünfköpfige Familie satt gemacht hätte – also genau die richtige Menge für Signor Zulani, der tagsüber als Schmied im Arsenal arbeitete und immer schon einen gesunden Appetit gehabt hatte.

Signor Zulani wischte sich den Mund ab, wobei er den Ärmel seines Hemdes benutzte. Dann trank er einen Schluck Wein und rülpste abermals. «Woher?»

Das war so seine Art, Fragen an seine Frau zu richten. Früher, dachte sie resigniert, hätte er sich höflich danach erkundigt, bei wem sie die Leber gekauft hatte, und wäre sich auch nicht zu schade gewesen, mit ihr ein paar Worte über das Rezept zu wechseln. *Früher* – das war, bevor sie ein wenig zugenommen hatte – von hundertzwanzig auf zweihundert –, das meiste, seit Giovanni, ihr einziges Kind, aus dem Haus gegangen war. Jedenfalls wusste sie, was gemeint war, und konnte seine Frage beantworten.

«Die Leber stammt von Grassi», sagte sie schnell und merkte, dass sie rot wurde.

Signor Grassi war ein melancholischer Junggeselle, der eine Macelleria am Campo San Giobbe betrieb. Sie kaufte das sonntägliche Fleisch, das sie sich selten genug leisten konnten, entweder dort oder in einer Macelleria direkt neben dem Bahnhof – wo sie zusammen mit einem halben Dutzend anderer Signoras für die Reinigung der Coupés zuständig war, die nachts aus Verona ankamen.

Signor Zulani gönnte sich noch einen kräftigen Schluck Wein und atmete aus, wobei eine Wolke über den Tisch waberte, die so roch wie ein weichgekochtes Ei, das eine Woche in einem Schlammloch gelegen hatte. Er sah sie misstrauisch an. «Teuer?»

Signora Zulani schüttelte den Kopf. «Einen halben Lire», sagte sie.

Der Gatte blickte mürrisch. «Billig ist das nicht.»

Was definitiv nicht stimmte, denn die Leber war ziemlich groß gewesen und – soweit sie es beurteilen konnte – von durchaus zufriedenstellender Qualität, wenn auch von etwas fragwürdiger Herkunft. Tatsächlich hatte sie keinen einzigen Centesimo dafür bezahlt, und das war auch der Grund, aus dem ihr bereits der Anblick des Gerichts auf den Magen geschlagen war.

Signora Zulani hatte die Leber gestern Nacht im Rahmen ihrer Reinigungstätigkeit in einem der Coupés des Nachtzugs aus Verona gefunden. Jawohl, *gefunden*. Das Organ lag auf einem *Giornale di Verona*, das wiederum auf dem plüschigen Polster eines Erste-Klasse-Coupés gelegen hatte – nicht ganz der Artikel, den eine schlechtbezahlte Reinigungskraft mit Vergnügen nach Hause trägt, keine vergessene Geldbörse, kein teures Taschentuch, auch kein herabgefallenes Schmuckstück. Aber etwas Essbares, eine offensichtlich frische Leber, vielleicht bei einer renommierten Macelleria in Verona erstanden, die dem Reisenden dann wohl lästig geworden war und die er nicht aus dem Fenster entsorgt hatte, sondern aus einem sozialen Impuls heraus für die Reinigungskräfte zurückgelassen hatte. In der zutreffenden Erwartung, dass man das Organ einpacken und – *guten Appetit* – zum baldigen Verzehr mitnehmen würde.

Was sie dann auch tat, nachdem sie das Abteil gründlich gereinigt hatte. Das war nicht ganz so flott wie üblich gegangen, denn offenbar war mit dem Hantieren der Leber einiges Blut geflossen, sodass sie das Wasser im Eimer dreimal austauschen und kräftig scheuern und schrubben musste, bis das Coupé wieder proper aussah. Nein – dass sie die Leber ganz umsonst bekommen hatte, konnte man eigentlich nicht sagen, und ein hübscher Ring wäre ihr zweifellos lieber gewesen.

Aber war es wirklich so gewesen? Stammte diese Leber tatsächlich aus einer Veroneser Macelleria? Sie war sich an diesem Punkt nicht ganz sicher, obwohl es eigentlich keine andere Möglichkeit gab. Andererseits hatte etwas *Böses* in der Luft des Coupés gehangen. Signora Zulani hatte beim Schrubben des Bodens mehrmals das absurde Gefühl gehabt, als würde etwas ausgesprochen Ekelhaftes ihre Schultern und ihren Hals berühren. Sie hatte sich jedes Mal erschrocken umgedreht, aber da war nichts außer dem Putzeimer und der Leinentasche mit der Leber.

Signora Zulani senkte die Lider, denn es gab kaum etwas Ekelhafteres als den Anblick ihres mampfenden Gatten. Dann beschloss sie, die ganze Angelegenheit gründlich zu vergessen.

6

Der Kaffee, schwarz wie die Sünde und erstaunlich gut, wurde in der Locanda Zanetto nicht in Tassen, sondern in angeschlagenen Bechern serviert, wie sie auf Priesterseminaren oder in Kadettenanstalten benutzt wurden. Allerdings schien er der Einzige zu sein, der hier Kaffee trank. Die meisten Gäste hatten Wein- oder Biergläser in der Hand, einige der stark geschminkten Damen tranken aus langstieligen Champagnerflöten. Vermutlich, dachte er, handelte es sich um billigen Prosecco, den man in Champagnerflaschen gefüllt hatte, und wahrscheinlich hatten die Herren für eine Flasche dieses fragwürdigen Gesöffs ein Vermögen ausgeben müssen.

Er hatte bereits den sechsten Kaffee getrunken und spürte, wie er langsam in Stimmung kam. Wie sein *Tatendurst* erwachte. Der Genuss von Bier oder Wein ließ ihn jedes Mal dumpf im Kopf werden, deshalb mied er – bis auf ein gelegentliches Glas Champagner – den Alkohol seit Jahren. Kaffee hingegen inspirierte ihn. Manchmal hatte er das Gefühl, dass sein Verstand nach jeder Tasse klarer und schärfer wurde. So scharf, dachte er, wie das Rasiermesser, das in der Tasche seines Gehrocks steckte.

Er wandte sich vom Tresen ab und sah sich um. Die Locanda Zanetto, angeblich das größte Tanzlokal in Cannaregio, war gut besucht, wenn auch nicht gerade überfüllt. Das Lokal bestand aus einem riesigen, L-förmigen Raum, an dessen einer Seite ein Salonorchester spielte. Gegenüber befand sich ein langer Tresen, an dem man kalte Speisen und Getränke bekam. Den größten Teil des Raumes nahm die Tanzfläche ein. An den Wänden standen Tische ohne Tischdecken, bei den Stühlen handelte es sich um billige Bugholzstühle. Billig sahen auch die Gäste an den Tischen aus – kleine Angestellte und Fremde aus den eher preiswerten Hotels, auf der Suche nach einem schnellen Abenteuer. Sie tranken Bier oder Wein, verspeisten gefüllte Oliven, die in kleinen Schälchen auf dem Tisch standen, und taxierten dabei die Damen, die allein oder in kleinen Pulks durch die Locanda streiften.

Die wenigsten Gäste hatten sich die Mühe gemacht,

ein Kostüm aufzutreiben. Sie trugen Gehröcke, an die sie scherzhafte Anstecker aus buntem Papier geheftet hatten, einige Herren hatten sich Karnevalshütchen aufgesetzt. Er selbst trug einen Dreispitz aus stoffüberzogener Pappe, den er für fünfzig Centesimi am Eingang gekauft hatte, dazu eine Halbmaske, eine schwarze *bautta*, die seine Augen und einen Teil der Stirn verdeckte. Mund und Kinn blieben frei, aber da beides weder markant noch auffällig war, war es unwahrscheinlich, dass sich irgendjemand an ihn erinnern würde. Geschweige denn in der Lage war, eine brauchbare Beschreibung von ihm abzugeben.

Selbstverständlich war der *Ballo in Maschera*, der hier laut Plakat neben dem Eingang stattfand, keine elegante Settecento-Veranstaltung, sondern ein durchsichtiger Vorwand, kurzfristige Bekanntschaften zu knüpfen. Es war zu vermuten, dass sich in unmittelbarer Nähe der Locanda Zanetto billige Stundenhotels befanden.

Als die Musik einsetzte und sich die Tanzfläche füllte, stellte er die leere Kaffeetasse auf den Tresen und nahm seinen Rundgang wieder auf. Inzwischen schwitzte er unter seiner Halbmaske, und ein Blick in den Spiegel hatte ihn darüber belehrt, dass er mit seinem Dreispitz ausgesprochen lächerlich aussah. Aber er würde nicht den Fehler machen, ihn abzunehmen und seine Maske zu lüften – sei es auch nur für einen Augenblick. Er schob sich weiter durch die Menge und ignorierte die atembeklemmende Glocke aus Zigarettenrauch, Bierdunst und billigem Parfum, die über der Locanda hing.

Es war jetzt kurz nach Mitternacht. Noch hatte er keine Frau gefunden, deren Figur und Gesichtsausdruck ihn ansprachen. In der letzten Tanzpause hatte ihm eine mollige Brünette zugezwinkert, die mit einem Glas Wein in der Hand vor dem kleinen Podium stand, auf dem das Salonorchester spielte. Ihr Dekolleté war äußerst bemerkenswert, aber er hatte den Kopf gedreht und war weitergegangen. Er machte sich nichts aus molligen Brünetten. Er wusste genau, was er wollte. Es war nur eine Frage der Zeit, bis die Frau auftauchte, auf die er wartete.

Dass er gestern Nacht gezwungen gewesen war zu improvisieren, war bedauerlich, aber es hatte sich nicht vermeiden lassen. Im Nachhinein konnte er allerdings mit sich zufrieden sein. Er hatte in der Hitze des Gefechts die Übersicht behalten. Den Schnitt durch die Bauchdecke, obwohl lange nicht mehr vorgenommen, hatte er fast routinemäßig ausgeführt. Dann hatte er ihr mit ein paar weiteren virtuosen Schnitten *das Leben* entnommen und die Frau noch rechtzeitig vor der Ankunft des Zuges in Venedig entsorgt. Ob sie die Leiche bereits gefunden hatten? Ihre *unvollständige* Leiche? Angeschwemmt an den Gestaden der Fondamenta Nuove? Hier ganz in der Nähe? Jedenfalls war es auszuschließen, dass man ihn mit dem Verschwinden der Frau in Verbindung brachte. Falls man überhaupt darauf kam, dass die Signorina die Eisenbahn benutzt hatte.

Ein wenig problematisch war das Blut im Abteil gewesen. Als das Fest vorbei war, hatte er in einer regelrechten Pfütze gestanden. Es gab sogar ein paar Spritzer auf den Spiegeln über den Sitzen, und auch die Polster sahen saumäßig aus. Ob der Schaffner angesichts der Schweinerei die Polizei gerufen und all die Scherereien in Kauf genommen hatte, die damit verbunden waren? Unwahrscheinlich. Vermutlich hatte er sich darauf beschränkt, eine gründliche Reinigung anzuordnen und die Angelegenheit dann auf sich beruhen zu lassen. Und damit stellte sich die spannende Frage, wie die Reinigungskräfte auf das organische Objekt auf den Polstern reagiert hatten.

Hatten sie es entsorgt? Oder vielleicht gar verspeist? Zubereitet *alla veneziana*? Mit ein wenig Reis und dem obligatorischen Salbeiblatt? Die Leute, dachte er, die für die Reinigung der Coupés zuständig waren, waren arm. Sie würden zugreifen, wenn sie auf ein schmackhaftes Stück Fleisch stießen.

Nein, er hatte nicht damit gerechnet, dass seine Eisenbahnfahrt nach Venedig diese überraschende Wendung nehmen würde. Sie war ihm in Verona auf dem Bahnsteig aufgefallen: eine schlanke blonde Signorina, die in das Coupé hinter ihm gestiegen war. Sie hatten sich kurz angesehen, und dann hatte ihn der Blick ihrer leicht schräg stehenden Augen nicht mehr losgelassen. Als der Zug sich ruckelnd in Bewegung setzte, hatte er sich gefragt, welche Farbe sie haben mochten. Hinter Vicenza war ihm klargeworden, dass es um mehr ging, als die Farbe ihrer Augen festzustellen. Und dass es zu spät war, dagegen anzukämpfen. Also hatte er seinen Handkoffer geöffnet, das Rasiermesser entnommen und war in Fusina in ihr Abteil gestiegen. Wie sich herausstellte, hatte sie tatsächlich grüne Augen – hellgrün wie Frühlingslaub.

Natürlich wusste er nur zu gut, dass in seinem Inneren eine Bestie lauerte, ein wildes Tier, das nur auf eine Gelegenheit wartete, seine scharfen Zähne in weiches Fleisch zu schlagen. Dieses Tier in seinem Inneren schlief viel, und es gab ganze Monate, in denen er es vollständig vergaß. Manchmal dachte er, dass es vielleicht in eine Art Winterschlaf versunken war oder sich gar für immer zur Ruhe gelegt haben mochte. Bis es wieder erwachte und mit kleinen Rattenzähnchen an seinem Verstand zu nagen begann. Der merkwürdigerweise auch dann, wenn die Bestie ausgebrochen war und sich austobte, erstaunlich gut funktionierte. Bisher hatte sein Verstand immer dafür gesorgt, dass er nicht erwischt wurde. Das, was er hin und wieder tat, konnte man nicht unbedingt als vernünftig bezeichnen. Aber wenn er es denn tat, geschah es unter voller Kontrolle seines Verstandes.

Vor einigen Monaten war ihm das Buch eines Schweizer Professors über die alten Griechen in die Hände gefallen. Erst hatte es ihn gelangweilt, aber dann hatte er es mit wachsender Faszination verschlungen. Der Professor behauptete tatsächlich, dass die alten Griechen uns an der Nase herumgeführt hätten. Nichts da mit stiller Einfalt und edler Größe! Alles getürkt! Denn hinter ihren geleckten Tempelfassaden, so der Professor aus Basel, hatten sie in Wahrheit blutige Veitstänze aufgeführt, sich dem Rausch und der Wollust hingegeben. Das hatte ihm eingeleuchtet. Im Grunde, hatte er sich nach der Lektüre des Buches gesagt, sind wir alle Griechen. Hinter unserer Fassade, unseren Tempelfronten aus weißem Marmor, da morden und kopulieren wir, was das Zeug hält. Der eine mehr, der andere weniger.

Er etwas mehr. Denn er war zweifellos verrückt.

Und die Stadt, in die er gekommen war, hatte ihn noch ein Stück verrückter gemacht. Lag es an dem Dunst karnevalistischer Enthemmung, der ihm bereits am Bahnhof entgegengeschlagen war? An den grell geschminkten Signorinas, die man an jeder Ecke traf? Oder war es die Begegnung im Zug gewesen, die das wilde Tier wieder von der Leine gelassen hatte? Merkwürdig, dachte er. Wie war es möglich, dass er die Bestie in seinem Inneren hasste und zugleich liebte? Dass er ihren Ausbruch befürchtete und zugleich als Befreiung empfand? Dass er bereit – nein, geradezu *wild* darauf war, ihr das zu verschaffen, wonach sie verlangte?

Jedenfalls hatte er sich bereits am ersten Tag seines Aufenthalts in Venedig erneut auf die Pirsch gemacht. Und für einen Jäger auf der Suche nach Beute war die Locanda Zanetto ein perfekter Waidgrund. Ein ideales Revier, das ganze Rudel leckerer Tierchen durchstreiften, die nur darauf warteten, erlegt zu werden. Wäre er nicht so wählerisch gewesen, hätte er schon lange zugeschlagen. Aber das wilde Tier in ihm hatte sich noch nie mit dem zufriedengegeben, was ihm zufällig über den Weg lief. Die Figur der Frau, ihre Haarfarbe, ihre Art, sich zu bewegen – alles das musste stimmen. Im Idealfall auch die Farbe ihrer Augen. Grün und unschuldig wie Frühlingslaub. Am besten kombiniert mit einem melancholischen Augenaufschlag. Ob das wilde Tier in ihm eine romantische Ader hatte? Manchmal kam es ihm so vor. Er jedenfalls hatte *keine* romantische Ader.

Er drehte den Kopf, um eine Gruppe von Signorinas zu beobachten, die sich an ihm vorbeigedrängt hatten und jetzt ein paar Schritte von ihm entfernt stehenblieben, um das männliche Publikum zu taxieren. Unwillkürlich musste er lächeln. Diese Damen waren auch auf der Jagd. Als Beute kamen sie allerdings nicht in Frage. Die eine schien eine schwarze Perücke zu tragen, die beiden anderen hatten lockige, mausbraune Haare. Alle drei waren sie klein und rundlich. Es dauerte nur ein paar Sekunden, bis sein Urteil feststand: ungeeignet. Keine fette Beute. Da regte sich nichts in ihm.

Zwei Stunden später fand er sie. Er hätte sie unmöglich übersehen können, denn das wilde Tier in seinem Inneren war bei ihrem Anblick sofort in ein gieriges Wolfsgeheul ausgebrochen. Einen Moment lang befürchtete er, dass etwas von diesem Geheul durch seine Schädeldecke nach außen gedrungen sein könnte, und sah sich erschrocken um. Hatte er womöglich selbst laut aufgeheult?

Als er sie sah, stand sie gerade neben dem Ausgang, der zum Steg führte, an dem die Gondeln an- und ablegten. Sie war blond und hochgewachsen, eine der legendären venezianischen Blondinen, die ihre Haare im Sommer auf den Altanen mit Hilfe von Salzwasser ausbleichen ließen. Sie war kein frisches Zitronentörtchen, sondern eine Frau in den Dreißigern, aber das störte ihn nicht. Er hatte nicht die Absicht, sie zu heiraten. Das wilde Tier in ihm würde ohnehin dafür sorgen, dass ihre Bekanntschaft nicht sehr lange dauerte.

Die Paare wiegten sich jetzt zu den Klängen eines langsamen Walzers, und einen Moment lang erwog er, sie aufzufordern. Aber er war ein schlechter Tänzer und fürchtete, sich zu blamieren. Außerdem schwitzte er. Wieder überkam ihn der Drang, die Maske abzunehmen, um ein wenig Luft an seine obere Gesichtshälfte zu lassen. Aber es wäre ein Fehler, sich zu zeigen, bevor sie das Hotelzimmer betreten hatten. Falls es einen Portier gab, würde er Verständnis für seine Maskierung haben. Niemand, der mit einer Schlampe zusammen ein Stundenhotel betritt, legt Wert darauf, dass man sich an ihn erinnert.

Sein Gesicht, Commissario? Das kann ich Ihnen nicht sagen. Er trug eine Halbmaske, und an seiner unteren Gesichtshälfte war nichts, was mir aufgefallen wäre. Nein – ein markantes Kinn hatte er nicht. Er hatte ein ganz normales Kinn. Er war mittelgroß, weder dick noch dünn. Und geredet hat er auch nicht. Das Reden hat er der Frau überlassen. Fragen Sie mich also nicht, ob es ein Einheimischer oder ein Fremder war. Ich weiß es nicht.

Als der Walzer zu Ende war und sich die Paare voneinander lösten, trat er einen Schritt auf sie zu. Sie bemerkte ihn, sah ihn an, und ihr Blick blieb einen Moment lang an seiner Kopfbedeckung hängen.

Es hätte alles wunderbar funktioniert, wäre nicht in diesem Augenblick ein Mann zwischen sie getreten. Der Mann war groß und massig – er erkannte sofort, dass es sinnlos sein würde, sich mit ihm anzulegen. Die beiden verhandelten kurz, und dann nahm die Schlampe den Mann beim Arm und zog ihn durch die Tür, die zu dem Steg mit den Gondeln führte. Futsch! Perdu! Das alles hatte höchstens zwei Minuten gedauert. Erstaunlich, dachte er, wie zügig man hier in Venedig zur Sache kam. Er ließ ein paar Augenblicke verstreichen, um der wütenden Bestie in seinem Inneren die Gelegenheit zu geben, sich zu beruhigen. Dann setzte er sich in Bewegung, öffnete die Tür und betrat den Steg vor der Locanda Zanetto.

Nach all dem Zigarettenrauch und dem Alkoholdunst war die reine Luft hier draußen ein wahres Labsal. Im Westen war eine Lichterkette über der Lagune zu erkennen, und es dauerte einen Moment, bis ihm klarwurde, dass es sich um die Eisenbahnbrücke handelte, die Venedig mit dem Festland verband. Er lief bis zum Ende des Stegs und sah gerade noch, wie die Gondel mit der Schlampe und dem Mann in der Dunkelheit verschwand. Ob er die Frau morgen Nacht wieder hier antreffen würde? Wahrscheinlich. Solche Frauen hatten ein festes Revier, und die Locanda Zanetto war ein ideales Pflaster für sie. Also kein Grund, sich aufzuregen. Er ging davon aus, dass die Bestie in seinem Inneren es genauso sah.

Die hatte sich offenbar frustriert zurückgezogen, was ihm die Gelegenheit gab, in aller Ruhe einen Blick auf die Gondeln zu werfen, die vor der Locanda warteten. Auf den meisten waren *felze* errichtet worden – zeltähnliche schwarze Stoffkabinen, die im Sommer die Sonne fernhielten und im Winter Schutz vor der Kälte boten. In jedem *felze* brannte eine kleine Öllampe, und auf dem Boden glühte ein *scaldino*, ein kleiner tragbarer Ofen. Die Lehne zwischen den beiden Sitzen war entfernt worden, sodass eine gepolsterte Bank daraus wurde, auf der man alles Mögliche anstellen konnte.

Als er sich abwandte, um den Steg zu verlassen, wusste er plötzlich, wie er morgen vorgehen würde. Das Hotel konnte er sich sparen. *Gepolsterte Bänke, auf denen man alles Mögliche anstellen konnte.* Ein paar spitze Schreie würden den Gondoliere nicht irritieren.

Das Tier in seinem Inneren meldete sich jetzt mit einem sabbernden Kichern zurück. Normalerweise achtete er streng darauf, dass von solchen Gemütsaufwallungen nichts nach außen drang. Doch in diesem Fall gestattete er sich eine Ausnahme. Als er die Locanda Zanetto wieder betrat, strahlte er über das ganze Gesicht.

7

Johann-Baptist von Spaur, Polizeipräsident von Venedig und Liebhaber von Innereien, hob den Kopf von seiner *fegato alla veneziana* und sagte feierlich: «Heute sind die neuen Zahlen aus Graz, Salzburg und Triest gekommen.»

Wie immer während des Karnevals war der Speisesaal des Danieli-Hotels zur Mittagszeit brechend voll. Tron registrierte eine Melange aus Engländern, Franzosen und Deutschen, dazu die übliche Beimischung kaiserlicher Offiziere, die zum Ärger der Hotelleitung per Unterbringungsschein logierten. Drei von ihnen, zwei Rittmeister der Honved-Husaren und ein Leutnant der Linzer Dragoner, saßen am Nebentisch. In ihren bunten, goldbetressten Uniformen kamen sie Tron wie Zirkusartisten vor, Dompteure von singenden Pferden und tanzenden Seehunden.

Tron hob ebenfalls den Kopf von seinem Teller. «Und wie sieht es aus?»

«Venedig führt», sagte Spaur zufrieden. «Wir haben sogar noch Luft.»

«Was heißt das?»

«Dass wir mit drei Punkten vorne liegen. Und wir sind jetzt mehr oder weniger in der Schlussrunde. Zwei Morde könnten wir noch verkraften. Bei drei Morden müssen wir uns den Platz mit Salzburg teilen.» Spaur wischte sich den Mund ab und trank einen Schluck von seinem Barolo. «Was ich aber nicht sehe. Die Frist läuft am Monatsende aus, und die Karnevalszeit war bei uns immer friedlich.»

Die Karnevalszeit immer friedlich? Das hatte Tron anders in Erinnerung, aber er hielt es nicht für sinnvoll, dem Polizeipräsidenten zu widersprechen. «Dann steht der Ehrung ja nichts entgegen.»

«Sie dürfen mir bereits gratulieren», sagte Spaur. «Und sich selbst ebenfalls. Immerhin hatten Sie auch Ihren Anteil an diesem Erfolg.» Der Polizeipräsident beugte sich lächelnd über den Tisch. «Schmeckt es Ihnen? Sind Sie zufrieden mit den Kochkünsten von Monsieur Dupont?»

Tron war kein Freund von Innereien, aber er musste zugeben, dass diese *fegato alla veneziana* schmackhafter war als die Kutteln in allen nationalen Varianten, mit denen Spaur ihn bereits traktiert hatte. Die Leber auf seinem Teller war zart, ohne eine gewisse Festigkeit vermissen zu lassen. Und sie hatte einen delikaten Beigeschmack, wie nur französische Spitzenköche ihn erzeugen können. Keine Frage, der neue *Chef* des Danieli, ein Monsieur

Dupont aus Lyon, wurde dem Ruf, der ihm vorausgeeilt war, gerecht.

Tron hob sein Glas. «Ausgezeichnet, Baron. Dann gestatten Sie mir, Ihnen zu gratulieren.»

Auf Spaurs gerötetem Gesicht breitete sich ein stolzes Lächeln aus. «Polizeipräsident des Jahres!» Er nahm einen Schluck von seinem Barolo und sah Tron an. «Wussten Sie, dass es sich dabei um eine persönliche Initiative des Kaisers handelt?»

Tron schüttelte den Kopf.

«Franz Joseph steht auf dem Standpunkt, dass die Zahl der Gewaltverbrechen einen präzisen Aufschluss über die Effektivität der Polizeiarbeit gibt», sagte Spaur. «Wenn die Leute wissen, dass sie erwischt werden, halten sie sich zurück.»

Tron nickte. «Sodass schwere Gewaltverbrechen eher selten vorkommen. Das leuchtet ein.» Er setzte ein verbindliches Lächeln auf. «Jedenfalls wird die Baronin stolz sein.»

«Violetta», sagte Spaur, «nimmt großen Anteil an meiner Arbeit.» Seine Augen bekamen einen träumerischen Ausdruck. «Und aus dieser Ehrung könnte sich eine Einladung in die Hofburg ergeben.» Spaur setzte sich aufrecht hin und ordnete seine Serviette, als wäre sie eine Frackschleife. «Die Baronin würde einer solchen Aufforderung gerne folgen.»

«Eine Einladung nach *Wien*?»

«Die Hofburg befindet sich seit mehr als fünfhundert Jahren in Wien», sagte Spaur ungeduldig. «Im Übrigen», fuhr er in verbindlichem Gesprächston fort, «hat sich die Baronin über *Ihre* Einladung zum Maskenball sehr gefreut und Ihrer Frau Mutter bereits geantwortet.»

Das hatte die Baronin Spaur in der Tat. Auf fliederfarbenem, goldumrandetem Büttenpapier, auf dem das Löwenwappen der Spaurs prangte. Die Contessa Tron hatte anerkennend mit dem Kopf genickt.

Der Polizeipräsident sah Tron gespannt an. «Werden wir den Comte de Chambord auf Ihrem Ball sehen?»

«Seine Durchlaucht hat zugesagt.»

«Das wird die Baronin freuen», sagte Spaur. «Vielleicht trägt sich der Comte auf ihrer Tanzkarte ein.» Er schloss die Augen und summte ein paar Walzertakte. «Vielleicht werden wir dann in den Palazzo Cavalli eingeladen.»

«Die Chambords empfangen nur alle zwei Monate.»

«Ich weiß. Und der Gästekreis ist äußerst exklusiv. Das ist es ja, was die Baronin reizt.» Die Miene des Polizeipräsidenten verdüsterte sich. «Sie fühlt sich gesellschaftlich immer noch nicht akzeptiert. Als wäre es eine Schande, im Malibran auf der Bühne gestanden zu haben. Violetta hat eine große Karriere für mich aufgegeben. Sie war der aufgehende Stern am italienischen Theaterhimmel.»

Das entsprach nicht ganz der Wahrheit. Tron fragte sich, ob Spaur es selbst glaubte. Signorina Violetta war zu keinem Zeitpunkt ein aufgehender Stern am italienischen Theaterhimmel gewesen, eher ein Glühwürmchen, das immer Gefahr lief, unbemerkt im Meer der Komparsen zu verlöschen. Allerdings – das musste Tron zugeben – ein durchaus attraktives Glühwürmchen. Und eine energische junge Frau, die entschlossen war, sich einen Platz in der Gesellschaft zu erobern.

«Jedenfalls», fuhr Spaur fort, «hat die Baronin gestern entschieden, welche Kostüme wir auf dem Maskenball der Contessa tragen werden.» Er beugte sich über den Tisch und senkte die Stimme zu einem Flüstern. «Wir werden ein bekanntes Paar aus der römischen Geschichte darstellen.»

«Und welches?»

Spaur machte ein verlegenes Gesicht. «Das hat mir die Baronin noch nicht verraten. Violetta ist manchmal so ...»

Der Polizeipräsident brach den Satz ab, hob den Kopf, und seine Augen nahmen einen erstaunten Ausdruck an. Als Tron sich umdrehte, sah er, dass Sergeant Kranzler, Spaurs Adlatus, an den Tisch getreten war. In der Hand hielt er einen Umschlag im Kanzleiformat, den er an Trons Schultern vorbei über den Tisch reichte. Spaur öffnete das Kuvert mit einem Dessertmesser und zog einen eng beschriebenen Bogen heraus. Er begann zu lesen, mit jedem Satz vertieften sich die Furchen zwischen seinen Augenbrauen. Schließlich blickte er auf. «Stumm von Bordwehr. Kommt Ihnen der Name bekannt vor?»

«Den Namen hat uns der Mann genannt, der gestern auf der Questura ausfällig wurde», sagte Tron. «Ich bezweifle, dass er tatsächlich so heißt.»

«Der Name stimmt. Und das, wofür er sich ausgegeben hat, trifft ebenfalls zu.»

«Der Bursche hat steif und fest behauptet, ein kaiserlicher Offizier zu sein.»

Spaur schloss gequält die Augen. «Er *ist* ein kaiserlicher Offizier, Commissario. Und zwar ein Oberst aus dem Hauptquartier in Verona, der sich seit ein paar Monaten dienstlich in Venedig aufhält. Übrigens», fügte er noch hinzu, «sind wir miteinander bekannt.»

«Gut bekannt?»

Spaur schüttelte den Kopf. «Wir haben uns jahrelang nicht mehr gesehen. Ich war damals sein Vorgesetzter im Dragonerregiment Maria Isabella in Wien. Stumm war Fähnrich bei uns.» Spaurs Mundwinkel zogen sich nach unten. «Ich musste ihn einmal wegen einer Frauengeschichte in Arrest nehmen.»

«Was ist passiert?»

«Er hatte Ärger mit einer Dame aus dem Dritten Bezirk. Angeblich hat sie versucht, ihm seine Brieftasche zu stehlen. Worauf Stumm ...» Spaur hielt inne und machte ein unschlüssiges Gesicht. «Die Sache», fuhr er schließlich fort, «ist nie aufgeklärt worden. Es stand Aussage gegen Aussage. Jedenfalls sah die Frau ziemlich übel aus. Stumm hat behauptet, dass ihr Zuhälter sie so zugerichtet hat.»

«Weshalb ist er in Arrest gewesen?»

«Weil er den *Zuhälter* der Frau verprügelt hat», sagte Spaur. «Dafür gab es Zeugen. Ansonsten konnte er sich damals aus allem rausreden. Stumm ist eiskalt, aber ...» Der Polizeipräsident dachte einen Moment nach. Dann sagte er: «Unter seiner polierten Oberfläche brodelt es.»

Tron deutete auf den Umschlag neben Spaurs Teller. «Woher stammt diese Nachricht?»

«Aus dem Büro des Stadtkommandanten. Stumm hat einen Mithäftling, der heute Morgen entlassen wurde, auf die Kommandantura geschickt. Eine Stunde später ist ein Leutnant mit zwei Sergeanten auf der Questura aufgetaucht und hat ihn abgeholt.»

«Und was geschieht jetzt?»

«Die Militärpolizei wird den Fall untersuchen», sagte Spaur. «Vermutlich wird man gegen Sie ermitteln.»

«Weswegen?»

Spaur leierte die möglichen Anklagepunkte herunter wie ein Kellner die Gerichte auf einer Speisekarte. «Körperverletzung im Amt. Kompetenzüberschreitung von Zivilbehörden. Verschwörung gegen die kaiserlichen Streitkräfte. Freiheitsberaubung. Unterstützung subversiver Aktivitäten.»

«Dann wird man mir auch erklären müssen, warum der Oberst in Zivil war und sich nicht ausweisen konnte.»

«Man wird Ihnen gar nichts erklären müssen», sagte

Spaur. «Das kaiserliche Militär ist uns keine Erklärungen schuldig.»

«Der Mann hat in betrunkenem Zustand einen Mordversuch unternommen. Direkt unter dem Bild des Kaisers. Und er hat einen kaiserlichen Beamten bedroht. Wir *mussten* ihn aus dem Verkehr ziehen.»

Spaur hob die Augen zur Decke. «Dieser letzte Fußtritt auf die Nase, als der Mann bereits vor Ihnen auf dem Boden lag – war der wirklich nötig?»

Würde Spaur verstehen, dass dieser Tritt aus künstlerischen Gründen erfolgt war? Nein, dachte Tron, wahrscheinlich nicht. Er sagte: «Der Bursche wollte nach seinem Messer greifen. Es war reine Notwehr.»

Spaur seufzte. «Dass man die ganze Angelegenheit politisch deuten wird, ist Ihnen klar, oder?»

«Jeder weiß, dass ich mit Politik nichts am Hut habe.»

«Vielleicht hier in Venedig», sagte Spaur. «Die Hofstelle in Wien, die für die Auszeichnung zuständig ist, weiß es *nicht*.»

«Was hat die Auszeichnung mit diesem Zwischenfall zu tun?»

Wieder blickte Spaur zur Decke. «Zu dieser Auszeichnung gehört auch eine politische Bewertung der Polizeibehörde. Und dem Stadtkommandanten», fuhr er fort, «ist meine Favoritenrolle ohnehin ein Dorn im Auge.»

«Was kann Toggenburg machen?»

«Einfluss auf die Ermittlungen gegen Sie nehmen», sagte Spaur. «Und einen entsprechenden Bericht nach Wien schicken. Behaupten, dass Sie einen kaiserlichen Offizier misshandelt haben. In aller Öffentlichkeit auf der Questura. Unter dem Bild des Kaisers.»

«Das wäre fatal.»

Spaur nickte. «Allerdings. Und deshalb darf bis zum

Ende des Monats nichts passieren. Sonst kann ich die Ehrung abschreiben.» Der Mund des Polizeipräsidenten zog sich stramm wie ein Heftpflaster. «Was der Baronin nicht gefallen würde.»

8

Zuanne Nono konnte kaiserliche Offiziere auf den Tod nicht ausstehen. Die kotzten auf die Polster seiner Gondel und weigerten sich dann, für den Schaden aufzukommen. Inzwischen erkannte er sie auch ohne Uniform. Weil sie immer sofort in einen barschen Kommandoton verfielen. So als hätten sie es mit einem gottverdammten Kroaten oder einem Slowenen zu tun. Und nicht mit einem Venezianer.

Doch bei dem höflichen *cavaliere* mit der Halbmaske, der zusammen mit einer *donna* an der Locanda Zanetto in seine Gondel gestiegen war, handelte es sich definitiv um einen Zivilisten. Sein Italienisch hatte zwar einen fremden Einschlag, und mit Sicherheit war der Bursche ein *Ausländer*. Aber Zuanne Nono hatte nichts gegen Ausländer. Vorurteile konnte er sich in seinem Beruf nicht leisten.

Der *cavaliere* hatte unmittelbar nach dem Ablegen der Gondel den schwarzen Vorhang des *felze* sorgfältig verschlossen. Womit klar war, dass eine Lustreise auf dem Programm stand. Nicht dass sich daraus ein Problem ergab. Es sei denn, die Polster sahen anschließend saumäßig aus. Aber der Mann hatte trotz seiner schwarzen Halbmaske und des albernen Dreispitzes aus Pappe außerordentlich zivilisiert gewirkt. Zuanne Nono verfügte nach all den Jahren, in denen er mit seiner Gondel durch Venedig fuhr, über eine beachtliche Menschenkenntnis. Mit Kunden, die nach Ärger aussahen, ließ er sich grundsätzlich nicht ein. Und für den Fall, dass ihm jemand dummkam, hatte er einen Totschläger griffbereit, der selbst wildgewordene Stiere in fromme Lämmer verwandelte.

Sie hatten jetzt das Ende des Rio di San Felice erreicht und bogen in den Canalazzo ein. Ein leichter Nebelschleier lag auf dem Wasser und verschluckte das Licht, das aus den erleuchteten Fenstern auf die Wasseroberfläche fiel. Ob der *cavaliere* wohl auf seine Kosten kommen würde? Die *donna*, dachte Zuanne Nono, war nicht ganz ohne. Im Schein der Gaslaternen, die den Steg vor der Locanda beleuchteten, hatte er sie kurz betrachten können. Blond, schrägstehende grüne Augen und ein vielversprechendes Dekolleté. Zuanne Nono schnalzte kennerisch mit der Zunge. Er gönnte dem *cavaliere* sein Vergnügen, denn der hatte sich als äußerst großzügig erwiesen. Sechs Lire für eine Stunde. Das war das Doppelte dessen, was er normalerweise kassierte. Andererseits sparte der Bursche auch das Hotel. *Ich möchte in einer Stunde am Rialto aussteigen*, hatte er gesagt. *Sie bringen die Signorina anschließend zur Piazzetta …*

Es war noch früh am Abend – erst kurz vor acht. Zuanne Nono beabsichtigte, am Palazzo Morosini in den Rio di San Cassiano einzubiegen, um durch das Labyrinth von kleinen Kanälen zum Giudecca-Kanal zu gelangen. An der Punta di Santa Marta würde er umdrehen und durch den Rio Foscari zum Rialto rudern. Von dort aus war es noch eine Viertelstunde zur Piazzetta. Eine angenehme Tour, zumal es windstill und für die Jahreszeit überraschend mild war. Es gab Tage, an denen Zuanne Nono seinen Beruf hasste. Heute liebte er ihn. Und war es nicht auch irgendwie *romantisch*, was die beiden vor ihm in dem *felze* taten?

Jedenfalls konnte, nachdem sie in den Giudecca-Kanal

eingebogen waren, kein Zweifel mehr daran bestehen, dass der *cavaliere* zur Tat geschritten war. Das Gemurmel der beiden hatte plötzlich aufgehört, und die *donna* hatte einen wollüstigen Schrei ausgestoßen – einen Schrei, der dann abrupt abbrach, so als wäre sie ohnmächtig geworden. Anschließend rumpelte es ein wenig, als würden Füße im Eifer des Gefechts an die Wanten schlagen. Dann war es auf einmal still.

Wahrscheinlich, dachte Zuanne Nono, ging es gleich mit dem Geschrei und dem Gerumpel weiter. Und da er über eine schöne Stimme verfügte und davon ausging, dass eine musikalische Einlage immer willkommen war, fing er an zu singen.

La donna è mobile
Qual piuma al vento,
Muta d'accento
E di pensiero.

Dann brach er seinen Gesang ab, weil er lachen musste. Das Gerumpel in dem *felze* war noch lauter geworden. Hätte man nicht gewusst, was die beiden dort trieben, könnte man glatt denken, der Mann drehte der Frau gerade den Hals um.

Erstaunlich, dachte er, wie gemütlich es in diesem *felze* war. Zwei kleine, in einem Glaszylinder brennende Lämpchen warfen einen milden Lichtschein auf das Innere des kleinen Zeltes, und der *scaldino* zu ihren Füßen verbreitete mehr Wärme, als er ihm zugetraut hatte. Die mit grünem Samt gepolsterte Bank war nicht gerade bequem. Aber für eine schnelle Nummer reichte es. Und für das, was er heute Abend vorhatte, ohnehin.

Seinen Mantel hatte er auf den Boden gelegt. In den beiden Außentaschen befand sich alles, was er brauchte: zwei kurze Lederriemen, die er nach getaner Arbeit wieder mitnehmen würde, und ein Taschentuch, das in ihrem Mund bleiben konnte. Dann das Riechsalz und natürlich sein Rasiermesser.

Bevor er zur Sache kam, würde er den Mantel sorgfältig zusammenrollen – mit dem Futter nach außen. Sein Gehrock würde anschließend saumäßig aussehen, und wenn er am Rialto aus der Gondel stieg, war es besser, einen sauberen Mantel zu tragen. Natürlich würde er vorsichtshalber wieder maskiert sein. Er glaubte an dumme Zufälle, und deshalb mied er alle unnötigen Risiken. Weil ein Nagel fehlte, ging das Königreich verloren. So lautete doch der Katechismus, oder?

Er hatte es noch nie in einer Gondel getrieben, und genau genommen war es auch nicht das, was er wollte. Nicht dass die Fleischeslust für ihn keine Rolle gespielt hätte – das konnte man wirklich nicht sagen. Nur dass das Wort bei ihm eine ganz neue Bedeutung hatte. *Fleischeslust* – war das sein eigener Gedanke gewesen? Oder hatte das wilde Tier ihn gedacht? Die *Bestie*, die gerade ein sabberndes Kichern von sich gegeben hatte? Manchmal war es schwierig, beides auseinanderzuhalten. Zumal er spüren konnte, wie das Tier in ihm immer tatendurstiger wurde. Aber er würde es erst rauslassen, wenn er die Schlampe geknebelt und gefesselt hatte. Im Moment war noch sein Verstand gefragt.

Zog man sich eigentlich aus, wenn man es in einem *felze* trieb? Oder war es üblich, dass man lediglich seinen … Gürtel löste? Eine verlockende Vorstellung, aber das wilde Tier in ihm würde sich nicht damit zufriedengeben. Außerdem musste er zugeben, dass ihr Dekolleté mehr als appetitlich war. Und entkleiden musste er sie ohnehin.

Sie hatten jetzt ein paar Minuten miteinander geplaudert, und langsam wurde es Zeit, zur Sache zu kommen. Also schob er die Hand in ihr Dekolleté und streichelte ihre Brüste. Langsam ließ er seine Finger nach unten wandern, was sie mit einem auffordernden Lächeln quittierte. Sie wehrte sich auch nicht, als er ihr das Kleid von den Schultern streifte und begann, die Verschnürung ihres Mieders zu lösen. Als er sich ungeschickt mit den Ösen anstellte, half sie ihm sogar.

Überhaupt schien sie ihn mit einem gewissen Wohlwollen zu betrachten, was zweifellos daran lag, dass er ihr gegenüber mehr als großzügig gewesen war. Er hatte nicht nur ihren Preis sofort akzeptiert, sondern sogar etwas draufgelegt. Das Geld hatte sie in einem kleinen schwarzen Täschchen verstaut. Selbstverständlich würde er die Summe wieder an sich nehmen. Es wäre ärgerlich, wenn das Geld in den Taschen des Gondoliere oder eines korrupten Polizisten verschwände.

Seine Hände erkundeten nun ihren entblößten Oberkörper. Trotz des weichen Lichtes in dem *felze* trat alles wunderbar scharf hervor – das goldene Kreuz, das sie um den Hals trug, die kleine Narbe an ihrem Schlüsselbein, die Wölbung ihrer Brüste. Er selber fand sie nicht so üppig wie erwartet, aber das Tier in ihm interessierte sich nicht für solche Details. Es hatte ein hechelndes Geheul ausgestoßen und brannte darauf, das Kommando zu übernehmen.

Und dann *übernahm* das Tier das Kommando. Er riss den Mund auf, sein Kopf schoss auf die Frau herab, und er spürte, wie sich seine Zähne – die Zähne der Bestie – in ihren Hals gruben. Ah, was für ein Gefühl! Die Vereinigung mit dem Tier – das Versinken im Wirbel einer uralten Melodie …

Es war ihr Schrei, laut und durchdringend, der ihn in die Wirklichkeit zurückholte und die Bestie wieder in ihre Höhle trieb. Er löste seine Zähne vom Hals der Frau, richtete sich auf und schlug mit aller Kraft in ihren Schrei hinein. Seine geballte Faust traf ihren Mund und ließ sie jäh verstummen. Ein zweiter Faustschlag brach ihren rechten Wangenknochen und schleuderte ihren Kopf gegen die Rückenlehne. Sie zappelte noch ein wenig, dann sackte sie bewusstlos zusammen. Ein dünnes Rinnsal aus Blut lief von ihrem linken Mundwinkel auf ihr Kinn herab – damit konnte er leben. Wenn sie aus der Nase geblutet hätte, wäre es problematisch geworden. Dann wäre sie erstickt, wenn er ihr das Taschentuch in den Mund stopfte. Und das war nicht der Sinn der Sache. Sie musste vorerst noch am Leben bleiben. Außerdem musste sie in der Lage sein zu riechen, um wieder zu sich zu kommen.

Jetzt hatte der Schwachkopf von Gondoliere angefangen zu singen. Gut gemeint, aber irgendwie fehl am Platz. *Oh, wie so trügerisch.* In gewisser Weise allerdings, dachte er, passten die Verse. Er nahm sich vor, das Maß seiner Güte vollzumachen und den Gondoliere am Rialto mit einem guten Trinkgeld zu beglücken. Immerhin hatte der Bursche eine äußerst unangenehme Nacht vor sich.

Er bog den Kopf der Schlampe nach hinten, schob ihre Kiefer auseinander und stopfte ihr das Taschentuch in den Mund. So tief, dass sie es mit der Zunge nicht mehr entfernen konnte, aber trotzdem in der Lage war zu atmen. Ihre Beine band er mit einem der beiden Lederriemen an den Knöcheln zusammen. Dann wälzte er sie auf die Seite, drehte ihr die Arme hinter den Rücken. Danach fesselte er mit dem zweiten Lederriemen ihre Handgelenke und drehte die Schlampe wieder um. Mit einer schnellen, kräftigen Bewegung riss er ihr Kleid vollständig auf und entblößte ihren Bauch. Sie war perfekt. Und sie lag vor ihm wie ein Präparat auf dem Seziertisch. Er griff nach dem Glasbehälter mit dem Riechsalz. Jetzt musste er ihr nur noch ein wenig Leben einhauchen, bevor das Rasiermesser zum Einsatz kam.

Heilige Jungfrau! So viel Gestöhne, Geschnaufe und Gewimmer hatte Zuanne Nono auf seiner Gondel noch nie erlebt. Da hatte ja eine regelrechte Orgie stattgefunden! Beim Zeus! Dieser Lustmolch hatte keine halben Sachen gemacht! Und die *donna* war voll mitgegangen! Zuanne Nono musste unwillkürlich darüber nachdenken, auf welche spezielle Art und Weise sie es wohl in dem *felze* getrieben hatten. Das Gestöhne und das Gewimmer kamen eindeutig von der *donna*. Das brutale Grunzen hingegen schien der *cavaliere* auszustoßen. Ob er die Frau gefesselt und geknebelt hatte, bevor er grunzend sein Mütchen an ihr kühlte? Zuanne Nono kicherte. Das mit dem Fesseln war interessant. Er wusste, dass es Männer gab, die auf solche Spiele standen, und der Einfall, diese sinistre Nummer in einer Gondel zu praktizieren, war zweifellos originell. Ähnelte eine Gondel nicht einem schwarzen, glänzenden Sarg? Lag es nicht auf der Hand, dass ihr wiegendes, von *Stößen* des Ruders angetriebenes Fortbewegen nicht nur die Gier eines Mannes, sondern auch seine Phantasie beflügelte? Seine *schwarze* Phantasie?

Allerdings hatte der *cavaliere* nicht wie jemand ausgesehen, der über sehr viel Phantasie verfügte. Wie *hatte* der überhaupt ausgesehen? Im Grunde konnte er es nicht sagen. Der Bursche hatte seine schwarze Halbmaske keinen Augenblick abgenommen. Kein Wunder bei dem, was er mit der Frau angestellt hatte. Aber in Venedig war man tolerant, und auch Zuanne Nonos Devise lautete: Jedem Tierchen sein Pläsierchen. Jedenfalls solange die Frau mitzog und seine Kasse stimmte. Und an diesem Punkt konnte Zuanne Nono sich nicht beklagen.

Das Trinkgeld, das der *cavaliere* ihm in die Hand gedrückt hatte, als er am Rialto die Gondel verließ, war zwar nass und klebrig gewesen, aber mehr als großzügig bemessen. Drei Lire in Gold! Und als Dreingabe noch ein paar lustig gepfiffene Takte aus Mozarts *Requiem*! Ein gebildeter Mensch! Da beklagte man sich nicht über einen feuchten Abschiedsgruß. Vermutlich, dachte Zuanne Nono, hatte sich der *cavaliere* kurz vor dem Ausstieg noch ein Schlückchen Likör gegönnt und dabei ein wenig gekleckert. Viele Damen hatten alkoholische Getränke in kleinen Flaschen dabei, um müden Kunden einzuheizen. Er hatte schon des Öfteren mit dem Gedanken gespielt, auf seiner Gondel das Mitführen von Getränken zu untersagen und selbst ein paar gepflegte Erfrischungen anzubieten – zwei oder drei Liköre, Champagner – nicht viel, aber in guter Qualität und selbstverständlich zu einem angemessenen Preis. Er vermutete, dass es sich bei der Flüssigkeit um irgendeinen Kirschlikör handelte. Das Zeug hatte rötlich geschimmert, aber er war nicht so weit gegangen, sich die Finger abzulecken. Er hatte die Feuchtigkeit einfach an seiner dunklen Hose abgewischt. Die musste seine Frau ohnehin waschen.

Bevor der *cavaliere* am Rialto aus der Gondel gestiegen war, hatte er den Vorhang des *felze* sorgfältig verschlossen und ihn angewiesen, die *donna* auf keinen Fall zu stören – eine Geste zarter Ritterlichkeit gegenüber der vermutlich noch unvollständig bekleideten Dame. Die hatte bisher noch keinen Mucks von sich gegeben. Zuanne Nono vermutete, dass sie sich mit Hilfe eines Taschenspiegels restaurierte, um ihre Tätigkeit sogleich in einem der zahlreichen Cafés an der Piazza fortzusetzen. Das war zwar nicht gestattet, aber während der Karnevalszeit drückte die Polizei beide Augen zu. Zumal in dieser speziellen Jahreszeit die meisten Frauen so wirkten, als wären sie für ein paar Lire zu allem bereit.

Am Molo angekommen, sprang er auf den Steg und vertäute die Gondel. Dann trat er neben den *felze*, um der Dame beim Ausstieg behilflich zu sein und bei dieser Gelegenheit noch einen zweiten Blick auf ihr Dekolleté zu werfen. Außerdem war er neugierig, wie gut es ihr gelungen war, ihr Äußeres wiederherzustellen. Er vermutete, dass es auf dieser schwungvollen Gondelfahrt ein wenig gelitten hatte. Aber wahrscheinlich, dachte er, sah sie inzwischen wieder perfekt aus.

Da es kein Holz gab, an das er anklopfen konnte, räusperte er sich diskret und rief: *Siamo arrivati, signorina.* Was eigentlich überflüssig war, denn es konnte ihr nicht entgangen sein, dass sich die Gondel nicht mehr bewegte. Doch aus dem *felze* kam keine Antwort. Offenbar war sie immer noch damit beschäftigt, sich zu putzen, und hatte ihn nicht gehört. Zuanne Nono räusperte sich ein zweites Mal und rief, diesmal ein wenig lauter: *Siamo arrivati, signorina.*

Wieder antwortete sie nicht, was nur bedeuten konnte, dass sie eingeschlafen war. Also blieb ihm nichts anderes übrig, als den Vorhang des *felze* zu öffnen, seine Ansage zu wiederholen und die Dame notfalls wach zu rütteln. Sie *anzufassen*! Eine verlockende Vorstellung. Das würde einen längeren Blick auf ihr Dekolleté gestatten – ganz aus der Nähe. Vielleicht war ja der Ausschnitt ein klein wenig verrutscht. Zuanne Nono gluckste vor Vergnügen. Zum zweiten Mal an diesem Abend stellte er fest, wie sehr er seinen Beruf liebte.

Er schlug den Vorhang zurück, steckte den Kopf in den *felze* – und hätte fast einen Schrei ausgestoßen. Die blonde Signorina lag vollständig entkleidet auf den Polstern. Ihre Augen waren weit aufgerissen, und es bestand kein Zweifel daran, dass sie tot war. Er sah nach links zu ihren Füßen, dann wieder nach rechts zu ihrem Kopf. Dann hielt er inne. Sein Blick verharrte nicht länger als zwei Sekunden, aber Zuanne Nono registrierte alles, bis zur kleinsten Kleinigkeit.

Er sah den Knebel in ihrem Mund und die Fessel an ihren Fußgelenken. Er sah die Ströme aus geronnenem Blut, unter denen die Konturen ihres Körpers fast verschwanden. Und er sah das glatte, schimmernde Objekt, das in einer eigenen Blutlache auf dem Polster lag, so wie in der Auslage einer Macelleria. Als er erkannte, worum es sich handelte, wurde ihm schlecht. Er drehte sich schreiend um, machte ein paar taumelnde Schritte in Richtung Molo und blieb stehen. Dann lehnte er sich über die hölzerne Reling des Landungsstegs und übergab sich.

9

Tron, in kordelgegürteter Hausjacke aus rötlichem Samt, ließ das Manuskript, in dem er gelesen hatte, auf die Knie sinken und warf einen zärtlichen Blick auf den weißen Kachelofen in der Ecke des Salons. Wie herrlich warm es doch im Palazzo Balbi-Valier immer war! Dann warf er einen ebenso zärtlichen Blick auf die Principessa, die auf der anderen Seite des kleinen Tischchens zwischen ihnen auf ihrer Récamière lag und ihre Akten studierte. Das tat sie immer nach dem Abendessen, ebenso wie er nach dem Abendessen die eingegangenen Manuskripte für den *Emporio della Poesia* prüfte. Im Grunde, dachte Tron, führten sie inzwischen ein Leben wie ein altes Ehepaar. Sie hatten ihre Rituale, ihre Gewohnheiten, Empfindlichkeiten und Häkeleien. Daran, dass seine Mutter, die Contessa Tron, Anstoß an ihrer Dauerverlobung nahm, waren sie inzwischen gewöhnt. Erfreulicherweise gab es keine Verwandtschaft aufseiten der Principessa. Die hätte wahrscheinlich ebenfalls zur Heirat gedrängt.

Keine Verwandtschaft? Nun, das stimmte nicht ganz. Immerhin gab es da diesen ... Nein! Schluss damit! Tron war entschlossen, Charakterstärke zu zeigen und heute Abend keinen Gedanken mehr an den Neffen der Principessa zu verschwenden. Den die Contessa als *intelligent und gut aussehend* beschrieben hatte. Was zweifellos völlig übertrieben war. Oder entsprach es womöglich der Wahrheit? Ob er die Principessa bitten sollte, auch ihm das Bild ihres Neffen zu zeigen? Dann würde sich zumindest klären lassen, ob dieser Neffe tatsächlich ... Himmel, warum konnte er nicht aufhören, an diesen *intelligenten und gutaussehenden* Neffen zu denken?

Die Principessa trug ihr bequemes Hauskleid aus schwarzer Kaschmirwolle. Auf der Nase hatte sie einen Kneifer, in der rechten Hand ihren Rotstift, mit dem sie hin und wieder eine Bemerkung an den Rand der Akten schrieb. Wie üblich hielt sie sich nach dem Abendessen an Kaffee und Zigaretten schadlos, während er sich aus einer silbernen Schale mit kandierten Früchten bediente. Tron atmete tief durch. Dann steckte er sich eine gezuckerte Kirsche in den Mund und wandte sich wieder der Lektüre des Manuskripts zu. Auf seine Konzentrationsfähigkeit hatte er sich immer verlassen können.

Die Geschichte, die ihm ein gewisser Arrigo Boito aus Mailand zugeschickt hatte, war spannend und gut geschrieben – allerdings voller Wendungen im Mailänder Dialekt. Was bei den dortigen Literaten der letzte Schrei war. *Scapigliati* – die Zerzausten – nannten sie sich. Und Manzoni gehörte für sie inzwischen zum alten Eisen. Unglaublich! Tron schüttelte nachdenklich den Kopf. Offenbar hatte er da etwas versäumt.

Wusste er denn überhaupt, was die aufgeweckte Jugend heutzutage las? Was las zum Beispiel dieser ... Nein! Tron hatte sich fest vorgenommen, den Neffen der Principessa nicht zu erwähnen. Und gar nicht erst an diesen lächerlichen Namen zu denken! *Julien* Sorelli! War das nicht affig? Warum hieß er nicht einfach Giuliano? Aber Tron würde sich lieber die Zunge abbeißen, als die Principessa nach ihm zu fragen. Ob er sich schon gemeldet hatte?

Tron hob die Augen von dem Manuskript, gähnte und sagte mit beiläufiger Stimme: «Hat sich dein Neffe schon gemeldet? Der Jüngling mit dem französischen Vornamen? Die Contessa erwähnte, dass er Sonntagabend angekommen ist.»

Die Principessa sah von ihren Akten auf. «Er heißt Julien Sorelli und ist mit der Bahn gekommen. Von Mailand über Verona.»

Tron gähnte zum zweiten Mal. «Du hast nie erwähnt, dass du einen Neffen in Paris hast.»

«Da gab es nichts zu erwähnen. Wir haben uns nur ein einziges Mal gesehen. Das war in Paris und ist mindestens zehn Jahre her. Ich konnte mich kaum an ihn erinnern.»

«Und diese Korrespondenz?»

«Äh, welche Korrespondenz?»

Na bitte! Da hatte er die Principessa kalt erwischt! «Die Contessa hat erwähnt», sagte Tron, «dass Briefe zwischen

Paris und Venedig hin- und herfliegen. Und dass diesen Briefen Fotografien beigelegt werden.»

Die Principessa musterte Tron mit einem amüsierten Blick. «Hat sie mit einem gewissen Unterton darüber gesprochen?»

Das hatte sie in der Tat. Tron schüttelte den Kopf. «Wenn sie das getan hat, dann ist es mir nicht aufgefallen.»

«Dann hast du ihre eigentliche Botschaft verpasst.»

«Welche Botschaft?»

Die Principessa sah Tron mitleidig an. «Du kennst doch deine Mutter. Sie möchte, dass wir endlich heiraten.»

«Ich kann dir nicht ganz folgen, Maria.»

«Es ist ganz einfach, Tron. Wenn du eifersüchtig bist, denkt sie, machst du mir endlich einen ernsthaften Antrag.»

«Wie? Um zu verhindern, dass mir jemand zuvorkommt? Mir jemand die Beute wegschnappt?» Tron lachte. «Das ist doch absurd. Wann wirst du ihn sehen?»

«Julien hat mir gestern ein Billett aus dem Palazzo Cavalli geschickt», sagte die Principessa. Sie griff nach dem Etui, in dem sie ihre *Maria Mancini* aufbewahrte. «Wie es scheint», fuhr sie fort, «hat ihn der Comte de Chambord sofort mit Arbeit überhäuft. Aber er hofft, dass er bald Zeit für einen Antrittsbesuch hat.»

«Dem du erwartungsvoll entgegensiehst?»

«Dem ich mit einem gewissen Interesse entgegensehe», bestätigte die Principessa. «Immerhin ist Julien der neue Privatsekretär des Comtes de Chambord.»

«Seit wann interessierst du dich für Chambord?»

Die Principessa entzündete ihre Zigarette, inhalierte tief und blies einen perfekten Rauchring über den Tisch. «Ich gehöre nicht zu denjenigen», sagte sie nachdenklich, «die den Comte bereits abgeschrieben haben. Napoleon sitzt nicht ganz so fest im Sattel, wie viele meinen. Falls es nach dem Sturz des Kaisers keine Rückkehr zur Republik gibt, könnte der Comte de Chambord der Mann der Stunde sein. Wenn Julien dann immer noch sein Sekretär ist, würde es meinen Geschäften nicht schaden.» Die Principessa bedachte Tron mit einem missbilligenden Blick. «Und dir würde es nicht schaden, über andere Dinge nachzudenken. Offenbar war bei dir in den letzten Tagen nicht viel los.»

Tron lächelte. «Wenn man von dem Mordversuch absieht, der gestern auf der Questura stattfand, war allerdings nicht viel los.»

Die Principessa kräuselte die Stirn. «Ein Mordversuch? Was ist passiert?»

Na, bitte. Endlich hatte er ihre Aufmerksamkeit. «Ein Österreicher», sagte Tron, «ist gestern vor dem Quadri über einen Mann aus Cannaregio hergefallen, weil der eine Trikolore im Knopfloch trug. Wir haben beide verhaftet. Auf der Questura hat der Österreicher dann versucht, den Mann zu erstechen.»

Tron ließ ein Stückchen gezuckerte Ananas in seinem Mund verschwinden. «Ich habe ihn entwaffnet», fuhr er ein wenig undeutlich artikulierend fort, «und ihm dabei einen Tritt auf die Nase verpasst. Der Bursche hatte behauptet, ein kaiserlicher Offizier zu sein. Das Peinliche ist, dass es stimmte.»

Die Principessa musste lachen. «Das dürfte Spaur nicht gerade erfreut haben. Hat das Folgen für dich?»

«Ich glaube nicht. Der Bursche war betrunken. Nur hat die Sache leider einen politischen Nebengeschmack.»

«Venezianischer Polizist tritt kaiserlichen Offizier?»

Tron nickte. «Das alles könnte ein ungünstiges Licht auf die venezianische Polizei werfen.»

«Geht es um diese Preisverleihung?»

«Woher weißt du davon?»

«Es gab einen Artikel in der *Gazzetta di Venezia.*»

Eine Zeitung, die Tron kaum noch las, seitdem sie nicht mehr im Florian auslag. «Was stand noch in dem Artikel?»

Die Principessa dachte kurz nach. «Dass Graz, Salzburg und Triest eure schärfsten Konkurrenten sind.»

«Das ist richtig. Einen Mord können wir noch verkraften. Bei zwei Morden liegen wir gleichauf mit Graz», sagte Tron. «Wenn Venedig gewinnt, kann Spaur mit einer Einladung zu einem Ball in der Hofburg rechnen.»

«Für die seine junge, energische Gattin alles geben würde. Sehe ich das richtig?»

Dem konnte Tron nur zustimmen. «Das siehst du richtig. Und *energisch* ist das richtige Wort für die Gattin. Sie wird Spaur für jeden einzelnen Mord verantwortlich machen. So als hätte er ihn persönlich begangen.»

«Und Spaur wird *dich* für jeden einzelnen Mord verantwortlich machen. So als hättest *du* ihn begangen.»

«Das steht leider zu befürchten», sagte Tron. «Wir können also nur hoffen, dass ...»

Aber er konnte den Satz nicht zu Ende sprechen, denn in dem Moment öffnete sich die Tür des Salons. Moussada oder Massouda, einer der äthiopischen Diener der Principessa, die Tron immer miteinander verwechselte, stand auf der Schwelle, und hinter ihm war Sergente Caruso zu erkennen. Als er näher kam, war selbst im Kerzenlicht zu erkennen, dass der Sergente kreidebleich war. «Wir haben eine tote Frau am Molo», sagte er, nachdem er salutiert und eine Verbeugung gegenüber der Principessa angedeutet hatte. «In einer Gondel.»

Die Frage, ob es sich um einen Unfall gehandelt hatte, konnte sich Tron sparen. Dann hätte ihn der Sergente kaum zu dieser späten Stunde aufgesucht. Tron legte das Mailänder Manuskript, das er immer noch in der Hand hielt, auf das Tischchen und stand auf. «Was ist passiert?»

«Ein Gondoliere hat die Leiche einer Frau in seiner Gondel entdeckt», sagte der Sergente. «Er sollte die Frau zusammen mit einem Mann von der Locanda Zanetto zum Molo bringen. Der Mann ist am Rialto ausgestiegen. Als sie am Molo ankamen, war die Frau tot.»

«Selbstmord?»

«Definitiv nicht.»

«Also hat der Mann sie getötet?»

Der Sergente nickte. «Es scheint so.» Dann hob er die Schultern und sagte mit einer Stimme, die sich seltsam kraftlos anhörte: «Es sieht ziemlich übel aus. Ispettor Bossi ist bereits am Tatort.»

10

Die Gondel lag am Ende eines der hölzernen Landungsstege vor dem Molo. Tron konnte sie schon von weitem an dem hellen Lichtschein erkennen, der aus dem *felze* drang und bei dem es sich um Bossis spiegelverstärkte Petroleumlampen handelte, die er für seine Tatortfotografien benötigte. Eine Polizeigondel schirmte den Tatort von der Wasserseite ab. Auf der Landseite hinderten zwei Sergenti eine kleine Menschenmenge daran, den Steg zu betreten. Überhaupt war der Molo belebter, als Tron es erwartet hatte. Viele Einheimische und Fremde schienen das unerwartete Innehalten des Winters genutzt zu haben, um der Piazza einen Besuch abzustatten. Eine dünne Mondsichel hing über dem Markusdom, und die Gaslaternen malten kleine Kreise aus Licht in die Nacht.

Als Trons Gondel anlegte, streckte Bossi ihm die Hand entgegen, um ihm beim Aussteigen behilflich zu sein. Neben ihm standen die drei großen Holzkisten, in der die fotografische Ausrüstung untergebracht war – zwei Kisten für die Glasnegative und eine für die Kamera. Tron schloss daraus, dass der Ispettore seine Fotografien bereits gemacht hatte.

«Dr. Lionardo ist seit zehn Minuten bei ihr», sagte Bossi, ohne sich mit einer Begrüßung aufzuhalten.

Sein Gesicht war fast weiß und hatte einen grünlichen Schimmer. Tron fand, er sah aus, als hätte er sich gerade übergeben.

«Ich glaube nicht», fuhr der Ispettore fort, «dass er noch lange braucht. Wenn er fertig ist, kann ich die Lampen wieder abbauen.»

Tron sah sich um. Außer Bossi war auf dem Steg niemand zu sehen. «Wo ist der Gondoliere?»

«Auf der Wache an der Piazza», sagte Bossi. «Wir können anschließend mit ihm reden. Er stand vollkommen unter Schock.»

«Ist es so schlimm?»

Bossis grünlich angehauchtes Gesicht verzog sich zu einem humorlosen Lächeln. «Am besten, Sie machen sich selber ein Bild, Commissario.»

Der Ispettore wedelte mit der Hand in Richtung der Gondel. Er schien aber nicht die Absicht zu haben, sich vom Fleck zu rühren, sodass Tron sich allein auf den Weg machte.

Er stellte fest, dass sich seine Aufregung und seine Neugierde in Grenzen hielten. Und dass er unpassenderweise an die leckere *mousse au chocolat* der Principessa denken musste, während er ans Ende des Steges lief. War das die professionelle Einstellung eines Polizisten, der nur dann effizient arbeiten konnte, wenn er die Dinge nicht allzu nahe an sich herankommen ließ? Oder war es ein Indiz dafür, dass er sich aus dem kriminalistischen Geschäft zurückziehen sollte, weil ihm das nötige Engagement abhandengekommen war? Tron wusste es nicht, aber jetzt war mit Sicherheit der falsche Moment, darüber nachzudenken. Dann fiel ihm Spaur ein und dieser lächerliche Wettbewerb zum *Polizeipräsidenten des Jahres*. Mit diesem Verbrechen war Venedigs Vorsprung empfindlich geschrumpft. Noch ein Mord, und sie lagen gleichauf mit Graz. Oder war es Klagenfurt? Ach, egal.

Dr. Lionardo drehte sich um, als er Trons Schritte auf dem Steg hörte. Von der bizarren Fröhlichkeit, mit welcher der *dottore* gewöhnlich seine Arbeit am Tatort verrichtete, war nichts zu spüren, als er zur Seite trat, um den Commissario einen Blick auf die Leiche werfen zu lassen.

Eigentlich, dachte Tron, hätte er bei dem Anblick, der sich ihm bot, schockiert sein müssen, aber er war es nicht. Bossis Petroleumlampen tauchten den Tatort in eine Art Bühnenlicht, in dem alles künstlich und wie gemalt erschien – ein brutales, zugleich aber mit raffiniertem Farbsinn arrangiertes Gemälde. Der grüne Samt der Polster und das schwarze Tuch des *felze* gaben einen wirkungsvollen Hintergrund für das bleiche Inkarnat des Frauenkörpers ab.

Sie lag mit angezogenen Beinen auf dem Rücken. Den Kopf hatte sie an die linke Armlehne sinken lassen, beide Augen waren geschlossen. Ihre Haltung ließ Tron an schlafende Passagiere in Eisenbahncoupés denken, nur dass diese in der Regel nicht unbekleidet waren und man ihnen auch nicht den Bauch aufgeschlitzt hatte. Das Blut aus der Wunde war auf ihre Oberschenkel geflossen und von dort auf den Boden getropft. Den bläulich gefärbten Ring, der den Hals der Frau wie ein Band umschloss, las Tron als Indiz dafür, dass der Mörder nicht seine Hände, sondern ein schmales Tuch oder einen Riemen benutzt hatte, um sein Opfer zu erwürgen. Als Tron sich bückte, sah er rötliche Ringe an den Hand- und Fußgelenken der Leiche. Der Mörder schien sein Opfer gefesselt zu haben, wobei sich allerdings die Frage stellte, warum er es für nötig gehalten hatte, einer erwürgten Frau Fesseln anzulegen. Und was war mit der formlosen, dunkelbraun glänzenden Masse, die neben ihren Hüften auf dem Polster lag und unwillkürlich an die Auslage einer Macelleria erinnerte? Trons Verstand weigerte sich, eine Verbindung zwischen dem glänzenden Objekt und dem Schnitt auf dem Bauch des Opfers herzustellen, obwohl der Schluss auf der Hand lag. Tron schluckte und drehte den Kopf über seine Schulter. «Was ist das da?»

Dr. Lionardos Gesicht war ohne jeden Ausdruck. «Das ist ihre Leber. Er hat das Organ ziemlich professionell entfernt und anschließend auf dem Polster deponiert.» Der *dottore* zog ein kleines, braungefärbtes Apothekenglas aus der Tasche seines Gehrockes und entfernte den Korkstöpsel. «Das fand sich auf der Schulter der Frau. Riechen Sie mal.»

Tron nahm das Glas und hielt die Öffnung unter die Nase. Der Inhalt roch scharf und erinnerte zugleich an den Geruch von Veilchen. Tron verzog das Gesicht und sah Dr. Lionardo an.

Der *dottore* lächelte flüchtig. «Keine Sorge, Commissario. Das Zeug ist nicht giftig. Im Gegenteil.»

«Was ist das?»

«Parfümiertes Ammoniumcarbonat, das in feuchter Umgebung Ammoniak freisetzt. Ammoniak bewirkt einen verstärkten Atemreflex in Nase und Lunge. Was schlagartig zu einer besseren Sauerstoffversorgung führt.»

«Riechsalz?»

«So ist es.»

«Wozu hat der Mann es gebraucht?»

«Ich glaube nicht, dass die Frau erstickt ist.»

«Und die Würgemale am Hals?»

«Er hat sie bis zur Bewusstlosigkeit gewürgt», sagte Dr. Lionardo. «Aber er wollte nicht, dass sie stirbt. *Noch* nicht.»

«Sie meinen, er ...» Tron musste den Satz nicht zu Ende sprechen. Es war klar, was er sagen wollte.

Dr. Lionardo nickte. «Er wollte, dass sie lebt, wenn er seine Operation vornahm. Und dass sie bei Bewusstsein war. Dazu brauchte er das Riechsalz.»

«Wann können Sie die Sektion vornehmen?»

Dr. Lionardo streifte seine Baumwollhandschuhe ab und ließ sie auf den Boden der Gondel fallen. Als der *medico legale* sein Gesicht ins Licht drehte, sah Tron, dass er genauso bleich war wie Bossi.

«Morgen früh», sagte Dr. Lionardo matt. «Ich schicke Ihnen den Bericht gegen Mittag auf die Questura.»

11

Tron betrat die Questura am nächsten Morgen kurz vor elf. Spaur war noch nicht aufgetaucht, aber der Commissario hatte ohnehin die Absicht, den Bericht von Dr. Lionardo zu lesen, bevor er mit dem Polizeipräsidenten sprach. Es war klar, aber erheblich kälter als gestern Nacht. Ein unangenehmer, von der nördlichen Lagune kommender Wind strich über Venedig und schien die Feuchtigkeit, die über der Stadt gelegen hatte, auf die *terra ferma* geblasen zu haben. Vermutlich, dachte Tron, konnte man heute von den Altanen vieler Häuser die schneebedeckten *prealpi* sehen, ein Anblick, der ihn immer aufs Neue entzückte.

In seinem Büro angekommen, sah Tron, dass zwei große braune Umschläge auf seinem Schreibtisch lagen. Einer enthielt den Sektionsbericht von Dr. Lionardo, der andere die Fotografien, die Bossi auf der Gondel gemacht hatte. Tron überlegte kurz. War es notwendig, Bossis Umschlag zu öffnen? Nein. Den Anblick des aufgeschlitzten Frauenkörpers musste er sich nicht ein zweites Mal zumuten. Also setzte er seinen Kneifer auf und öffnete den Umschlag mit dem Sektionsbericht.

Wie erwartet, bestätigte sich das, was der *dottore* bereits gestern Nacht vermutet hatte. Die Frau war noch am Leben gewesen, als der Mörder ihre Bauchdecke aufgeschlitzt hatte. Der Tod war nicht durch Ersticken eingetreten, sondern durch Verbluten. Da Tron mit der Gabe der exakten Phantasie geschlagen war, stellten sich sogleich einige Fragen. Wie lange hatte es gedauert, bis der Blutverlust so stark war, dass die Frau das Bewusstsein verloren hatte? Fünf Minuten? Zehn Minuten? Und: Hatte sie die Operation noch bei vollem Bewusstsein erlebt, oder war sie zu diesem Zeitpunkt bereits ohnmächtig? Die Einschnürungen an Händen und Fußgelenken waren stärker gewesen, als gestern Abend zu erkennen gewesen war – ein Indiz dafür, dass das Opfer sich verzweifelt gewehrt hatte. Interessant war auch, dass der Mörder über solide anatomische Kenntnisse verfügt haben musste. Eine Leber zu entfernen, ohne sie dabei zu beschädigen, betonte der Bericht, sei nicht einfach, und das entfernte Organ war intakt gewesen. Handelte es sich demnach um einen Arzt? Nicht unbedingt. Jedenfalls würde Dr. Lionardos Beobachtung helfen, die Suche nach dem Täter einzugrenzen.

Aber nach *welchem* Täter? Suchten sie tatsächlich einen Zuhälter, der auf brutale Weise ein Exempel statuieren wollte? Hier im gemütlichen Venedig? Tron wusste nicht, was in den einschlägigen Kreisen von Paris oder London üblich war. Weidete man dort abtrünnige Huren zur Abschreckung aus? Tron bezweifelte es. Das venezianische Rotlichtgewerbe jedenfalls hatte eine lange, ehrwürdige Tradition. Zuhälter und Huren verhielten sich unauffällig, und dafür ließen die Behörden sie gewähren. Außer ein paar Körperverletzungen war in Trons Amtszeit auch nie etwas Ernsthaftes vorgefallen. Nein – ein solches Verbrechen passte nicht zu Venedig.

Handelte es sich also um die Tat eines Wahnsinnigen? Eines äußerst brutalen Verrückten? Und wenn – wie fahndet man nach einem Verrückten? Nach einem Täter, der kein rationales Motiv hat? Nach einem Mann, der sein Opfer nicht einmal vorher gekannt haben muss und der jederzeit wieder zuschlagen kann? Das war keine angenehme Aussicht.

Bossi tauchte eine halbe Stunde später auf. An den freudig-dynamischen Schritten, mit denen er sich näherte, erkannte Tron, dass der Ispettore Erfolg gehabt hatte.

«Sie hat hin und wieder in der Locanda verkehrt», sagte Bossi. «Ein Kellner hat sie sofort erkannt und konnte mir auch sagen, wo sie gewohnt hat.»

«Und wo?»

«Am Campo San Biagio», sagte Bossi. Und zwar direkt neben der Kirche.»

«Woher wusste der Kellner das?»

«Weil er selber am Campo San Biagio wohnt.»

«Hat er sonst noch etwas über die Frau sagen können? Hatte sie einen *rampane*, einen Zuhälter?»

«Das habe ich ihn auch gefragt, aber davon wusste er nichts. Er sagte, sie hätten nie miteinander gesprochen.»

«Hat die Frau jetzt einen Namen?»

«Zumindest einen Vornamen», sagte Bossi. «Sie heißt Gina. In dem Haus ist eine Pasticceria. Ihre Wohnung liegt im zweiten Stock.»

Das Haus am Campo San Biagio war ein zweistöckiges Gebäude mit abblätterndem Putz und grünlichen Fensterläden, die dringend einen neuen Anstrich gebraucht hätten. Die Pasticceria hatte geöffnet, und der Bäcker bestätigte auf Nachfrage, dass zwei junge Frauen in der Wohnung über dem Laden wohnten. *Zwei* junge Frauen? Ja – zwei *Putzmacherinnen*, setzte der Bäcker hinzu, ohne das Wort mit einem anzüglichen Unterton auszusprechen. Offenbar war in der Nachbarschaft nichts darüber bekannt, wie die junge Frau ihr Geld verdient hatte – seltsam in einer Stadt wie Venedig, in der kaum etwas verborgen blieb.

Erst nachdem Bossi zum zweiten Mal an die Wohnungstür geklopft hatte, hörten sie Schritte, die sich näherten. Dann schwang der Türflügel nach innen, und eine junge Frau stand vor ihnen. Wenn sie ebenfalls in dem Gewerbe tätig war, in dem ihre Mitbewohnerin ihr Geld verdient hatte, sah man es ihr nicht an. Sie trug ein schlichtes, bis zum Kragen geschlossenes Hauskleid aus brauner Wolle. Ihre dunkelbraunen, fast schwarzen Haare hatte sie zu einem Dutt hochgesteckt. Als ihr Blick auf Bossis Uniform fiel, machte sie ein erschrockenes Gesicht und wich instinktiv einen Schritt zurück.

Bossi legte grüßend die Hand an seinen Uniformhelm, und Tron deutete eine Verbeugung an. Dann fragte er: «Signora …?»

«*Signorina* Querini», antwortete die junge Frau. Sie sah

Tron, den sie sofort als den Ranghöheren identifiziert hatte, misstrauisch an. «Worum geht es?»

«Ich bin Commissario Tron», sagte Tron. «Und das ist Ispettor Bossi.» Er lächelte, um die Situation zu entspannen. «Dürften wir Ihnen drinnen sagen, worum es geht, Signorina?»

Signorina Querini antwortete nicht. Sie zuckte nur resigniert die Achseln und trat zur Seite. Als sie über die Schwelle traten, warf Tron einen Blick in die Wohnung. Sie war unaufgeräumt und schien nicht mehr als eine preiswerte Behausung zweier junger Frauen zu sein. Tron konnte sich nicht vorstellen, dass hier Männer empfangen wurden.

«Es geht um Signorina Gina», sagte er, als sie einen Augenblick später in der Küche Platz genommen hatten. «Ihren Nachnamen kennen wir nicht.» Er gab Bossi, der die Fotografie der Toten bereits aus der Tasche seiner Uniformjacke gezogen hatte, den Wink, sie wieder einzustecken. «Signorina Gina wohnt doch hier, oder?»

«Ja, Signorina Calatafimi wohnt hier», bestätigte die Frau. Sie beugte sich über den Küchentisch. «Ist ihr etwas zugestoßen?»

Tron hatte nie viel davon gehalten, in solchen Situationen die Wahrheit scheibchenweise zu servieren. Er sagte in sachlichem Tonfall: «Sie ist tot.»

Signorina Querinis Kopf fuhr ruckartig nach hinten, so als hätte ihr jemand einen Schlag versetzt. Dann zog sie ein Etui aus der Tasche ihres Hauskleides, zündete sich eine Zigarette an und inhalierte tief. Schließlich fragte sie, den Blick auf das glühende Ende ihrer Zigarette gerichtet: «Hatte Gina einen Unfall?»

«Sie wurde gestern Nacht von einem Mann ermordet, den sie in der Locanda getroffen hatte. Der Mörder konnte entkommen.» Tron sah keinen Sinn darin, die genaueren

Umstände des Verbrechens zu schildern. «Könnte irgendjemand einen Grund gehabt haben, Signorina Calatafimi zu töten?»

Signorina Querini zog hektisch an ihrer Zigarette. Tron sah, dass ihre Hände zitterten. «Ich weiß es nicht», sagte sie. «Gina hat erst seit zwei Monaten bei mir gewohnt.»

«Hat sie für jemanden gearbeitet?»

Signorina Querini schüttelte den Kopf. «Sie hatte keinen *rampane*, falls Sie das meinen.»

«Und sie hatte auch keinen ...» Tron brach den Satz ab, weil er nicht wusste, wie er sich ausdrücken sollte. Keinen Bekannten? Keinen Liebhaber? Keinen Hausfreund?

Signorina Querini, die Trons Zögern bemerkt hatte, lächelte flüchtig. «Ob sie einen Freund hatte? Nein, den hatte sie nicht. Aber Gina wollte nach dem *Carnevale* aussteigen.»

Tron war sich nicht sicher, ob er Signorina Quirini richtig verstanden hatte. «Sie meinen ...»

Sie nickte. «Sie hatte jemanden, der sie heiraten wollte.» Wieder huschte ein Lächeln über ihr Gesicht. «Genauer gesagt, hatte sie *zwei* Männer, die sie heiraten wollten.»

Gab es das? Männer, die eine *mammola*, eine Professionelle, heirateten? Tron hatte Schwierigkeiten mit dieser Vorstellung. Sicher, im Venedig der Renaissance, als viele der Kurtisanen als *honorate* galten, waren solche Heiraten vorgekommen. Aber das war länger als dreihundert Jahre her.

«Wussten diese Männer, welcher Tätigkeit Signorina Calatafimi nachging?», fragte Tron.

Signorina Querini nickte. «Gina hat sie in der Locanda kennengelernt. Wir bekommen öfter solche Angebote.» Ihr Ton und ihr Gesichtsausdruck besagten, dass sie von solchen Angeboten nicht viel hielt. «Die beiden waren verrückt nach ihr.» Signorina Querinis Mundwinkel zogen sich missbilligend nach unten. «Und zwar wirklich verrückt.»

«Verrückt? Was meinen Sie damit?»

«Liebeskrank.» Ein Wort, das sich im Mund von Signorina Querini wie *Schweinepest* anhörte. «Sie hätten sie am liebsten mit Gewalt daran gehindert, wieder in die Locanda zu gehen.»

«Was wissen Sie über diese beiden Männer?»

Signorina Querini überlegte kurz. Dann sagte sie: «Einer war Venezianer, der andere ein Ausländer.»

«Hat sie erwähnt, woher der Ausländer kam und was er in Venedig gemacht hat?»

«Sie hat nie viel darüber gesprochen.»

«Hätte sie einem der beiden den Vorzug gegeben?»

Diesmal kam die Antwort, ohne dass Signorina Querini lange nachdenken musste. «Demjenigen, der übrig bleibt, hat sie mal gesagt.»

Bossi runzelte die Stirn. «Was soll das heißen?»

«Die beiden wussten voneinander. Gina meinte, sie könne sich gut vorstellen, dass einer den anderen umbringt.» Signorina Querini zog wieder an ihrer Zigarette, inhalierte und blies den Rauch zur Decke. Dann sagte sie: Aber ich glaube, sie *hatte* sich bereits für einen der beiden entschieden.»

«Und für wen?»

«Für den Ausländer. Sie wollte weg von hier. Mit Venedig hat sie nichts verbunden.» Das hörte sich so an, als würde Signorina Querini ebenfalls wenig mit der Stadt verbinden.

«Ist das alles, was Sie mir über die beiden Männer erzählen können?»

«Ich fürchte.»

«Hatte Signorina Calatafimi Verwandte in der Stadt?»

Sie dachte kurz nach. Dann schüttelte sie den Kopf. «Gina hat jedenfalls nie jemanden erwähnt.»

Tron erhob sich. «Dürften wir uns noch ein wenig in ihrem Zimmer umsehen?»

Signorina Querini, die offenbar froh darüber war, dass sich der Besuch der Polizei dem Ende näherte, nickte. «Ich zeige es Ihnen.»

Das Zimmer, das Signorina Calatafimi bewohnt hatte, lag auf der anderen Seite des Flurs. Die Einrichtung beschränkte sich auf einen kleinen Tisch, auf dem ein hölzerner Kasten stand, einen Kleiderschrank, einen Stuhl und ein Bett. Der einzige Luxus bestand in geblümten Vorhängen vor dem Fenster und einem Fell, das als Bettvorleger diente. In der Hoffnung, auf persönliche Gegenstände zu stoßen, hatte Tron sofort das Kästchen untersucht. Aber er fand nur ein paar Schminkutensilien, einen Kamm und eine Haarbürste – keine Briefe, keine Fotografien, nichts. Es war, als hätte hier ein Gespenst gewohnt. Als Bossi den Kleiderschrank öffnete, stellten sie fest, dass er nicht mehr als ein halbes Dutzend Sachen, ein wenig Wäsche und zwei Paar Schuhe enthielt. Die Kleider waren abgetragen, zerschlissen und billig.

Hier hatte eine junge Frau gewohnt, die, wie die meisten *mammole* in Venedig, mit ihren Einkünften gerade mal über die Runde kam. Kein Wunder, dass sie die Gelegenheit genutzt hatte, um aus dieser wenig einträglichen Tätigkeit – wie hatte Signorina Querini es genannt? – *auszusteigen*.

12

«Ein Eifersuchtsdrama?», fragte Bossi, als sie wieder auf dem Campo San Biagio standen, um zurück zur Riva degli Schiavoni zu laufen, wo die Polizeigondel auf sie wartete.

Tron blieb stehen. Ein kalter Windstoß fegte über den Campo, und er schlug den Kragen seines Gehpelzes nach oben. «Erst erdrosselt und dann mit dem Messer bearbeitet», sagte er nachdenklich. «Wie bei Othello. Sehr venezianisch.»

Plötzlich äußerte Bossi etwas Unerwartetes. «War Othello verrückt?»

Wie bitte? Dass der Ispettore, dessen Interessen eher auf technischem Gebiet lagen und der in seiner Freizeit Groschenromane las, offenbar wusste, wer Othello war und die Geschichte kannte, überraschte Tron. Eine hochinteressante Frage. War Othello verrückt? Gab es überhaupt Verrückte bei Shakespeare? War Lady Macbeth verrückt? War Hamlet verrückt? War *er* verrückt, wenn er jetzt darüber nachdachte?

Tron rief seine Gedanken zur Ordnung und sagte: «Es ist ein Unterschied, ob Sie jemanden erdrosseln und erstechen oder ob sie einer geknebelten Frau den Bauch aufschlitzen, um ihr die Leber zu entfernen. Othello war nicht verrückt. Etwas überspannt vielleicht, aber nicht verrückt.» Dann setzte er noch hinzu: «Wenn es denn stimmt, was uns Signorina Querini erzählt hat.»

«Sie meinen, sie hat uns belogen?»

«Das glaube ich nicht. Aber Signorina Calatafimi könnte ein wenig übertrieben haben.»

«Sie hat mit ihren Verehrern renommiert?»

«So könnte man es sagen. Vielleicht hat sie sich auch nur

gewünscht, zwei Männer zu kennen, die sie heiraten wollen. Und selbst daran geglaubt.»

«Wie gehen wir weiter vor?»

«Wir sollten herausfinden, wer diese beiden Männer sind. Der Venezianer und der Fremde.»

«Also müssen wir mit der Fotografie in die Locanda», sagte Bossi. «Aber was ist, wenn wir niemanden finden, der uns helfen kann? Dass mir der Kellner auf Anhieb sagen konnte, wo Signorina Calatafimi wohnt, war vermutlich eher ein Glücksfall.»

«Dann stecken unsere Ermittlungen vorerst in einer Sackgasse.»

«Es sei denn, derjenige der beiden Verehrer, der den Mord nicht begangen hat, meldet sich von selbst bei uns», sagte Bossi.

Tron machte ein skeptisches Gesicht. «Dass wir es hier mit einem Mord aus Eifersucht zu tun haben, ist reine Spekulation. Und auch wenn es so ist, bezweifle ich, dass der Mann sich bei uns melden wird. Niemand will etwas mit einem Mord zu tun haben.»

Bossi sah Tron mitleidig an. «Und was sagen Sie dem Polizeipräsidenten, wenn Sie ihn nachher treffen? Ein Mord ist das Letzte, was er im Moment brauchen kann.»

«Möglicherweise», sagte Tron nachdenklich, «ist es ja gar kein Mord.»

«Wie bitte?»

Tron lächelte. «Sind wir uns darüber einig, dass wir es mit der Tat eines Wahnsinnigen zu tun haben?»

«Es sieht ganz danach aus, Commissario.»

«Ist ein Wahnsiniger zurechnungsfähig?»

«Nein.»

«Und ist jemand», fuhr Tron fort, «der nicht zurechnungsfähig ist, für seine Verbrechen verantwortlich?»

Darüber musste Bossi einen Moment nachdenken. Schließlich schüttelte er den Kopf. «Wahrscheinlich ist er das nicht. Man wird ihn in eine Anstalt einweisen.»

«Richtig, Bossi. Weil er kein Verbrechen begangen hat: Er *kann* gar kein Verbrechen begehen.»

«Und folglich auch keine Spuren in unserer Statistik hinterlassen.»

«So ist es.»

Bossi musste lachen. «Ob Spaur Ihnen das abkaufen wird?»

«Wenn ich geschickt vorgehe, sicher. Ich werde ihm zuerst die Tatortfotografien zeigen. Dass da jemand am Werk war, an dessen Zurechnungsfähigkeit man zweifeln muss, dürfte selbst Spaur auffallen.»

«Sie wollen, dass der Baron von allein auf diesen Gedanken kommt?»

Tron nickte. «Spaur darf nicht den Eindruck haben, dass ich ihm etwas einrede. Er soll das Wort *Zurechnungsfähigkeit* als Erster aussprechen. Und vom Zweifel an der Zurechnungsfähigkeit zum Zweifel an der Schuldfähigkeit ist es nur noch ein kleiner Schritt.»

Als sie ein paar Minuten später die Riva degli Schiavoni betraten, hatte der Wind deutlich zugenommen. Er wehte in harten, böigen Stößen, trieb Gischt an die Kaimauer und brachte die Masten der großen Segelschiffe, die an der Riva lagen, zum Schwanken. Weiße Schaumkronen tanzten auf kabbeligen Wellen, und am anderen Ufer war, zum Greifen nahe, die Isola di San Giorgio zu sehen. Normalerweise hätte das Becken von San Marco um diese Tageszeit voller Gondeln und Schiffe sein müssen, doch jetzt war die Wasserfläche wie leer gefegt. Nur eine österreichische Dampferfregatte pflügte unbeirrbar durch die Wellen, eine dünne Fahne aus Rauch hinter sich herziehend. Da es Unsinn gewesen wäre, sich bei diesem Wetter von einer Gondel befördern zu lassen, beschlossen sie, sich zu Fuß zur Questura durchzuschlagen.

«Er wartet bereits auf Sie, Commissario», sagte Sergeant Kranzler, Spaurs Sekretär, der ihnen eine halbe Stunde später auf der Treppe der Questura entgegenkam. Was nur heißen konnte, dass Tron gut daran täte, sich sogleich in das Büro des Polizeipräsidenten zu begeben.

Als Tron Spaurs Büro betrat, bot sich ihm das übliche Bild. Spaur saß hinter seinem Schreibtisch, vor sich, auf einem silbernen Tablett, eine Kanne mit Kaffee und eine Tasse. Neben dem Tablett stand eine große Bonbonniere aus Porzellan, in der er seine Konfektvorräte aufbewahrte. Wie üblich war der Fußboden unter dem Schreibtisch von bunten Papierstücken bedeckt, in denen Pralinen eingewickelt waren. Es roch nach Kaffee und dem schweren Ambraduft des Herrenparfums, das Spaur seit einiger Zeit großzügig benutzte.

Offenbar war der Polizeipräsident mit der Lektüre diverser Modegazetten beschäftigt gewesen. Tron erkannte die *Revue de Paris*, die *Gazette de la Mode* – opulente, mit kolorierten Stahlstichen illustrierte Magazine, auf die auch die Principessa abonniert war. Beschäftigte man sich im Hause Spaur bereits intensiv mit der Frage, was die junge Baronin auf dem Ball in der Hofburg tragen würde? Es sah ganz danach aus.

Tron fiel auf, dass Spaur sich inzwischen anders kleidete als vor seiner Heirat mit ihr. Das dunkelrote Samtbarett, das er im letzten Jahr getragen hatte, um sich vor ihr ein künstlerisches Air zu geben, war ebenso verschwunden wie die farbigen Hemden und die gelben Gamaschen. Offenbar hielt die junge Baronin, die vor einem Jahr noch

Soubrette am Malibran-Theater gewesen war, nun ein seriöseres Erscheinungsbild ihres Gatten für angemessen, obgleich ein Anflug gehobener Boheme immer noch unübersehbar war.

Spaur trug einen konventionell geschnittenen Gehrock, aber sein Hemd war nicht weiß, sondern hatte einen leichten Fliederton. Dazu passte der blaue, mit gelben Punkten versehene Seidenstoff seiner Fliege. Er sah aus wie ein erfolgreicher Theaterdirektor.

«Nehmen Sie Platz, Commissario», sagte der Polizeipräsident. Seine Stimme war eisig, die Handbewegung knapp. Es war so, wie Tron es befürchtet hatte. Spaur machte ihn höchstpersönlich für das Verbrechen verantwortlich.

«Noch eine Leiche, und wir sind geliefert», sagte der Baron mit mühsam unterdrückter Wut in seiner Stimme.

«Nur unter der Voraussetzung, dass sich nicht noch ein paar Morde in Graz ereignen.»

«Wovon bedauerlicherweise nicht auszugehen ist», sagte Spaur verdrossen. «Graz ist eine schrecklich friedliche Stadt.» Er lehnte sich auf seinem Stuhl zurück und sah Tron an. «Was ist passiert?»

Da Tron wusste, dass Spaur nie an Einzelheiten interessiert war, fasste er sich kurz. «Zum Schluss hat er ihr den Bauch aufgeschlitzt und die Leber entfernt», beendete er seinen Bericht. «Dr. Lionardo meint, der Mörder müsse über gründliche anatomische Kenntnisse verfügen», setzte er noch hinzu. Dann zog er Bossis Fotografien aus dem Umschlag und breitete sie auf dem Schreibtisch des Polizeipräsidenten aus.

Spaur nahm die Aufnahmen mit spitzen Fingern zur Hand, betrachtete jede einzelne genau und schüttelte schließlich angewidert den Kopf. «Das ist unglaublich. Warum hat der Mann ihr die Leber entfernt? Was soll das?»

«Wir wissen es nicht. Es könnte ein Eifersuchtsdrama dahinterstecken. Die Frau hatte angeblich eine Beziehung zu zwei Männern, die sie beide in der Locanda kennengelernt hat.»

Der Polizeipräsident schob die Fotografien zusammen. «Sind Ihnen diese beiden Männer bekannt?»

Tron schüttelte den Kopf. «Noch nicht. Wir wissen im Moment nur, dass es sich um einen Venezianer und um einen Ausländer gehandelt hat. Die Männer waren aufeinander eifersüchtig. Einer von ihnen könnte die Frau getötet haben.»

«Eifersucht», sagte Spaur, «ist noch lange keine Erklärung für diese unglaubliche Brutalität.»

Tron beschloss, den Köder auszuwerfen. Er nickte zerstreut und sagte: «Man hat fast den Eindruck, dass nur ein Wahnsinniger eine solche Tat begangen haben kann.»

Na, bitte. Spaur stutzte. Er zog die Stirn in Falten und dachte nach. Plötzlich hellte sich seine Miene auf. «Sagten Sie, nur ein Wahnsinniger könne solch eine Tat begehen?»

«Jedenfalls waren das die Worte von Ispettor Bossi, wenn ich es recht in Erinnerung habe.»

«Ein guter Mann», sagte Spaur lebhaft. «Ich glaube, er hat diesen speziellen Sachverhalt korrekt beschrieben.»

«Welchen speziellen Sachverhalt? Den Mord?»

Spaur trank einen Schluck aus seiner Kaffeetasse. Dann lehnte er sich zurück und stieß einen tiefen Seufzer aus. «Die Gefahr der Dienstroutine», sagte er schließlich, «besteht darin, dass wir irgendwann dazu neigen, nur noch in eingefahrenen Gleisen zu denken.»

Aha, jetzt kam es. Tron runzelte unschuldig die Stirn. «Ich kann Ihnen nicht ganz folgen, Baron.»

«Für Sie ist der Mann entweder ein Mörder oder ein Totschläger. Etwas anderes kennen Sie nicht.» Der Polizeipräsident wickelte ein Stück Trüffelkrokant aus und ließ es in seinem Mund verschwinden. «Was aber», fuhr er fort, «wenn ihm *Stimmen* befohlen haben, diese Frau zu töten und ihr die Leber zu entfernen? Hat der Mann dann einen Mord begangen?» Spaur beugte sich über den Tisch und sah Tron eindringlich an. «Was ist, wenn dieser Mann schlicht und einfach *verrückt* ist? Wenn er in eine Anstalt gehört und nicht an den Galgen?»

«Das sind medizinische Fragen, Baron.»

«Nicht ganz, Commissario.»

«Inwiefern?»

Spaur setzte ein überlegenes Lächeln auf. «Würden Sie sagen, dass solch ein Mann zurechnungsfähig ist?»

Tron versuchte, den einfältigen Gesichtsausdruck des Kaisers nachzuahmen, der hinter dem Polizeipräsidenten an der Wand hing. Je unzurechnungsfähiger er jetzt aussah, desto besser. «Ich weiß es nicht», sagte er. «Möglicherweise nicht.»

Spaur stopfte sich ein weiteres Praliné in den Mund und spülte mit Kaffee nach. «Nun, dann sage *ich* es Ihnen. Solch ein Mann ist *nicht* zurechnungsfähig. Ich nehme an, Sie wissen, was das bedeutet.»

«Für juristische Fragen sind die Gerichte zuständig. Meine Aufgabe besteht darin, den Mörder zu stellen.»

Spaur verdrehte die Augen. «Sie sollten Ihre Worte ein wenig sorgfältiger wählen, Commissario. Dass wir es mit einem Mörder zu tun haben, bezweifle ich.»

«Sie meinen ...»

«Dass es sich hier nicht um einen Mord handelt», sagte Spaur. «Hier war eindeutig ein Wahnsinniger am Werk. Jemand, der *Operationen* vornimmt.» Spaurs rechte Hand klatschte auf die Fotografien herab. «Und ein Wahnsinniger ist nicht schuldfähig.»

Na, endlich. Tron atmete erleichtert aus. Da war das zweite Wort, auf das er gewartet hatte. *Nicht schuldfähig.*

«Ist Ihnen klar, was das bedeutet, Commissario?» Spaur warf einen freudigen Blick auf die Fotografien. Tron vermutete, dass ihm der Polizeipräsident gleich ein Praliné anbieten würde.

«Jedenfalls bedeutet es keinen praktischen Unterschied für unsere Arbeit», sagte Tron. «Auch einen Wahnsinnigen müssen wir so schnell wie möglich aus dem Verkehr ziehen. Was nach seiner Verhaftung mit ihm geschieht, ist Sache der Gerichte.»

«Die zweifellos auf schuldunfähig erkennen werden, wenn sie diese Fotografien sehen. Folglich war es kein Mord, und die ganze Angelegenheit war nichts anderes als ein ...» Spaur brach den Satz ab. Offenbar fiel ihm kein passender Vergleich ein.

Tron kam dem Polizeipräsidenten zu Hilfe. «Ein Unfall?», schlug er zaghaft vor. «So wie ein tödlicher Sturz von der Leiter? Oder ein herabfallender Dachziegel?»

Spaurs Augen leuchteten. «Ein Unfall! Genau, Commissario. Und das sollten Sie in Ihrem Bericht deutlich zum Ausdruck bringen. Führen Sie den Vergleich mit dem herabstürzenden Dachziegel an.» Spaur durchwühlte seine Bonbonniere, und schließlich hatte er gefunden, wonach er suchte. Er reichte ein grün eingewickeltes Konfektstück über den Tisch und setzte ein großzügiges Lächeln auf. «Möchten Sie ein Praliné, Commissario?»

Es handelte sich um ein Stück Nougatkonfekt. Spaur konnte Nougat nicht ausstehen. Gerade wollte sich Tron für das Praliné bedanken, als es klopfte, die Tür aufging und Sergeant Kranzler das Büro betrat. Er salutierte, näherte sich mit schnellen Schritten Spaurs Schreibtisch, legte einen Zettel vor Spaur hin und verschwand wieder.

Spaur nahm die Notiz, überflog sie und runzelte die Stirn. Dann sagte er: «Sie haben Besuch, Commissario.»

Tron sah Spaur fragend an.

«Ihr Freund Stumm von Bordwehr wartet in Ihrem Büro auf Sie.»

«Und was will er?»

Wieder konsultierte Spaur den Zettel, den ihm Sergeant Kranzler gebracht hatte. Dann hob er den Kopf und sagte: «Angeblich weiß er, wer die Frau in der Gondel getötet hat.»

13

Tron bezweifelte, dass er den Oberst erkannt hätte, wenn sie sich auf der Straße begegnet wären. Der Unterschied zwischen dem aggressiven Zivilisten, dem er vorgestern einen Tritt auf die Nase verpasst hatte, und dem höflichen Offizier, der sich nun, als Tron und Bossi das Büro betraten, verbindlich erhob, war kolossal: Anstelle des Gehrockes trug Stumm von Bordwehr heute eine gutgeschnittene Uniform, die seine kräftige Gestalt und seine breiten Schultern betonte. Der Verband, der sich quer über seine Nase zog, verstärkte das kriegerisch-männliche Bild, das der Oberst bot. Die Mullbinde in seinem Gesicht ließ an blutige Säbelduelle oder heldenhafte Schlachtszenen denken. Hier war, signalisierte der Verband, ein Mann, der sein Leben nicht schonte, wenn es um seine Ehre oder die des Allerhöchsten ging. Die Mullbinde war besser als jeder Orden. Tron fragte sich, was für eine Geschichte der Oberst denjenigen, die sich nach seiner Verletzung erkundigten, auftischte.

Er gab dem Oberst die Hand und forderte ihn auf, sich wieder zu setzen. Bossi hatte sich, Notizblock und Stift in der Hand, auf einen der Stühle vor den Aktenschränken zurückgezogen. Nachdem Tron hinter seinem Schreibtisch Platz genommen hatte, eröffnete er das Gespräch. «Sie wollten eine Aussage zum Tod von Signorina Calatafimi machen, Herr Oberst?»

Oberst Stumm von Bordwehr neigte höflich den Kopf. «Das ist korrekt.»

«Würden Sie mir verraten, wie Sie von ihrem Tod erfahren haben?»

«Ich war gestern Abend mit ihr verabredet.»

«Wie bitte?» Tron gab sich keine Mühe, seine Überraschung zu verbergen. «Sie waren mit ...»

«Mit ihr verabredet», wiederholte der Oberst geduldig. «Als sie nicht erschienen ist, habe ich Erkundigungen eingezogen und erfahren, dass sie unter unappetitlichen Umständen ermordet worden ist.»

Tron fragte sich, auf welche Weise Stumm von Bordwehr *Erkundigungen* eingezogen hatte und wer hier in der Questura für das Militär die Ohren spitzte. Er hatte immer vermutet, dass die Kommandantura Informanten im Polizeipräsidium hatte, war aber nie an den Punkt gelangt, bestimmte Personen zu verdächtigen. Dann fragte er sich, aus welchen Gründen Signorina Calatafimi mit dem Oberst verabredet gewesen sein konnte.

«Es soll zwei Männer geben», sagte Tron in beiläufigem Ton, «zu denen Signorina Calatafimi ein ganz spezielles Verhältnis hatte. Er sah den Oberst an. «Kann es sein, dass Sie einer davon sind?»

«So ist es», antwortete der Oberst in ebenso beiläufigem Ton. Er lächelte freundlich. «Der andere Mann war Signor Grassi.»

Einen Moment lang war Tron überzeugt, dass er sich verhört hatte. «Der Mann, mit dem Sie die Auseinandersetzung in der Questura hatten?»

Der Oberst nickte. «Genau der.»

«Dann ging es bei Ihrem Streit in Wahrheit gar nicht um die Trikolore im Knopfloch, sondern um Signorina Calatafimi?»

«Offenbar haben Sie von Signorina Querini erfahren, dass Signorina Calatafimi zwei Verehrer hatte, die sie heiraten wollten», sagte der Oberst. «Und jetzt denken Sie, Signorina Calatafimi hätte sich für mich entschieden, worauf Signor Grassi sie ermordet hat. Aber so war es nicht.» Er schüttelte lächelnd den Kopf. «Signorina Calatafimi hat ebenfalls für uns gearbeitet.»

Tron sah, wie Bossi ungläubig die Augen aufriss.

«Das ist der Grund», fuhr der Oberst ungerührt fort, «aus dem ich sie hin und wieder getroffen habe.» Er zögerte einen Augenblick, so als überlegte er, ob er Tron und Bossi vertrauen konnte. Dann sagte er: «Ich leite eine Unterabteilung der Militärstaatsanwaltschaft in Verona, die ...» Der Oberst brach den Satz ab, weil er offenbar nicht wusste, wie er ihn beenden sollte, ohne zu viel von seiner Tätigkeit preiszugeben. «Für eine Abteilung, die politische und militärische Informationen sammelt», ergänzte er schließlich.

Tron holte tief Luft. Er hatte plötzlich ein mulmiges Gefühl im Magen – als würde man ihn bei einer Lüge ertappen. Er war überzeugt davon, dass in Verona noch ein Dossier über ihn existierte. Tron hatte in den glorreichen Zeiten der venezianischen Revolution, als es der Stadt gelungen war, sich ein Jahr lang von der österreichischen Fremdherrschaft zu befreien, in der *Assemblea* gesessen, dem revolutionären Parlament. Als während der Belagerung Venedigs die Lebensmittelvorräte immer knapper wurden und die Leute anfingen, ihre Hunde und Katzen zu verspeisen, hatte seine Aufgabe darin bestanden, für eine gerechte Verteilung der Lebensmittel im Sprengel von San Stae zu sorgen. Ob Stumm von Bordwehr über die bescheidene Rolle, die er damals in der venezianischen Revolution gespielt hatte, informiert war? Tron vermutete, dass er seine Akte inzwischen gelesen hatte. Er räusperte sich. «Und Signorina Calatafimi war eine Ihrer Informantinnen?»

Der Oberst nickte. Dann sagte er wieder etwas, das Tron überraschte. «Grassi hat ebenfalls für uns gearbeitet.»

Tron holte zum zweiten Mal tief Luft. «Und in welcher Funktion?»

«Signorina Calatafimi verkehrte mit ausländischen Generalstabsoffizieren. Und Grassi hatte Kontakt zu einer Gruppierung, die Waffen nach Venedig schmuggeln wollte.»

«*Haben* diese Leute Waffen nach Venedig geschmuggelt?»

Stumm von Bordwehr machte eine wegwerfende Handbewegung. «Das sind Wirrköpfe. Aber wir müssen sie im Auge behalten. Es handelte sich um Leute, die den natürlichen Lauf der Dinge nicht abwarten können.»

Tron runzelte fragend die Stirn. «Den natürlichen Lauf der Dinge?»

Der Oberst lächelte säuerlich. «Der darin besteht, Commissario, dass wir Österreicher hier früher oder später das Feld räumen.»

Bemerkenswert, dachte Tron. Offenbar war auch der Oberst davon überzeugt, dass die Tage der Österreicher in Venedig gezählt waren. Bemerkenswert auch, dass er sich nicht scheute, es auszusprechen.

«Hat der Mord an Signorina Calatafimi etwas damit zu tun?»

Stumm von Bordwehr schüttelte den Kopf. «Es ging bei diesem Mord nicht um Politik.»

«Und worum ging es?»

«Um Liebe», sagte der Oberst. «Grassi war tatsächlich für diese Frau entflammt. Er wollte, dass sie aussteigt. Zu mir hat er mal geäußert, er könne es nicht länger ertragen, dass sich Signorina Calatafimi jede Nacht erniedrigt.»

«Das ist kein Grund, einen Mord zu begehen.»

Der Oberst hob die Schultern. «Sicher. Aber er hat noch etwas anderes gesagt. Nicht zu mir, aber zu Signorina Calatafimi.»

«Und was?»

«Dass er sie töten wird, wenn sie nicht aufhört.»

Tron hob die Augenbrauen. «Woraus Sie den Schluss ziehen, dass er es jetzt getan hat?»

«Nicht nur aus dieser Äußerung», sagte der Oberst. «Sondern auch aus den Umständen, unter denen Signorina Calatafimi getötet worden ist. Offenbar hat der Mörder über solide anatomische Kenntnisse verfügt.»

«So steht es in dem Bericht des Arztes, der die Sektion durchgeführt hat», bestätigte Tron. Ihm schoss der Gedanke durch den Kopf, dass der Oberst den Sektionsbericht Dr. Lionardos vielleicht bereits kannte.

«Und der Streit, den Sie mit Grassi auf der Piazza und in der Questura hatten?»

Der Oberst lachte. «Das war reines Theater.»

Wieder hatte Tron das Gefühl, dass er den Oberst nicht richtig verstanden hatte. «Wie bitte?»

«Jemand aus der subversiven Truppe, die Grassi für uns beobachten sollte», sagte der Oberst, «hat Grassi und mich in der Trattoria in Castello gesehen, in der wir uns immer treffen. Daraufhin haben sie Grassi zur Rede gestellt.»

«Und diese Person wusste, wer Sie waren?»

«Ein äußerst unglücklicher Zufall. Ich hatte im letzten Jahr das Vergnügen, den Burschen in Verona zu verhören. Grassi hat den Leuten erzählt, dass es bei diesem Treffen um eine Frau ging. Aber sie blieben misstrauisch und haben ihm nachspioniert.» Tron fand nicht, dass sich der Oberst besonders glaubwürdig anhörte.

«Also haben Sie die ganze Farce inszeniert.»

Stumm von Bordwehr nickte. «Erst den Streit wegen der Schleife vor dem Quadri. Und dann die Nummer auf der Questura.» Er lehnte sich plötzlich nach vorne, verzog das Gesicht und rief: «Ich bring dich um! Ich bring dich um!» Der Oberst traf den Ausdruck alkoholisierter Aggressivität so gut, dass Tron unwillkürlich lachen musste.

«Was werden Sie unternehmen, Commissario?» Stumm von Bordwehr hatte sich von seinem Stuhl erhoben.

«Ich denke, wir werden Signor Grassi einen Besuch abstatten», sagte Tron.

Der Oberst nickte zufrieden. «Dann halten Sie mich auf dem Laufenden, Commissario. Sie erreichen mich in der Kommandantura.»

Tron sah Bossi an, nachdem Stumm von Bordwehr den Raum verlassen hatte. «Was denken Sie, Ispettore?»

«Er scheint jedenfalls ein guter Schauspieler zu sein», meinte Bossi. «Und was er gesagt hat, klang plausibel.»

Tron schüttelte den Kopf. «Mich hat die Erklärung für seinen Auftritt in der Questura nicht überzeugt. Signorina Calatafimi muss nicht zwangsläufig gelogen haben, als sie behauptet hat, zwei ernsthafte Verehrer zu haben.»

«Und der Oberst war einer davon?»

«Dass Signorina Calatafimi für ihn gearbeitet hat», sagte Tron, «schließt nicht aus, dass er sich in sie verguckt hatte.

Der mordlustige Ausdruck in seinen Augen, als er Grassi bedroht hat, war echt.»

«Der Tod von Signorina Calatafimi schien ihm aber nicht sehr nahegegangen zu sein.»

«Spaur sagt, der Oberst ist eiskalt, aber unter seiner Oberfläche brodelt es.»

Bossi war überrascht. «Der Baron kennt ihn?»

Tron nickte. «Spaur und Stumm waren im gleichen Regiment. Stumm soll vor Jahren in Wien eine Prostituierte misshandelt haben.»

«Ein Mann mit zwei Gesichtern also?»

Tron musste daran denken, dass der Ispettore völlig anders aussah, wenn er nicht in seiner geschniegelten Uniform steckte, und dass ihn das jedes Mal erstaunte. Selbst Bossis Gesicht schien dann ein anderes zu sein. Er lächelte. «Die meisten Menschen haben zwei Gesichter, Bossi.»

«Meinen Sie, dass der Oberst selber in diese Geschichte verwickelt ist? Und wenn – was hat er hier gewollt?»

«Er ist gekommen», sagte Tron, «um uns eine Erklärung für seinen bizarren Auftritt in der Questura zu liefern. Und um uns mitzuteilen, dass Grassi Signorina Calatafimi getötet haben könnte. Außerdem hätten wir früher oder später die Identität der beiden Verehrer ermittelt. Und dann hätte uns der Oberst erklären müssen, warum er sich nicht sofort gemeldet hat. Was ihn verdächtig gemacht hätte.»

Tron sah, wie Bossis Augen blitzten. Die Vorstellung, dass ein kaiserlicher Offizier in diesen brutalen Mord verwickelt sein könnte, gefiel ihm offensichtlich schon aus patriotischen Gründen. «*Halten* Sie ihn für verdächtig?»

«Darüber denke ich nach», sagte Tron, «wenn wir mit Grassi gesprochen haben.»

Bossi sprang auf und zog seine Uniform glatt. «Worauf warten wir noch, Commissario?»

Tron hatte sich ebenfalls erhoben. «Wir nehmen Pucci und Caruso mit», sagte er. «Die können vor der Macceleria warten, während wir mit Grassi reden.»

14

Die Macelleria von Signor Grassi war das einzige Geschäft am Campo San Giobbe. Der Laden hatte, ungewöhnlich für Geschäfte in Cannaregio, ein Schaufenster. Neben dem Eingang hingen drei an den Füßen zusammengebundene Fasane, die mit ihren schillernden Federn aussahen wie Blumensträuße. Im Schaufenster lag, auf einer großen Anrichteplatte aus Porzellan und umgeben von allerlei dekorativem Grünzeug, ein rosiges, wie angemalt wirkendes Ferkel. Das Tier hatte weit aufgerissene Augen, und aus seinem halbgeöffneten Maul ragte eine Tomate. Ein riesiges Messer und eine riesige Gabel steckten in seinem Rücken, so als wäre ein Oger gerade dabei, das Tier zu verspeisen. Als Tron näher trat und sich fasziniert herabbeugte, stellte er fest, dass das Ferkel aus Wachs war und die Augen aus Glas.

Grassi stand hinter dem Tresen und war gerade damit beschäftigt, einer Kundin ein Stück Schinken abzuschneiden, als Tron und Bossi sein Geschäft betraten. Er trug eine weiße Schürze und hatte eine weiße Mütze auf dem Kopf.

Nachdem er den Schinken eingewickelt und kassiert hatte, trat er zur Eingangstür und schloss sie ab. Dann begab er sich wieder hinter den Tresen und sagte, indem er Tron und Bossi flüchtig musterte: «Was kann ich für Sie tun?»

Grassis Gesicht war bleich, ausdruckslos und starr wie eine Maske. Er bewegte sich im Schneckentempo, und sein Gang war steif und ungelenk wie bei einer Marionette.

«Uns ein paar Fragen beantworten, Signore», sagte Tron.

Grassi lächelte müde. «Geht es um die Trikolore, die ich auf der Piazza getragen habe?»

In der Questura hatte Tron nicht darauf geachtet, aber jetzt fiel ihm auf, dass Grassis Italienisch einen Akzent hatte, den er nicht einordnen konnte. Aus den Augenwinkeln sah er, dass Bossi die Stirn runzelte.

«Es geht um etwas ganz anderes, Signor Grassi», sagte Tron. «Darf ich fragen, wo Sie herstammen?»

«Aus Triest. Meine Mutter kam aus dem Friaul, mein Vater aus Mailand.»

Na, bitte. Kein Wunder, dass es schwierig war, Grassis Akzent einzuordnen. Dass der Gondoliere jemanden, der so sprach, für einen Ausländer hielt, war gut vorstellbar.

«Wir sind hier, weil wir ein längeres Gespräch mit Oberst von Bordwehr geführt haben», sagte Tron.

Tron hatte, als er den Österreicher erwähnte, eine Reaktion erwartet, aber Grassis Miene zeigte keine Regung. «Und wie kann ich Ihnen behilflich sein?»

«Kannten Sie eine Signorina Calatafimi?»

Grassi schwieg einen Moment. Dann sagte er zögernd: «Ja, ich kannte sie.»

«Sie wissen, dass sie tot ist?»

«Ja, das weiß ich.»

«Würden Sie uns verraten, in welcher Beziehung Sie zu Signorina Calatafimi gestanden haben?»

Grassi hatte nun eines der Messer ergriffen, die auf dem Tresen lagen, und fing an, die Klinge mit routinierten Bewegungen abzuziehen. «Ich habe sie relativ häufig getroffen», sagte er schließlich.

«Wie häufig?», erkundigte sich Bossi.

Grassi legte das Messer zurück auf den Tresen und dachte kurz nach. «Vielleicht dreimal in der Woche.»

«Und wo?»

«In einem kleinen Hotel in der Nähe der Locanda.»

«Hatten Sie eine spezielle Beziehung zu der Signorina?»

«Die Signorina wollte sich beruflich verändern», sagte Grassi. «Ich hatte ihr meine Unterstützung angeboten. Sie hätte mir im Geschäft behilflich sein können.»

Tron gefiel die Wendung *beruflich verändern*. «Wollte Signorina Calatafimi Ihr Angebot annehmen?»

«Sie hatte Schwierigkeiten, sich zu entscheiden.»

«Oberst Stumm hat behauptet», sagte Tron, «Sie hätten gedroht, die Signorina zu töten, wenn sie weiterhin ihrer Tätigkeit nachgeht.»

Grassis Blick klebte an einem Blutfleck, den er auf dem Tresen entdeckt hatte. «Wir hatten hin und wieder Streit», sagte er. «Vielleicht hat mich Signorina Calatafimi missverstanden.» Dann hob er den Kopf und sah Tron wütend an. «Ich frage mich, warum der Oberst eine solche Behauptung aufstellt.»

«Und was wäre Ihre Antwort?»

«Vielleicht wollte er von sich selbst ablenken. Die Vorstellung, wie Gina ihr Geld verdient, hat ihn ebenso irritiert wie mich.»

«Sie meinen, ein kaiserlicher Oberst interessiert sich ernsthaft für eine ...» Tron brach den Satz ab, weil ihm plötzlich bewusst wurde, wie kränkend und herzlos seine Worte sich für Grassi anhören mussten.

Als Grassi antwortete, sah Tron keine Wut in seinen Augen, sondern nur Traurigkeit. «Sprechen Sie es ruhig aus,

Commissario», sagte Grassi. «Gina war eine *mammola.*» Er hatte plötzlich einen nassen Lappen in der Hand und fing an, die Marmorplatte auf dem Tresen abzuwischen. «Vielleicht hat er Ihnen nur deshalb erzählt, ich hätte Signorina Calatafimi bedroht, weil er sie selber bedroht hat», sagte er.

«Und auch getötet?»

Grassi zuckte mit den Achseln. «Das herauszufinden ist Ihre Aufgabe, Commissario.»

«Aber wenn er es tatsächlich getan hat – warum hat er uns dann in der Questura aufgesucht? Warum hat er sich dann freiwillig in die Höhle des Löwen begeben?»

Grassi sah Tron verständnislos an. «Weil Sie früher oder später auf ihn gestoßen wären», sagte Grassi.

Er bückte sich, bis seine Augen auf gleicher Höhe mit der Marmorplatte waren, und wischte mehrmals über den Blutfleck, bis er verschwunden war. «Sie hätten», fuhr Grassi fort, «die Kundschaft von Signorina Calatafimi unter die Lupe genommen und wären irgendwann auf mich und den Oberst gestoßen.»

«Und warum haben *Sie* uns dann nicht aufgesucht?»

«Weil mehr gegen mich spricht als gegen den Oberst», sagte Grassi. «Einem kaiserlichen Offizier glaubt man eher als einem Schlachter aus Cannaregio. Auch wenn der Oberst seine Gewalttätigkeit bewiesen hat.» Grassi warf den Lappen auf den Tresen und sah Tron eindringlich an. «Haben Sie festgestellt, wo sich der Oberst am Dienstagabend aufgehalten hat?»

Tron ließ die Frage unbeantwortet. Stattdessen sagte er: «Vielleicht können Sie uns erzählen, wo *Sie* Dienstagabend gewesen sind.»

«Ich habe meinen Laden um sieben Uhr geschlossen», sagte Grassi. «Dann habe ich sauber gemacht und bin nach oben in meine Wohnung gegangen.»

«Sie waren die ganze Nacht in Ihrer Wohnung?»

Signor Grassi nickte.

«Hatten Sie Besuch?»

Grassi senkte den Kopf. «Nein.»

«Es gibt also keine Zeugen dafür, dass Sie das Haus nicht noch einmal verlassen haben?»

Grassi senkte den Kopf noch ein wenig tiefer. «Leider nicht.»

Tron sah, wie Grassi nach dem Messer griff, das immer noch auf dem Tresen lag, und die Schärfe der Klinge mit dem Daumen prüfte. Grassi hatte die Lippen geschürzt und schien über etwas nachzudenken. Aus den Augenwinkeln sah Tron, wie Bossis Hand nach dem Lederholster mit der Dienstwaffe tastete.

«Ich fürchte», sagte Tron, indem er vorsichtshalber einen Schritt zurücktrat, «wir müssen Sie bitten, mit auf die Questura zu kommen, Signor Grassi.»

Grassis Gesicht war auf einmal totenblass. «Bin ich verhaftet?»

«Es geht lediglich darum, ein Protokoll aufzunehmen.»

Grassi legte das Messer auf den Tisch zurück. Wieder schien er über etwas nachzudenken. Dann lächelte er friedlich. «Darf ich kurz nach hinten gehen und mir etwas überziehen, Commissario?»

«Selbstverständlich», sagte Tron. Bevor sie das Geschäft betraten, hatten sie sich davon überzeugt, dass es keinen Hinterausgang gab.

Grassi verschwand durch eine halb angelehnte Tür, die hinter dem Tresen zu sehen war. Die Tür fiel ins Schloss, und man hörte, wie der Schlüssel gedreht wurde.

Tron und Bossi sahen einander an.

«Er hat abgeschlossen», sagte Bossi überflüssigerweise. Er lief auf die andere Seite des Tresens und rüttelte an der Tür, die sich nicht öffnen ließ. «Was hat er vor?», sagte er zu Tron. «Verschwinden kann er nicht. Die Fenster zum Hof sind vergittert.»

«Vielleicht», entgegnete Tron, «fordern Sie ihn auf, die Tür zu öffnen.» Das war kein sonderlich geistreicher Vorschlag, aber mehr fiel Tron im Moment nicht ein.

Bossi schlug mit der Faust gegen die Tür. «Machen Sie auf, Signor Grassi.»

Was Grassi nicht tat, denn sonst hätte er die Tür nicht abgeschlossen. Stattdessen hörte man hektische Schritte und rumpelnde Geräusche, so als würde Grassi nach etwas suchen. Dann war es plötzlich still.

Bossi machte einen tiefen Atemzug. Dann hob er das rechte Bein und stieß seinen Stiefel mit aller Kraft gegen das Schloss. Der Schuss fiel in dem Moment, als der Türflügel krachend aufsprang und die Klinke auf der anderen Seite gegen die Wand knallte.

Der Raum, den sie vorsichtig betraten, war eine Mischung aus Werkstatt, Kontor und Rumpelkammer. Hölzerne Bottiche, aus denen Fleischabfälle quollen, waren auf einer Bank vor dem Fenster zu erkennen. An der linken Wand waren zwei große, offenbar aus Frankreich stammende Tafeln befestigt, die Seitenansichten von Rind und Schwein präsentierten und den Betrachter über die Lage von *filet, entrecôte, queue* und *lende de tranche* aufklärten. In der Mitte des Raumes stand ein Tisch, auf dem zwei Fasane, ein Hase, Knochen und diverse Messer lagen. An der Decke hing eine Petroleumlampe, die Grassis Sturz und die Detonation des Revolvers offenbar in eine schwankende Bewegung versetzt hatten, sodass flackernde Lichtstreifen über den Tisch huschten. Ein scharfer Korditgeruch hing im Raum und vermischte sich mit dem Gestank verbrannter Haare.

Grassi lag neben dem Tisch. Er war auf die Seite gestürzt, und das Einschussloch an seiner rechten Schläfe, umgeben von einem Kranz schwärzlich verbrannter Haare, war nicht zu übersehen. Er hielt den Revolver noch in der Hand, und seine geöffneten Augen starrten auf das Bild des französischen Schweins an der Wand. Grassis Mund hatte sich zu einem tölpelhaften Grinsen verzogen, so als bereite ihm der Anblick des Schweins ein bizarres Vergnügen.

Tron, der zusammen mit Bossi neben Grassis Leiche niedergekniet war, erhob sich nun schweigend. Und dann sah er etwas, das seiner Aufmerksamkeit entgangen war – etwas, das man eher im Behandlungszimmer eines Arztes erwartet hätte als in einer Macceleria.

Unter den Tafeln von Schwein und Rind hingen zwei Bogen aus einem großen Anatomieatlas, handkolorierte Drucke im Folioformat. Sie waren sorgfältig aus dem Atlas herausgetrennt, in der Mitte geglättet und mit kleinen Nägeln auf dem Putz befestigt worden. Der eine Bogen zeigte die Organe, die sich im unteren Teil des menschlichen Körpers befanden, der andere die Organe des oberen Teils.

Bossi hatte sich ebenfalls erhoben. Auch er schien die anatomischen Bogen jetzt entdeckt zu haben. Tron sah, wie der Ispettore stutzte, einen Schritt auf die Wand zuging und sich herabbeugte. Schließlich drehte Bossi sich um. Seine Augenbrauen waren fragend emporgezogen.

«Der Fall», sagte Tron, «könnte gelöst sein.»

15

Im Lauf des Nachmittags war es kälter geworden, und Tron war froh, bei der Principessa zu Abend zu speisen und nicht im eisigen Palazzo Tron – in der *sala degli arrazzi*, wo einem an Wintertagen der Atem in kleinen Wolken aus dem Mund strömte. Im großen Speisezimmer der Principessa hingegen war es ausgesprochen gemütlich. Ein riesenhafter Kachelofen verbreitete wohlige Wärme, und die vom Steinfußboden aufsteigende Kälte hielt ein großer Aubussonteppich in Schach.

Es hatte als Hauptgericht *Cailles aux raisins* gegeben, Wachteln mit Weinbeeren, lautlos serviert von Massouda und Moussada. Als sie abräumten, war Tron mit seinem Bericht über Grassis Tod zu Ende gekommen und musste noch einmal an die Bogen aus dem Anatomieatlas denken, die Grassi an der Wand seiner Werkstatt befestigt hatte. Alles schien perfekt zusammenzupassen.

Vielleicht *zu* perfekt? Möglicherweise. Spaur jedenfalls hatte die Akte für geschlossen erklärt und Tron zu seinem schnellen Fahndungserfolg gratuliert. Seine Freude über Grassis Tod hatte der Polizeipräsident nicht verhehlt. Auf diese Weise war keine Gerichtsverhandlung zu befürchten, auf der Grassi womöglich einen zurechnungsfähigen Eindruck gemacht haben könnte.

Als hätte die Principessa Trons Gedanken gelesen, sagte sie: «Und damit wäre der Fall tatsächlich gelöst?» Anstatt dem Dessert zuzusprechen – frische Erdbeeren mit Mascarpone – hatte sie sich eine *Maria Mancini* angezündet.

«Jedenfalls auf den ersten Blick», sagte Tron.

«Wo ist das Problem?»

Tron seufzte. «Die Lösung ist das Problem. Es wirkt alles zu glatt.»

«Und Grassis Selbstmord? Die anatomischen Tafeln?»

«Sind keine Beweise.» Tron schwieg ein paar Sekunden. Dann sagte er: «Außerdem frage ich mich, was für eine Rolle Oberst Stumm bei der ganzen Sache spielt.»

«Könnte er in die Angelegenheit verwickelt sein?»

«Stumm soll als junger Offizier in Wien eine Prostituierte misshandelt haben.»

«Sagt wer?»

«Spaur. Der war im selben Regiment. Spaur sagt auch, dass er damals immer den Eindruck hatte, unter Stumms polierter Oberfläche würde etwas *brodeln*. Wörtlich.»

«Und was ist dein Eindruck?»

«Heute hat sich Stumm sehr zivilisiert und höflich benommen. Aber die Geschichte, die er uns über seinen inszenierten Auftritt mit Grassi erzählt hat, war gelogen. Ich bin fest davon überzeugt, dass er Grassi wirklich umbringen wollte.»

«Und was folgt jetzt daraus?»

Tron hob die Schultern. «Ich weiß es nicht.»

«Hast du mit Spaur darüber gesprochen?»

«Für Spaur», sagte Tron verdrossen, «ist Grassis Selbstmord ein Geständnis, und damit ist die Angelegenheit aus seiner Sicht erledigt. In unserem Bericht wird stehen, dass es sich bei Grassi um einen Verrückten gehandelt hat. Um jemanden, der schuldunfähig ist. Wir hätten es hier also nicht mit einem Verbrechen, sondern mit einem bizarren Unfall zu tun.»

«Das hört sich einleuchtend an.»

«Auf jeden Fall», sagte Tron, «war der Mord auf der Gondel die Tat eines Wahnsinnigen.»

«Das wird die Baronin freuen.»

«Zweifellos. Und sie wird sich auch über das freuen, was heute im *Giornale di Trieste* stand.»

«Was denn?»

«Dass es vor zwei Tagen einen bestialischen Doppelmord in Graz gegeben hat.»

Die Principessa musste lachen. «Also ein guter Tag für die Spaurs.»

«Spaur war regelrecht begeistert. Jetzt geht es nur noch um lächerliche vierzehn Tage, und sie haben gewonnen.»

«In denen noch viel passieren kann», sagte die Principessa.

«Aber keine drei Morde. Wir sind hier nicht in London oder in Paris.»

«Du gibst mir das Stichwort.» Die Principessa lächelte. Sie nahm einen Schluck aus ihrer Kaffeetasse und zog an ihrer *Maria Mancini*.

«Welches Stichwort?»

«Paris», sagte die Principessa. «Ich habe noch jemanden zum Maskenball eingeladen.» Sie machte eine bedeutungsvolle Pause. «Einen jungen Mann. Das Einverständnis der Contessa vorwegnehmend.»

«Und wen?»

«Julien Sorelli.»

Tron brachte es nicht fertig, seine Überraschung zu verbergen. «Du hast ihn getroffen?»

«Er war heute Vormittag im Kontor.»

«Hattest du ihn erwartet?»

«Julien kam ganz spontan vorbei. Er hatte in der Nähe zu tun. Immerhin sind wir Verwandte.»

«Und?»

«Er ist eine Stunde lang geblieben, und anschließend waren wir im Danieli essen. Julien hat sich lobend über die Küche geäußert.»

Im Danieli essen? Tron räusperte sich nervös. «Was ist dein Eindruck? Entspricht der Juvenil deinen Erwartungen?» Vielleicht hatte er ja einen Sprachfehler. Oder Mundgeruch. Oder einen Klumpfuß.

Was aber nicht der Fall zu sein schien, denn die Principessa sagte: «Er sieht besser aus als auf seiner Fotografie.»

«Du fandest ihn bereits auf der Fotografie äußerst ansprechend.»

Die Principessa nickte. «Allerdings. Aber eine Fotografie ist eben nur eine Fotografie. Da kann man sich leicht täuschen.» Lächelnd setzte sie hinzu: «Er wird dir gefallen.»

«Warum bist du dir da so sicher?»

«Er ist klug, belesen und hat ein unabhängiges Urteil. Du sagst doch immer, dass es von solchen Menschen viel zu wenige gibt.»

«Gefällt er *dir*?»

«Würde es dich stören, wenn er mir gefällt?»

Was für eine Frage! Natürlich würde es ihn stören. Tron häufte sich eine weitere Portion Mascarpone auf den Teller und lächelte souverän. «Für wen hältst du mich? Für einen hysterischen Othello?»

Die Principessa warf einen versonnenen Blick auf das Deckengemälde ihres Speisezimmers, auf dem ein paar pummelige Amoretten ein Spruchband mit den Worten *Amor vincit omnia* über einen hellblauen Himmel zogen. Schließlich sagte sie: «Das ist gut so. Denn er gefällt mir tatsächlich. Julien hat diesen ... *Pariser Schick.*»

Tron verdrehte die Augen. «Geht es dir noch gut?»

Jetzt war der Blick der Principessa nicht mehr versonnen, sondern regelrecht giftig. «Was soll das heißen?»

«Dass du einen verzückten Eindruck machst», sagte Tron. «Du hast einen Gesichtsausdruck wie Berninis heilige Theresa.»

«Und du musst nicht immer gleich die Nerven verlieren, wenn ich das Wort *Paris* ausspreche.»

«Ich stelle lediglich fest», sagte Tron kühl, «dass du jedes Mal in Ekstase gerätst, wenn von Paris die Rede ist.»

Sollte er sich danach erkundigen, ob die Principessa ihren Pariser Neffen bald wieder zu treffen gedenke? Nein – das würde er auf keinen Fall tun. Schließlich hatte er sich – anders als der Oberst – in der Gewalt.

Tron sagte in beiläufigem Ton: «Wirst du den jungen Mann jetzt öfter sehen?»

«Verabredet haben wir nichts.» Die Principessa blies einen Rauchring über den Tisch. «Julien hat allerdings den Wunsch geäußert, dich bald kennenzulernen. Er ist ein eifriger Leser des *Emporio.* Er schreibt selber ein wenig.»

Tron hob überrascht die Augenbrauen. Das klang bemerkenswert. Dieser Julien war Leser des *Emporio*! Vielleicht hatte er sich ja in dem jungen Mann getäuscht.

«Ich könnte», fuhr die Principessa fort, «Julien zum Essen einladen. Dann seht ihr euch schon vor dem Ball. Er scheint momentan nur sehr beschäftigt zu sein.»

«Hat sich Julien über seine Tätigkeit für den Comte de Chambord näher geäußert?» Nicht dass es Tron wirklich interessierte.

Die Principessa schüttelte den Kopf. «Nur andeutungsweise. Es wäre taktlos gewesen, direkte Fragen zu stellen. Jedenfalls ist er ganz begeistert vom venezianischen Nachtleben. Er war schon jeden Abend unterwegs.»

Tron beugte sich über den Tisch. «Jemand aus Paris begeistert sich für das venezianische Nachtleben?»

«Für den venezianischen *Karneval*», präzisierte die Principessa. Und setzte hinzu: «Dieser ungewöhnliche Mord auf der Gondel wird ihm auch gefallen.»

«Ihm gefallen Verbrechen?»

«Er *interessiert* sich für Verbrechen.» Die Principessa

drückte ihre Zigarette aus. «Sagt dir der Name Lombroso etwas?»

Tron dachte kurz nach. «Dr. Lionardo kennt einen *professor* Lombroso aus Pavia.»

«Dann ist es dieser *professor* Lombroso. Julien hat bei ihm studiert.»

«Der Mann behauptet», sagte Tron, «man könne Verbrecher an bestimmten körperlichen Merkmalen erkennen. Jedenfalls habe ich Dr. Lionardo so verstanden.»

«Wenn du mehr darüber erfahren willst, musst du Julien fragen. Hat Bossi diesen Grassi fotografiert?»

«Bossi hat seine üblichen Fotografien gemacht», sagte Tron. «Auch von Grassis Leiche. Warum willst du das wissen?»

«Weil sich Julien bestimmt für Grassis Physiognomie interessieren wird.»

«Warum? Um mir dann nachträglich mitzuteilen, dass Grassi diesen Mord begangen hat?»

«Oder um dir zu sagen, dass ihr mit Grassi den Falschen erwischt habt.»

Tron fischte die letzte Erdbeere von seinem Teller. «Signor Sorelli hat also nicht nur den gewissen Pariser Schick, er ist auch ein kriminalistisches Genie», sagte er ironisch.

Die Principessa schien amüsiert zu sein. «Seit wann hast du Probleme mit intelligenten Männern?»

Hatte er die? Nein, fand Tron. Ebenso wenig wie er Probleme mit intelligenten Frauen hatte. «Ich habe», sagte er säuerlich, «lediglich Probleme mit selbsternannten Kriminalisten.»

«Ist dir klar, dass ...» Die Principessa brach den Satz ab. Sie sah zuerst den Teller an, von dem die Erdbeeren verschwunden waren, dann Tron.

Der runzelte die Stirn. Was sollte ihm klar sein? Dass er

sich wie Othello aufführte? Oder dass jede einzelne Erdbeere im Winter ein Vermögen kostet? Fing jetzt *das* wieder an? Würde er wieder ein Gespräch über sein Gehalt als Commissario führen müssen?

Die Principessa lächelte nachsichtig. «Ist dir klar, dass du immer gleich einschläfst, wenn du dich mit Dessert vollgestopft hast?»

Von der Pendule auf dem Kaminaufsatz schlug es in diesem Augenblick zehn. «Du meinst, zu einer Stunde, in der Venedig erst erwacht?» Tron musste auf einmal lachen. «Nur die Fremden sind wild auf das venezianische Nachtleben. Die denken, wir leben immer noch im Settecento und gehen jede Nacht auf einen anderen Maskenball. Wie dein Neffe Julien.»

16

Das Mulino Rosso lag am Campo San Martino und war dafür bekannt, dass abenteuerlustige Herren hier auf ihre Kosten kamen. Es war ein frisch renovierter Palazzo mit geöffneten Spitzbogenfenstern, aus denen laute Musik drang, und er fragte sich, was die Anwohner wohl dazu sagten. Die drei grell geschminkten Damen, die rauchend vor der Tür standen, warfen nur einen flüchtigen Blick auf ihn, als er durch den Eingang schritt. Eine von ihnen war rothaarig, die beiden anderen brünett. Nichts für ihn. Das Tier in ihm bestand ausdrücklich auf Blondinen.

Seine schwarze Halbmaske hatte er bereits aufgesetzt – dieselbe, die er auch in der Locanda benutzt hatte. Da alle Welt schwarze Halbmasken trug, gab es keinen Grund, sie durch eine andere zu ersetzen. Nicht dass er vorgehabt hatte, heute Abend wieder zur Sache zu kommen. Eine Durchsuchung seiner Taschen hätte nichts zutage gefördert, weder Messer noch Lederriemen. Er wollte sich nur ein wenig umsehen, im Idealfall eine Verabredung treffen. Sich zu verabreden, fand er, war so romantisch.

Die Ausstattung des Ballsaals, die kerzenbestückten Kronleuchter und die rötlichen Damasttapeten an den Wänden wies das Mulino Rosso als Etablissement gehobenen Zuschnitts aus. Das Salonorchester auf der einen Seite des Saals spielte in Fracktoilette, und auch das Publikum hatte hier eine andere Zusammensetzung als in der Locanda. Dort hatten Handwerker und Unteroffiziere das Publikum dominiert, hier gaben Fremde aus den großen Hotels, gutgekleidete Einheimische und kaiserliche Offiziere den Ton an. Keine hohen Ränge, aber eine ganze Anzahl von Leutnants der verschiedensten Waffengattungen. Er unterschied die Uniformen der Kaiserjäger, der Linzer Dragoner und der in Venedig stationierten kroatischen Jäger. Ein paar Offiziere tanzten, die meisten standen am Rand der Tanzfläche und rauchten.

Wo war der Getränkeausschank, um den herum sich erfahrungsgemäß die Priesterinnen der Liebe tummelten? Er reckte den Hals, um über die tanzende Menge hinwegzusehen. Aha, dort hinten, gleich neben dem Podium, auf dem das Orchester spielte. *Introibo ad altare Dei*, dachte er, während er sich in Bewegung setzte, und wäre fast in Kichern ausgebrochen.

Drei Leutnants der kroatischen Jäger hatten am Tresen Posten bezogen, sie verhandelten gerade mit zwei jungen Damen. Neben ihnen stand ein rotgesichtiger Herr im Frack, der bereits ein wenig schwankte. Hinter der Theke polierte eine junge Saaltochter Gläser. Auf dem marmornen Tresen waren Champagnerflaschen aufgereiht, hübsch anzusehen mit ihren goldfarbenen Hälsen, daneben eine große Glasschale mit Orangen, die ihrerseits von diversen Likörflaschen flankiert wurde. Der hinter dem Tresen angebrachte riesige Spiegel reflektierte das Glitzern der Kronleuchter und das bunte Gewoge der Menge, die sich über die Tanzfläche schob. Als er näher trat, konnte er nicht umhin, sein Spiegelbild zu betrachten.

Merkwürdig, dachte er, wie wenig die draufgängerische Seite seines Wesens in Erscheinung trat. Die Halbmaske ließ die untere Gesichtshälfte frei, und eigentlich hätte man in den Mundwinkeln zwei Reißzähne sehen müssen. Stattdessen sah er einen schmalen, fast asketisch wirkenden Mund, der gut zu seinem schwach ausgeprägten Kinn passte. Er wirkte ausgesprochen unauffällig. Ob die Saaltochter hinter dem Tresen ihn überhaupt bemerkt hatte? Würde er die Arme schwenken müssen, um etwas zu trinken zu bekommen, wie ein Schiffbrüchiger auf einem Floß? Nein – jetzt sah sie ihn an, und er bat um ein Glas Champagner – *Champagner macht einen leichten Fuß*. Das Zeug war billiger Prosecco, aber bei der Hitze im Ballsaal tat es gut, an dem kalten, prickelnden Getränk zu nippen.

Seit zwei Tagen war seine Gemütsverfassung ausgesprochen euphorisch. Das wilde Tier in ihm hatte geschlafen, während er durch die Gassen geschlendert war und sich bei Regen in eines der Cafés an der Piazza gesetzt hatte. Während der Karnevalszeit schien sich die ganze Stadt in einen summenden Bienenkorb verwandelt zu haben. Nachts gab es die Auswahl zwischen Dutzenden von Maskenbällen, und selbst tagsüber schien jeder zweite Passant Dreispitz und Degen zu tragen. Auch die kaiserlichen Offiziere, denen man überall in der Stadt begegnete, sahen wie verkleidet aus und wirkten in ihren bunten Uniformen wie

Statisten aus einer Offenbach-Operette. Wahrscheinlich, dachte er amüsiert, hätte es sie sogar erfreut, wenn man ihnen gesagt hätte, dass sie so aussahen.

Er schloss die Augen und versuchte, sich an die Genugtuung zu erinnern, als er am Rialto aus der Gondel gestiegen war. Erstaunlich, dass ihm in der Hitze des Gefechts keine groben Fehler unterlaufen waren. Aber die Schnitte, die er gesetzt hatte, waren sicher und routiniert gewesen. Auch das kurze Gespräch, das er nach getaner Arbeit am Rialto mit dem Gondoliere geführt hatte, konnte man nicht anders als kaltblütig bezeichnen. Den blutbefleckten Gehrock hatte er am nächsten Morgen in einen Kanal geworfen. Selbst wenn ihn jemand fand und die Polizei ihn mit dem Mord auf der Gondel in Verbindung brachte, wäre sie keinen Schritt weiter. Abgesehen davon würde niemand in Venedig einen fast neuen Gehrock wegen ein paar Flecken zur Polizei bringen.

Er wandte sich zum Tresen, um noch einen Schluck von dem kalten Prosecco zu trinken, als sich plötzlich eine Hand auf seinen Ärmel legte. Erschrocken fuhr er auf dem Absatz herum. Was er sah, brachte sein Herz zum Klopfen. Zugleich spürte er, wie das Tier in ihm erwachte.

Als sie ihm ihre Hand auf den Ärmel legte, wusste sie genau, was sie tat, denn sie hatte ihn vorher lange beobachtet. Er würde zuerst erschrecken, aber einen Augenblick später würde er die Berührung als angenehm empfinden, als *aufreizend*. Schließlich war er genau deswegen hierhergekommen. Und so wie er aussah, überlegte er schon die ganze Zeit, wie er eine Frau ansprechen sollte. Er wirkte nicht wie jemand, dem es leichtfiel, auch wenn es sich um eine Frau handelte, deren Geschäft darin bestand, angesprochen zu werden. Wandte man sich ihm zu – sie hatte es beobachtet –, drehte er den Kopf weg und wurde rot. Ein armes Würstchen, das sich nach ein paar Stunden frustriert entfernen würde, wenn man ihm nicht ein wenig behilflich war.

Julia Dossi hatte gelernt, ihre Kunden in zwei Kategorien einzuteilen: in Adler und Hühnchen. Die Adler kriegten den Hals nie voll und feilschten wie auf dem Fischmarkt. Sie verlangten alle möglichen Extras und wurden wütend, wenn sie dafür bezahlen sollten. Hühnchen hingegen feilschten nicht und kämen nie auf den Gedanken, Extras zu verlangen. Viele *trauten* sich auch nicht, wenn es zur Sache kam, und waren schon zufrieden, wenn sie jemandem ihr Herz ausschütten konnten. Und hier handelte es sich definitiv um ein Hühnchen.

Das Hühnchen war ihr aufgefallen, weil es kurz hinter ihr über die Schwelle des Ballsaals getreten war und lange am Eingang verharrt hatte. Nachdem es den Saal mit verstörten Augen gemustert hatte, war es mit zaghaften Schritten zum Getränkeausschank getrippelt. Dort stand das Hühnchen nun, drehte ein Glas in der Hand und kam sich mit seinem schwarzen Dreispitz aus Pappe vermutlich genauso albern vor, wie es aussah. Wahrscheinlich, dachte sie, handelte es sich bei dem Hühnchen um einen Familienvater aus der Provinz, der sich gerade fragte, ob er dem Abenteuer hier gewachsen war. Das war offenkundig nicht der Fall, aber sie könnte ihm behilflich sein. Und wenn sie sich nicht täuschte, würde er sich als großzügig erweisen.

Wenn sie sich nicht täuschte – genau das war der springende Punkt. Denn Menschenkenntnis war zurzeit überlebenswichtig in dieser Branche. Zwar kannte sie keine Einzelheiten der Geschichte, die sich gestern auf einer Gondel ereignet hatte, aber was sie wusste, reichte ihr. Dass der Gondoliere nichts bemerkt hatte, war unglaublich. Ebenso unglaublich war, dass die Frau die Gefahr, in der sie schwebte, offenbar nicht gespürt hatte. Sie selbst war fest davon überzeugt, dass das Böse eine Aura hatte, einen üblen Geruch. Und dass die Nagelprobe ein Blick in die Augen war. Als das Hühnchen herumfuhr und sie in seine unschuldigen braunen Augen sah, hätte sie fast aufgelacht. Sie hatte es mit einem Küken zu tun.

Er hatte am Arsenal eine Gondel genommen, saß jetzt zurückgelehnt in den Polstern und lauschte auf das leise Knirschen, mit der sich das Ruder in der *forcola* bewegte. Diesmal war der *felze* nicht diskret verschlossen worden, sondern blieb auf seinen Wunsch zur Seite hin geöffnet. Die Luft war schwer und feucht, aber durchsichtig genug, um die Häuser zu erkennen, die sich als schwarze Masse von dem schiefergrauen Nachthimmel abhoben. Als sie das Danieli passiert hatten und sich dem Molo näherten, stellte er fest, dass die Piazzetta, festlich gesäumt von den Girlanden der Gaslaternen, immer noch voller Menschen war. Aus einem der Cafés am Markusplatz wehte Musik herüber, eine beschwingte Walzermelodie, die gut zu der gehobenen Stimmung passte, in der er sich befand.

Natürlich waren es zuerst ihre blonden Haare gewesen, die ihn entzückt erstarren ließen. Als er einen Augenblick später sah, dass sie grüne Augen hatte, war das Tier in ihm augenblicklich erwacht, so als hätte man einen Eimer Wasser über einen Schlafenden geschüttet. Er konnte die Bestie direkt vor sich sehen: wie sie sich ruckartig aufsetzte, die Augen groß wie Suppenteller wurden und sie die Zähne fletschte. Hin und wieder kam es vor, dass er in solchen Momenten die Kontrolle über seine Mimik verlor, er albernerweise ebenfalls den Rachen aufriss, sein Gebiss bleckte und ein brünstiges Geheul ausstieß. Auch vorhin war es ihm so ergangen – oder: Es wäre ihm *fast* so ergangen, denn es war ihm gerade noch gelungen, seinen weit aufgerissenen Mund als Gähnen zu tarnen und das Geheul mit einem künstlichen Hustenanfall zu überdecken. Was die Signorina offenbar als Zeichen von nervöser Aufgeregtheit verstanden hatte, denn ihr ohnehin mitleidiger Gesichtsausdruck hatte sich noch verstärkt.

Also morgen Abend. Sie hatten sich in einer kleinen *pensione* an den Zattere verabredet, die sich *Seguso* nannte. Er würde am Nachmittag einen ersten Blick auf das Gebäude werfen, danach in aller Ruhe einen Kaffee an der Piazza trinken und anschließend, bevor er sich in die *pensione* begab, die erforderlichen Werkzeuge holen: Messer, Lederriemen und Riechsalz. Es würde kinderleicht sein.

17

Ignaz Zuckerkandl, Fabrikant chirurgischer Messer und nicht mehr ganz nüchtern, lehnte sich an den Marmortresen des Mulino Rosso und warf einen lässigen Blick in den riesigen Spiegel hinter dem Tresen. Im Saal drehte sich zu den Klängen eines Walzers die übliche Mischung aus Offizieren, Fremden, Einheimischen und grell geschminkten Kokotten. Zuckerkandl, ein Musikkenner, in dessen Wiener Wohnung auch ein Klavier stand, war sich sicher, dass die Musiker des Salonorchesters gleichzeitig in verschiedenen Tonarten spielten, aber er vermutete, dass es hier niemandem auffiel.

Er trank einen Schluck Champagner, zündete sich eine Zigarette an und fuhr fort, die tanzende Menge im Spiegel zu beobachten. Seine spöttisch herabgezogenen Mundwinkel signalisierten aller Welt, was er von der Veranstaltung hielt: ganz nett, aber nichts, was einen Mann wie ihn vom Hocker hauen konnte. Um festzustellen, dass er ein Mann von Welt war, reichte schon ein Blick auf seine Kleidung. Sein nach der neuesten Mode geschnittener Frack hatte farblich abgesetzte Galons an den Hosenbeinen, der weiße Seidenschal ließ ihn wie den Habitué eines Pariser Cafés wirken. Er bot das Bild eines Mannes, der alles gesehen hat und den nichts mehr erschüttern kann.

Auf dem Kopf trug er einen Dreispitz aus schwarzer Pappe, vor dem Gesicht eine samtbezogene schwarze Halbmaske. Beides hatte er an der Rezeption seines Hotels erstanden, wo ihm ein hilfreicher Portier auch die Adresse des Mulino Rosso genannt hatte. Natürlich hätte er den Portier bitten können, ihm bei seinem Problem behilflich zu sein, aber er zog es vor, es allein zu lösen.

Als zwei Leutnants der kroatischen Jäger und ein Oberleutnant der Innsbrucker Kaiserjäger sich dem Tresen näherten, trat er höflich zur Seite und registrierte befriedigt den anerkennenden Blick, mit dem der Kaiserjäger die Galons an seinen Hosen streifte. Er wusste, was der Oberleutnant dachte: Hier war jemand, der sich nach dem Besuch eines mondänen Balls unter das Volk mischte – ein kraftstrotzender Salonlöwe auf der Suche nach einer leckeren Gazelle.

In Wahrheit hatte er die letzten drei Stunden in seinem Hotelzimmer verbracht, die Füße in einer Wanne mit heißem Wasser, in dem eine Handvoll Epson-Salz aufgelöst war. Nachdem er zwei Tage lang intensiv die Stadt und ihre speziellen Möglichkeiten erkundet hatte – er war immer im letzten Moment zurückgeschreckt –, hatte sich auf seinem rechten Fußrücken ein rötlicher Höcker gebildet, der bei jedem Schritt schmerzhaft gegen die Innenseite seines Stiefels drückte. Seine Versuche, den Höcker mit kalten Umschlägen zu behandeln, hatten nicht gefruchtet, und so hatte der Hotelarzt ihm ein heißes Fußbad mit Epson-Salz verschrieben. Und tatsächlich, nach zwei Stunden war die Schwellung abgeklungen. Allerdings nässte sie jetzt. Es wäre besser, die Socken anzubehalten, wenn es zur Sache kam.

Mein Gott, *die Sache*. Die Sache war die, dass er es noch nie getan hatte. Dass er es vor seiner Hochzeit endlich tun musste und alles dagegen sprach, *die Sache* in Wien zu proben. Er hatte Rebecca im letzten Herbst auf einem Tanzvergnügen der mosaischen Gemeinde in Grinzing kennengelernt. Drei Monate später waren sie verlobt, im Mai dieses Jahres würden sie heiraten. Rebecca war eine gute Partie und seine Firma praktisch pleite. Dass er in diesem Februar des Jahres 1864 nach Venedig reisen musste (er hatte heute Vormittag mit einem Dr. Lionardo vom *Ognissanti* verhandelt), war ein glücklicher Umstand. Hier bot sich die letzte Gelegenheit, die entsprechenden Kenntnisse zu erwerben, bevor in der Hochzeitsnacht *die Sache* auf dem Programm stand.

Natürlich war er diese Verbindung aus finanziellen Gründen eingegangen, aber es war nicht so, dass er seine Verlobte verabscheute. Mit ihrer rundlichen Figur, den haselnussbraunen Augen und ihrem herzförmigen Mund war sie eine reizvolle junge Frau. Allerdings hatte er festgestellt, dass sich sein Verlangen, Zärtlichkeiten mit ihr auszutauschen, in Grenzen hielt. Frauen hatten ihn immer schon irritiert, aber er hatte gelernt, seine Unsicherheit hinter der Maske eines Salonlöwen zu verbergen.

Zu den Offizieren hatten sich jetzt drei junge Damen gesellt, zwei Brünette und eine Blondine. Der Kaiserjäger sagte etwas zu der einen Brünetten, und die brach in Gelächter aus. Es war klar, was die Offiziere von den Damen wollten, und er bewunderte die Unbefangenheit, mit der sie die Sache in die Hand nahmen. Manchmal hatte er den Verdacht, dass etwas mit ihm nicht stimmte. Aber was? Handelte es sich nur um eine gewisse erotische Trägheit? Oder war es möglich – an diesem Punkt pflegten sich seine Überlegungen jedes Mal zu einem gedanklichen Flüstern herabzusenken –, war es möglich, dass sich tief in seinem Inneren das *griechische Laster* verbarg? Wie war es sonst zu erklären, dass er immer wieder an den rehäugigen Piccolo denken musste, der ihm im Speisesaal des Regina e Gran Canal heute Morgen den Kaffee serviert hatte? Und dass er wie ein Backfisch errötet war, als sich beim Einschenken kurz ihre Hände berührt hatten?

Es war nicht das erste Mal, dass er solche Erlebnisse hatte, aber er hatte es immer vermieden, länger darüber nachzusinnen. Was wäre, wenn er, da er sich nun schon einmal in Venedig aufhielt, seiner Neigung einmal auf den Grund ginge? War dies nicht schon immer die Stadt, in der jedes Tierchen sein Pläsierchen fand? Aber nein – ihm fehlte der Mut. Es brachte nichts, solchen Gedanken nachzuhängen. Vor allen Dingen lenkten sie ihn von der eigentlichen Aufgabe ab, eine geeignete Person ausfindig zu machen, ein Gespräch mit ihr anzuknüpfen und eine Verabredung zu treffen. Sich pünktlich am Ort der Verabredung – vermutlich ein Stundenhotel – einzufinden, das Zimmer zu betreten, zu bezahlen und dann …

Er seufzte, schloss die Augen und versuchte sich vorzustellen, wie es nach der Bezahlung weiterging. Zog *sie* sich zuerst aus? Zogen sie sich *gleichzeitig* aus? Oder zog *er* sie aus? Würde er sich durch ein Dickicht von Haken, Knöpfen und Ösen kämpfen müssen? Löschte man das Licht, wenn es zur *Sache* kam? Redete man dabei? Alles dies waren Fragen, die vor der Hochzeitsnacht beantwortet werden mussten.

Als er die Augen wieder öffnete, sah er, wie sich die kleine Gruppe vor ihm auflöste. Die beiden kroatischen Leutnants verschwanden mit zwei der Kokotten auf der Tanzfläche. Der Kaiserjäger schien einen Bekannten in der Menge entdeckt zu haben und bewegte sich winkend in Richtung des Ausgangs. Zurück blieb die Blondine, die jetzt kaum eine Armeslänge von ihm entfernt am Tresen stand. Da ihr Blick auf das Champagnerglas gerichtet war, das sie vor sich abgestellt hatte, konnte er in aller Ruhe ihr Profil betrachten: eine sanft gewölbte Stirn, gerade Nase, darunter volle Lippen und ein leicht hervorspringendes Kinn. Kaum Schminke, wenig Lippenrot, nur eine Andeutung von Rouge – es fehlten alle weiblichen Attribute, die ihn immer schlagartig einschüchterten. Für eine Frau, deren Geschäftsgrundlage darin bestand, die Aufmerksamkeit von möglichst vielen Männern auf sich zu ziehen, wirkte sie erstaunlich unauffällig.

Er trank noch einen Schluck Champagner und stellte überrascht fest, dass irgendetwas in ihm sich dazu entschlossen hatte, sie anzusprechen. Seine Züge, die alkoholbedingt verrutscht waren, nahmen wieder den Ausdruck eines Salonlöwen an. Er warf einen prüfenden Blick in den Spiegel und war mit seinem Aussehen zufrieden. Dann holte er tief Atem und richtete das Wort an die Frau.

18

Vermutlich wäre er mit seinem Aussehen zufrieden gewesen, wenn er sich denn dafür interessiert und gewusst hätte, was das ist – *Aussehen.* Er hatte braune, treublickende Augen, einen wohlausgebildeten Brustkorb, prächtige Zähne, muskulöse Gliedmaßen; außerdem einen gewissen Ruf im Viertel. Heute Morgen war er am Wasser entlanggetrottet, wobei er sorgfältig darauf geachtet hatte, den zahlreichen Pfützen auszuweichen. Im Sommer machten sie ihm nichts aus, aber im Winter hasste er nasse Pfoten, und an diesem frühen Morgen war es zudem empfindlich kalt. Natürlich hatte Herrchen sein Missgeschick genau verfolgt: Er war sogar stehengeblieben, um nichts zu verpassen. Herrchens Mundwinkel hatten sich nach oben gezogen, dazu hatte er ein bellendes Geräusch von sich gegeben und mit dem Kopf gewackelt.

Er stieß ein kurzes, mürrisches Knurren aus. Diese blöde Ratte hatte einfach Glück gehabt. Jetzt stand er mit durchgedrückten Vorderläufen und herabhängendem Schwanz auf der Kaimauer und starrte frustriert auf das Wasser unter ihm. Die Wasseroberfläche hatte sich wieder geschlossen, nur ein paar winzige konzentrische Kreise waren dort zu sehen, wo die Ratte verschwunden war. Sie würde gleich wieder nach oben kommen – die Biester konnten hervorragend schwimmen – und irgendwo an Land klettern, aber er hatte die Lust verloren, sie zu jagen.

Es war eine große graue Ratte mit einem rosa Schwanz, die plötzlich hinter einem Stapel Kisten auf der Kaimauer hervorgeschossen kam. Als sie ihn gesehen hatte, stoppte sie, machte eine Kehrtwendung und versuchte, wieder hinter den Kisten zu verschwinden. Er war in die Luft gesprungen, um mit den Vorderpfoten auf dem Rücken der Ratte zu landen, hatte sie aber nur an der linken Schulter erwischt. Die Ratte hatte sich überschlagen und war gegen den Poller geprallt. Dann war sie laut piepsend auf die Beine gekommen und hatte einen Satz ins Wasser gemacht – aus der Traum! Er hatte es plumpsen gehört und gewusst, dass er diesmal verloren hatte.

Ein Weilchen saß er regungslos am Rand der Kaimauer und blinzelte in den grauen Himmel über dem Giudecca-Kanal. Dann stieß er ein kurzes *Wuff* aus, was so viel bedeutete wie: *Da kann man halt nichts machen.* Schließlich schüttelte er sich, so als wäre er durch die Betrachtung des Wassers nass geworden, und trottete langsam weiter in Richtung Dogana. Sein Ziel war eine kleine Treppe, die kurz vor der Spitze der Dogana zum Wasser herabführte und auf deren Stufen die Flut bisweilen tote Fische trieb. Fische, die sich durchaus noch verspeisen ließen – falls einem die Möwen nicht zuvorkamen.

Als er vor den grünlich schimmernden Stufen angekommen war, hielt er inne und spähte mit gespitzten Ohren neugierig hinab. Volltreffer! Er brach in ein freudiges Bellen aus, und sein Schwanz begann hektisch zu wedeln. Zwischen der untersten Stufe und einem aus dem Wasser ragenden Holzpfahl hatte sich ein großer Fisch verfangen. Er kletterte vorsichtig nach unten und senkte die Schnauze auf den Fisch hinab. Der Teil des Tieres, der aus dem Wasser ragte und auf der untersten Stufe lag, sah aus wie die bleiche, haarlose Pfote, mit der Herrchen ihm hin und wieder den Kopf tätschelte. Allerdings ging von dem Fisch ein eigenartiger Geruch aus, und er schnupperte vorsichtshalber noch einmal. Plötzlich roch er so böse, dass sich seine Nackenhaare sträubten und er automatisch anfing zu knurren.

Er machte einen nervösen Satz die Stufen hinauf und tat

etwas, das er fast nie tat, weil es ihm jedes Mal einen Tritt in die Rippen einhandelte. Er setzte sich auf seine Hinterläufe und drehte den Kopf nach oben. Dann öffnete er das Maul, so als wollte er in die Wolkendecke am Himmel beißen, und stieß ein lautes Geheul aus.

Die Glocken der Salute hatten gerade zweimal geschlagen, als Tron und Bossi an den Fondamenta degli Incurabili aus der Polizeigondel stiegen. Die Luft war feucht, regengeschwängert und der Himmel über der Stadt mit schiefergrauen Wolken bedeckt. Ein Raddampfer, an dessen Heck eine griechische Flagge wehte, zog eine Schleppe aus weißem Wasser hinter sich her, und Tron fragte sich unwillkürlich, was mit einer treibenden Leiche passierte, wenn sie in die Schaufelräder eines Raddampfers geriet. Sie hatten dort angelegt, wo auch die Leiche angeschwemmt worden war, an der untersten von sieben Stufen, die zu den Fondamenta hinaufführten. Grüne Algen machten die steinerne Treppe glatt wie eine Eisfläche, sodass Tron vorsichtig einen Fuß vor den anderen setzte, um nicht zu stürzen.

Die Nachricht, dass ein Spaziergänger an den Zattere auf eine Leiche gestoßen war, hatte Tron und Bossi in der Questura erreicht, als sie gerade damit beschäftigt waren, dem Bericht für Spaur den letzten Schliff zu geben. Sie waren darin übereingekommen, dass es am besten wäre, sich auf die Schilderung der Fakten zu beschränken, den Bericht aber zugleich so zu verfassen, dass die Schlussfolgerung für einen aufmerksamen Leser auf der Hand lag: nämlich dass es sich hier nicht um einen Mord, sondern um eine Art Unfall handelte.

Sergente Caruso von der Wache auf der Piazza hatte die Botschaft überbracht, und Tron hatte den Verdacht, dass der ursprüngliche Wortlaut – wie bei einer Flüsterpost – unkontrollierten Veränderungen anheimgefallen war. Ob die Leiche eine Frau oder ein Mann war, war unklar geblieben, ebenso, ob es sich um das Opfer eines Gewaltverbrechens handelte oder lediglich um einen Ertrunkenen. Vorsichtshalber hatte Tron Sergente Caruso zu Dr. Lionardo ins Ognissanti geschickt, und dann waren sie, nachdem Bossi die Ausrüstung für seine *Tatortfotografien* zusammengestellt hatte, eine halbe Stunde später in einer Polizeigondel aufgebrochen.

Die Leiche lag auf den grauen Steinplatten des Kais, dicht neben der obersten Stufe. Dr. Lionardo, der offenbar sofort aufgebrochen war, als ihn die Nachricht erreicht hatte, war bereits vor Ort. Er kniete neben der Leiche, und als er Tron sah, erhob er sich und nickte stumm.

Bossi nahm in ein paar Metern Entfernung seine Kamera aus dem Holzkasten, wobei er es vermied, einen Blick auf den toten Körper zu werfen. Tron konnte verstehen, dass der Ispettore es vorzog, die Leiche erst durch die Mattscheibe der Kamera zu betrachten, im sicheren Schutz des schwarzen Tuches.

Leichen, die man aus dem Wasser fischte, boten nie einen erfreulichen Anblick, und diese hier machte keine Ausnahme. Jedenfalls handelte es sich, so viel war auf den ersten Blick zu erkennen, um eine Frau. Sie war – bis auf ein schmales goldenes Armband, das man schlecht als Kleidungsstück bezeichnen konnte – vollständig nackt. Das Wasser hatte ihre Haut grau ausgelaugt und den Körper anschwellen lassen, trotzdem wirkte die Frau schlank und zierlich. Nicht zu übersehen waren die Würgemale an ihrem Hals, zwei schwarze, an den Rändern unregelmäßig auslaufende Flecken. Und ebenso wenig konnte man den tiefen Schnitt unterhalb ihres Nabels übersehen, der als dunkelgrauer Riss in der Haut klaffte. Ihre hellen Haare, in denen sich ein wenig Seegras verfangen hatte, umgaben ihren Kopf wie ein Helm. Vom Lagunenwasser war auch ihr Gesicht aufgedunsen, und Nasenflügel, Lippen und Augenlider waren in kleine graue Polster verwandelt. Darüber, dass sie auf eine gewaltsame Art und Weise umgekommen war, konnte kein Zweifel bestehen.

Aber wie lange hatte sie im Wasser getrieben? Welchen Weg hatte ihr Leichnam zurückgelegt? Und wo war sie gestorben? Auf irgendeiner der zahlreichen Inseln, die es in der Lagune gab, oder hier in Venedig? Denkbar war, dass die Ebbe den toten Körper in die offene Lagune gezogen hatte und die Leiche dann, vielleicht erst kurz vor der Punta Sabbioni, von einer Gegenströmung erfasst worden war. Wenn dieses Spiel sich wiederholt hatte, hatte es ein paar Tage dauern können, bevor sich die Leiche schließlich an einem Holzpfahl im Giudecca-Kanal verfangen hatte.

Tron, der neben der Toten in die Knie gegangen war, erhob sich und registrierte, dass selbst Dr. Lionardo, der beim Anblick einer Leiche in der Regel von einer bizarren Heiterkeit erfasst wurde, außergewöhnlich ernst war.

Die Frage war überflüssig, aber Tron stellte sie trotzdem. «Ist sie ertrunken?»

«Sie ist erwürgt worden, und dann hat man ihr die Leber entfernt», sagte Dr. Lionardo.

«So wie ...?»

Der *dottore* nickte. «So wie bei dem Opfer auf der Gondel. Genauso professionell.»

«War sie gefesselt?»

Tron hatte weder an Hand- noch an Fußgelenken der Toten die charakteristischen länglichen Verfärbungen entdecken können. Ob das kalte Wasser die Blutergüsse getilgt hatte? Nein, das war unwahrscheinlich. Denn dann hätte das Wasser auch die Würgemale am Hals zum Verschwinden gebracht.

Dr. Lionardo schüttelte den Kopf. «Nein, sie ist nicht gefesselt worden.»

«Und wie lange hat die Tote im Wasser getrieben? Was schätzen Sie, *dottore*?»

Wie immer bei Fragen, die man nicht präzise beantworten konnte, sah Dr. Lionardo Tron an, als hätte der ihm gerade einen unsittlichen Antrag gemacht. «Vielleicht drei oder vier Tage», gab er schließlich zur Antwort.

Tron lächelte schwach. «Wann habe ich den Sektionsbericht?»

«Morgen früh.» Dr. Lionardo bückte sich, griff nach seiner Tasche und wandte sich zum Gehen. «Aber erwarten Sie keine Überraschungen.»

«Sie hatten recht, Commissario», sagte Bossi, als sie eine halbe Stunde später wieder in der Gondel saßen. «Grassi war definitiv verrückt. Er war noch verrückter, als wir dachten.»

Zu Füßen des Ispettore stand der Holzkasten mit den geheimnisvollen *Gelatine-Trockenplatten* und der Kasten mit der Kamera. Das hölzerne Stativ – wieder in seinem Futteral aus Segeltuch – lag auf Bossis Knien und sah aus wie ein Regenschirm, den Tron jetzt gerne über seinem Kopf aufgespannt hätte.

Es hatte angefangen zu nieseln, und der Regen tropfte von der Krempe des Zylinderhutes auf seinen Gehpelz herab. Tron spürte plötzlich einen gewaltigen Appetit. Auf ein Stück Torte! Dick wie eine Familienbibel! Offenbar war ihm der Anblick der Wasserleiche nicht auf den Magen geschlagen.

«Sie haben also keinen Zweifel daran, dass es Grassi war,

der diese Frau auf dem Gewissen hat», sagte Tron. Es blieb unklar, ob es sich dabei um eine Feststellung oder um eine Frage handelte.

Bossi schüttelte den Kopf. «Es ist eindeutig Grassis Handschrift.»

Das Wort *Handschrift* kannte Tron in diesem Zusammenhang nicht, fand es aber anschaulich und passend. Er vermutete, dass Bossi es in einer kriminalistischen Fachzeitschrift aufgeschnappt hatte. «Dann wäre der Fall Ihrer Ansicht nach also klar», sagte er.

Bossi nickte. «Offenbar hat Grassi zwei Morde in kurzer Zeit verübt. Zuerst die Frau, die wir eben gefunden haben, dann Signorina Calatafimi.»

«Der Fall mag vielleicht gelöst sein», sagte Tron, «aber das heißt noch lange nicht, dass er abgeschlossen ist.»

«Wie meinen Sie das?»

«Dass niemand weiß, wie viele Leichen womöglich noch in der Lagune treiben. Mit Würgemalen und einem Schnitt unterhalb des Bauchnabels.»

«Wollen Sie damit sagen, dass Grassi vor dem Mord auf der Gondel nicht nur *eine* Frau getötet hat?»

«Denkbar wäre es», sagte Tron. «Mit dieser Leiche haben wir auch nicht gerechnet.»

«Was könnte Grassi für ein Motiv gehabt haben, diese Frau zu töten?»

Tron zuckte die Achseln. «Wir wissen nicht einmal, wer sie ist. Es ist zwar wahrscheinlich, dass es sich um denselben Täter handelt; die Frage ist nur, ob es tatsächlich Grassi war.»

Bossi sah Tron irritiert an. «Wenn es derselbe Täter war, dann *war* es Grassi, Commissario.»

Tron schüttelte den Kopf. «Sie vergessen, dass es bisher keinen Beweis dafür gibt, dass Grassi Signorina Calatafimi getötet hat. Sein Selbstmord und die anatomischen Blätter an der Wand lassen es nur vermuten.»

Bossi sah Tron erschrocken an. «Das würde bedeuten, dass der Mann vielleicht ...»

«Immer noch frei herumläuft», beendete Tron den Satz.

Der Ispettore fuhr so heftig auf seinem Sitz herum, dass das Futteral mit dem Stativ auf den Boden der Gondel fiel. «Stumm von Bordwehr?»

Tron musste lachen. «Auch das ist eine reine Vermutung, Bossi. Im Moment sollten wir noch davon ausgehen, dass Grassi diese Frau getötet hat.»

«Was heißt das für unseren Bericht?»

«Nichts», sagte Tron. «Wir buchen diesen Mord hier vorläufig auf das Konto von Grassi. Sie müssen den Bericht also nur ergänzen.»

«Und was machen wir, wenn wir noch eine Leiche finden? Wieder mit aufgeschlitztem Bauch?»

«Dann fügen wir dem Bericht eine zweite Ergänzung hinzu», sagte Tron. «Falls der Todeszeitpunkt nicht nach dem Selbstmord von Grassi liegt.»

Bossi sah Tron mit zusammengekniffenen Augen an. «Und wenn das nicht der Fall sein sollte?»

Tron legte den Kopf in den Nacken und blickte ein paar Möwen nach, die über den regnerischen Himmel flatterten. Er dachte an den Oberst und wusste, dass Bossi auch an ihn dachte. «Dann haben wir ein Problem», sagte er.

19

Dass sie das Frühstück – wie es immer hieß – *gemeinsam* einnahmen, war natürlich ein Witz. In der Regel saßen sie sich in drei Metern Entfernung gegenüber, zwischen ihnen, für astronomische Summen aus Treibhäusern der *terra ferma* angeliefert, ein üppiges Blumengesteck, sodass er sich zur Seite lehnen musste, um seinen *padrone* zu sehen. Der selbst liebte es nicht, beim Reden beobachtet zu werden, wurde aber sofort nervös, wenn er *ihn* nicht sehen konnte.

Während er auf seiner Seite nie mehr als drei *rosette*, ein wenig Marmelade und eine bereits eingeschenkte Tasse Kaffee vorfand, bog sich die Seite der Tafel, auf der der *padrone* saß, unter der Last von frischen Früchten, Schinken, Rührei und Kaviar. Selbstverständlich sorgte ein livrierter Lakai dafür, dass die Kaffeetasse des *padrone* gefüllt blieb und die abgegessenen Teller sofort entfernt wurden. Dass ihn der affige Lakai hartnäckig ignorierte, hatte ihn anfangs verdrossen, inzwischen aber war er daran gewöhnt. Hin und wieder trank der *padrone* Champagner zum Frühstück – unter dem medizinischen Vorwand, die Körpersäfte in Schwung zu bringen. Nicht dass er Wert darauf gelegt hätte, ebenfalls zum Frühstück Champagner zu trinken, aber es lag etwas Kränkendes in dem Umstand, dass man ihm nie ein Glas angeboten hatte.

Heute Morgen hatten sie lange über Schuld und Gnade diskutiert – kein Wunder, wenn man sich vergegenwärtigte, in welcher Gesellschaft der *padrone* seine Nächte verbrachte. Was war, hatte der *padrone* mit weinerlicher Stimme gefragt, wenn übermächtige Triebe einen Menschen dazu brachten, Dinge zu tun, die gegen christliche Grundsätze verstießen? Hatte nicht der Allmächtige selbst, ohne dessen Willen sich kein Grashalm bewegte, ihm solche Triebe eingepflanzt? War *ER* nicht daran schuld? Was würde mit einem solchen Menschen geschehen, wenn er dereinst vor den *Thron des Herrn* – so wörtlich – trat? Würde auch über ihm die *Gnade des Herrn* – so wörtlich – leuchten, oder würde ihn ewige Verdammnis erwarten?

Dazu hätte er einiges sagen können – gewissermaßen aus persönlicher Erfahrung. Er hatte kurz mit dem Gedanken gespielt, das Buch des Baseler Professors zu erwähnen – diese Geschichte mit den kopulierenden Griechen –, doch dann unterließ er es lieber. Mit komplizierten Gedankengängen war hier kein Blumentopf zu gewinnen. Er wusste nur zu gut, dass er seine Position hauptsächlich seiner Fähigkeit verdankte, das auszusprechen und in gefällige Worte zu kleiden, was seinem *padrone* durch den Kopf ging – und das war fast immer krauses Zeug.

Natürlich hatte er den *padrone* beruhigt. Die Gnade des Herrn, hatte er ihm versichert, werde auch über Seiner Hoheit leuchten! Eine Deportation in das glühende Sandfeld des dritten Höllenkreises sei durchaus nicht zu erwarten. Außerdem, hatte er hinzugefügt, lasse sich dieser Gefahr immer noch durch ernsthafte Gebete wirksam entgegentreten. Worauf der *padrone* erleichtert eine weitere Flasche Champagner öffnen ließ und er sich mit einer tiefen Verbeugung entfernte. In den letzten Tagen war ihm klargeworden, dass er diesen Mann, der ihm anfangs einen gewissen Respekt eingeflößt hatte, aus tiefster Seele verachtete.

Den Tag hatte er damit verbracht, ohne ein bestimmtes Ziel durch die Stadt zu schweifen. Wieder hatte er das Gefühl gehabt, sich durch eine Theaterkulisse zu bewegen. Ob die Stadt auch außerhalb der Karnevalssaison diesen leichten Rausch erzeugte, der einem das Gefühl gab, alles wäre erlaubt?

In den Cafés, die er besucht hatte, waren ihm massenweise leckere Zitronentörtchen begegnet, die nur darauf warteten, verspeist zu werden. Es war auch keine Überraschung, dass sich das Tier in ihm zweimal zu Wort gemeldet hatte. Besser gesagt: Es hatte zweimal ein lautes Jaulen ausgestoßen, sodass er sein Gesicht blitzschnell hinter einer Zeitung verstecken musste, um den Ausdruck blutrünstiger Begierde zu verbergen.

Obgleich er das Tier gut verstanden hatte. Die junge Engländerin, die im Café Oriental am Nebentisch Platz genommen hatte – es gab immer mehr Frauen, die sich ohne Begleitung in ein Café setzten –, war blond, hatte grüne Augen, und ihre Blicke hatten sich mehrmals getroffen, bevor er gezwungen gewesen war, sein Gesicht hinter der *Gazzetta di Venezia* zu verstecken. Zitronentörtchen Nummer zwei hatte neben ihm auf der Piazza eine Tüte mit gerösteten Maronen gekauft, und sie hatten tatsächlich angefangen zu plaudern – jedenfalls bis er gezwungen gewesen war, das Gespräch mitten im Satz abzubrechen und den Kopf abzuwenden. Danach hatte er sich selbst der albernen Vorstellung hingegeben, wie es denn gewesen wäre, länger mit ihr zu sprechen, sie anschließend in eine dunkle Ecke des Markusdoms zu lotsen, um dort zur Sache zu kommen.

Doch dies wäre auf eine schnelle Nummer hinausgelaufen, und im Grunde liebte er keine Improvisationen. Nicht nur, weil immer jemand im falschen Moment aufkreuzen konnte, sondern vor allem, weil sie seiner Ordnungsliebe entgegenliefen. *Ordnung, Ordnung, liebe sie* ... Eine platte Lebensweisheit, gewiss, aber er konnte nichts dafür, dass er sich ihr verschrieben hatte. Er verabscheute unaufgeräumte Schreibtische, schlampig gepackte Koffer und – plötzlich fiel ihm wieder der *padrone* ein – Champagner am Vormittag. Er hatte es eben gerne ein bisschen proper.

Das war das Hübsche an der Verabredung, die er für heute Abend getroffen hatte. Diesmal würde er sich Zeit lassen können. Keine schnelle Nummer wie im Coupé, keine hastige Operation wie auf der Gondel. Nein – heute würde ein langsames Zeitmaß vorherrschen, ein gelassenes *adagio cantabile*. Das Motto des Abends lautete: *Gemütlichkeit*. Sie würden ein wenig plaudern, ein Gläschen zusammen trinken, vielleicht ans Fenster treten und – falls es inzwischen aufgeklart hatte – gemeinsam die Sterne betrachten. *Die Sderne, Gott, sehen Sie doch bloß die Sderne an*, würde er dann zu ihr sagen. Manchmal hatte er den Verdacht, dass das Tier in ihm eine romantische Ader hatte. Dass sich hinter einer harten Schale ein weiches Herz verbarg.

Es war kurz vor sieben, als er die Eingangstür der Pensione Seguso nach innen drückte – nicht ohne vorher seine schwarze Halbmaske aufgesetzt zu haben. Er hatte sie heute nur gelegentlich gelüftet. Dass es während der Karnevalssaison durchaus normal zu sein schien, auch tagsüber maskiert zu sein, kam ihm entgegen. Inzwischen fühlte er sich ohne Tarnung nackt und schutzlos.

Er hatte eine schmierige Absteige erwartet, einen Concierge mit einer Zigarette im Mundwinkel und einer Schnapsflasche vor sich auf dem Tresen. Stattdessen fand er sich in der Lobby einer biederen Familienpension wieder, mit einem Concierge, der so aussah, als würde er Tabak und Alkohol eher missbilligen. Im Gegensatz zu den meisten venezianischen Hotels hatte man in der Pensione Seguso auf die übliche Karnevalsdekoration verzichtet. Weder trug der Concierge hinter dem schlichten Empfangstresen ein buntes Hütchen, noch hingen lustige Papierschlangen von der Decke. Würde man ihn auffordern, die Maske abzunehmen? Mit dem Hinweis darauf, dass sie nicht dem

Stil des Hauses entsprach? Das ältliche Ehepaar, das gerade den Stadtplan an der Wand konsultierte, war selbstverständlich nicht verkleidet.

Er trat an den Tresen, nannte die Zimmernummer und erhielt die Auskunft, dass sich das Zimmer im ersten Stock befand. Der Concierge hatte mit keiner Wimper gezuckt. Während er die Treppe emporstieg, amüsierte ihn die Vorstellung, dass sich hinter einer biederen Fremdenpension ein gutgetarntes Stundenhotel verbarg. Die Frau hatte gestern angedeutet, dass sie gegen neun Uhr einen weiteren *cavaliere* auf ihrem Zimmer empfangen würde, was ihm nur recht sein konnte. Das Tier in ihm war jetzt hellwach, er spürte, wie es vor Tatendurst vibrierte. Vor der Tür angekommen, klopfte er und räusperte sich vernehmlich. Dann hörte er Schritte im Inneren des Zimmers, und einen Augenblick später öffnete sich die Tür.

Mein Gott, wie lecker sie war! Sie trug ein scharf auf Taille geschnittenes Hauskleid, das knapp über den Knöcheln endete, darunter keine Strümpfe, an den Füßen türkische Pantoffeln. Und wieder sah sie ihn mit diesem speziellen Blick an, der ihn schon im Mulino Rosso amüsiert hatte. Vermutlich hielt sie ihn für einen Familienvater aus der Provinz. Ob er der erste Mann war, den sie heute in diesem Zimmer empfing? Nein, das war unwahrscheinlich. Da eine geblümte Tagesdecke auf dem Bett lag, war nicht zu erkennen, ob sie die Bettwäsche gewechselt hatte oder nicht. Im Grunde spielte es keine Rolle.

Wie erwartet, lief dann alles wie am Schnürchen. Sie hatten, nachdem die Finanzen geklärt waren, ein wenig geplaudert und tatsächlich ein Schlückchen zusammen getrunken. Den Satz mit den *Sdernen* hatte er nicht anbringen können, weil die Bestie in ihm zur Eile drängte und der Himmel außerdem bedeckt war. Als er schließlich das

Messer in die Hand nahm und sein Tier endlich von der Leine ließ, war sie noch bei Bewusstsein. Zwar schnürte sich schon der Lederriemen um ihren Hals, und sie rang röchelnd nach Atem – aber sie lebte noch und versuchte verzweifelt, sich zu befreien. In die krampfhaften Zuckungen ihres sterbenden Körpers hinein setzte er den ersten Schnitt und beobachtete fasziniert, wie helles Blut aus der Wunde quoll. Danach genoss er die Vereinigung mit dem Tier, den Rausch.

Groß aufräumen musste er anschließend nicht. Er hatte die Tagesdecke rechtzeitig in Sicherheit gebracht. Die blutige Operation hatte er auf dem Bett vorgenommen und dabei das straffgespannte Laken als Operationstisch benutzt. Natürlich war Blut dabei geflossen, aber es war seitlich an ihr herabgelaufen und im Laken versickert. Das Organ hatte er ordentlich auf dem Nachttisch deponiert. Dort funkelte es jetzt im Schein des Kerzenleuchters wie polierte Bronze. Ein paar unschöne Spritzer auf dem Fußboden, an den Bettpfosten waren schnell beseitigt. Dabei bediente er sich des Waschlappens und des Handtuchs, die er vorher angefeuchtet hatte.

Einer plötzlichen Eingebung folgend, öffnete er die Schublade des Nachttisches und schob das Organ mit einer energischen Handbewegung hinein. Den Nachttisch selbst reinigte er mit dem Waschlappen, den er anschließend unter das Bett warf. Dann richtete er sich auf und trat einen Schritt zurück, um sein Werk zu betrachten. Das Resultat war äußerst befriedigend. Die Leiche lag ordentlich auf der rechten Seite des Doppelbetts. Er hatte sie so unter der Bettdecke verstaut, dass nur noch der blonde Haarschopf der Frau zu erkennen war. Vermutlich war die Matratze inzwischen blutdurchtränkt, aber auf den ersten Blick schien seine bizarre Operation keine Spuren hinterlassen zu haben. Wer immer nach ihm den Raum betrat, würde zunächst den Eindruck haben, dass die Signorina ein kleines Nickerchen machte. Jedenfalls solange er nicht versuchte, sie zu wecken.

Puh! Er reckte sich, massierte sich den Nacken und stellte fest, dass er auf einmal todmüde war. Kein Wunder nach dem Programm, das er gerade absolviert hatte. Er sah auf die Uhr. Erst eine Viertelstunde nach acht. Es sprach nichts dagegen, ein paar Minuten die Beine auszustrecken. Der nächste Kunde war ja erst für neun angekündigt. Und das Tier? Von dem war nichts zu hören. Es hatte sich in seine Höhle verkrochen, wo es zweifellos den Schlaf des Gerechten schlief. Also legte er sich vorsichtig auf die linke Seite des Bettes, gähnte und schloss die Augen. Fünf Minuten später war er eingeschlafen.

20

Ignaz Zuckerkandl, Fabrikant chirurgischer Messer und nicht mehr ganz nüchtern, hob die Hand, um einen weiteren Grappa zu bestellen. Er saß in einem schmierigen Café, trank aus einem schmierigen Glas, und wenn er die Augen schloss, sah er ein schmieriges Bett mit ungewechselter Bettwäsche vor sich. Er fragte sich, worauf er sich da eingelassen hatte.

Die Pensione Seguso befand sich in unmittelbarer Nähe des Cafés. Beides lag an den Zattere, der langen Uferpromenade an der Südseite des Dorsoduro. Tagsüber hätte man auf der anderen Seite des Giudecca-Kanals die Fassade der Redentore gesehen. Jetzt, bei Dunkelheit, war außer ein paar blassen Lichtpunkten nicht viel von der Giudecca-Insel zu erkennen. Er war mehrmals unauffällig an der *pensione* vorbeigelaufen. Natürlich handelte es sich um ein Stundenhotel. Das war schon daran zu erkennen, dass die *pensione* nicht so aussah wie ein Stundenhotel. Mit der kleinen Markise über dem Eingang und ihrem polierten Messingschild wirkte sie fast bürgerlich-gediegen. Aber der Frau, mit der er verabredet war, hatte man auch nicht angesehen, welcher Tätigkeit sie nachging. Nichts in dieser Stadt war das, was es zu sein schien. Und er? Als er im Hotel einen letzten Blick in den Spiegel geworfen hatte, fand er, dass er aussah wie ein flotter Salonhengst. Es war alles ein Witz.

Wieder sah er auf die Uhr. Das tat er alle drei Minuten. Noch eine knappe Stunde. Da er nicht die Absicht hatte, Schlag neun auf der Matte zu stehen, würde er kurz nach neun hier aufbrechen. Er würde fünf Minuten später die Hotellobby durchqueren und sich zu ihrem Zimmer begeben. Dort würde er anklopfen und die Klinke hinabdrücken. Was danach geschah, lag in Gottes Hand.

Er hatte, um sich auf den bevorstehenden Abend einzustimmen, heute Nachmittag auf dem Markusplatz eine Serie von künstlerischen Fotografien erworben. Auf der Piazza wurden diese Lichtbilder mit der gleichen Selbstverständlichkeit angeboten wie Taubenfutter. In seinem Hotelzimmer hatte er die Aufnahmen lange betrachtet, allerdings ohne dass sich eine entsprechende Stimmung einstellen wollte. Diese Bildchen, auf denen unbekleidete junge Frauen Mandoline spielten, mit Kastagnetten klapperten oder sich auf plüschigen Sofas rekelten, waren einfach albern. Schließlich war er, um seiner Nervosität Herr zu werden, ziellos durch die Stadt marschiert, bis er lange vor der verabredeten Zeit in dem Café gelandet war.

Als die Glocken der Gesuati neun schlugen, stand er auf

und zahlte. Sein Magen fühlte sich flau an, und seine Beine kamen ihm schwer und unbeweglich vor, so als würde er Schuhe aus Blei tragen. Beim Verlassen des Cafés hatte er den irrationalen Wunsch, dass irgendetwas einträte, was ihn daran hinderte, *zur Sache zu kommen*. Eine plötzliche Sturmflut, ein Brand in der Pensione Seguso, der Einschlag eines Meteors. Doch als er im Freien stand und sich seine Halbmaske über das Gesicht streifte, geschah nichts.

Es überraschte ihn nicht, dass die *pensione* auch in der Lobby den Anschein wahrte. Hier gab es keine Petroleumlampen mit roten Schirmen, keine Aktbilder an den Wänden und keine kartenspielenden Zuhälter. Außer dem Concierge hinter dem Empfangstresen hielten sich noch zwei weitere Personen in der Lobby auf, ein Mann und eine Frau, die sich schweigend gegenübersaßen und wahrscheinlich darauf warteten, dass ihr Zimmer frei wurde. Der Mann schien kurz vor dem Pensionsalter zu stehen und die Frau, die er vermutlich beim Karneval aufgegabelt hatte, war auch nicht mehr die Jüngste. Dass der alte Knabe zur Tarnung einen Baedeker in der Hand hielt, war ein hübsches Detail. Ein naiver Beobachter hätte die beiden für ein Ehepaar halten können, aber ihn konnten sie nicht täuschen. Als er dem Concierge die Zimmernummer nannte, war der kurz irritiert, verwies ihn dann aber mit gleichgültiger Miene in den ersten Stock.

Merkwürdig, dachte er, als er einen Moment später vor der Zimmertür stand, wie ruhig er auf einmal war. Kein rasender Puls, kein heißes Gesicht unter der schwarzen Halbmaske, er war kalt wie ein Fisch. War das so auf dem Schafott? Wurden alle Leute, kurz bevor das Fallbeil herabsauste, kalt wie Fische? Noch merkwürdiger war allerdings das sägende Schnarchgeräusch hinter der Tür. Oder hatte er sich getäuscht? Nein, hatte er nicht. Wenn er sein

Ohr ans Schlüsselloch hielt, konnte er es deutlich hören. Da schnarchte jemand. Was nach Lage der Dinge nur die junge Dame sein konnte. Ignaz Zuckerkandl unterdrückte einen hysterischen Lachanfall. Dann holte er tief Atem, räusperte sich und klopfte.

Natürlich wurde sie nicht sofort wach. Niemand, der so laut schnarchte, wurde sofort wach. Erst nachdem er zum dritten Mal geklopft hatte, brach das Schnarchen ab. Schließlich näherten sich Schritte der Tür – die schweren Schritte einer Frau, die eben noch im Tiefschlaf gelegen hatte. Er nahm sein Ohr vom Schlüsselloch und richtete sich auf. Als der Türflügel nach innen schwang, dauerte es ein paar Sekunden, bis sein Verstand begriff, was seine Augen sahen.

Es war ein Mann, der ihm geöffnet hatte. Der Mann stand so dicht an der Tür, dass sie einander aus nächster Nähe wie ungleiche Spiegelbilder anblickten. Ebenso wie er trug der Mann eine schwarze Halbmaske, und ebenso wie er war er mit einem dunkelbraunen Gehrock bekleidet.

Eine peinliche Situation, die sein Spiegelbild allerdings nicht zu irritieren schien. Der Mann trat einen Schritt zurück und sagte mit einem Seitenblick auf das Bett: «Die Signorina schläft. Ich würde vorschlagen, sie noch ein paar Minuten in Ruhe zu lassen.» Dann schloss sich die Tür hinter Zuckerkandl, der in das Zimmer getreten war, und er hörte, wie sich der Mann eilig entfernte.

Wie hieß es so schön? Endlich allein. Er stieß einen Seufzer aus, trat in die Mitte des Zimmers und sah sich um. Zwei Fenster, zugehängt mit rötlichen Gardinen, davor ein grüner Plüschsessel, über dessen Lehne ein Kleid hing. Dann ein geräumiges Bett, flankiert von zwei Nachttischen, auf denen Kerzenleuchter brannten. Über dem Bett hing eine Kopie der *Venus von Urbino*, zweifellos dort angebracht, um müde Kunden auf Trab zu bringen. Es roch nach Moschus und abgestandenem Zigarettenrauch.

Die Frau lag auf der linken Seite des Bettes und war fast vollständig unter der Decke verschwunden. Sie hatte den Kopf auf die Seite gelegt, sodass außer ihrer Wange und ihren blonden Haaren nichts von ihr zu sehen war. Nur ihre linke Hand hatte sich unter der Decke hervorgeschoben, die Finger hingen schlaff von der Bettkante herab. Plötzlich wirkte sie auf ihn wie ein ermüdetes Kind, das zu lange aufgeblieben war. Er sah auf die Uhr. Er würde sie noch zehn Minuten schlafen lassen. Dann würde er sie wecken, und sie würden zuerst das Geschäftliche miteinander regeln. Danach würden sie *zur Sache kommen.*

Sie hatte nicht wieder angefangen zu schnarchen, ihr Atem war jetzt fast unhörbar. Auch die Bettdecke schien sich über ihr kaum zu bewegen. Er zog seinen Gehrock aus, nahm die Maske ab und legte beides auf den Sessel vor dem Fenster. Als er vor das Fußende des Bettes trat, spürte er, wie sich unterhalb seines Gürtels etwas regte. Erstaunt stellte er fest, dass er es kaum erwarten konnte, *zur Sache zu kommen.*

21

Wie sich später herausstellte, war es das Zimmermädchen, das am nächsten Morgen auf die Leiche stieß. Sie war neu in der Pensione Seguso, und man hatte versäumt, ihr zu sagen, dass Zimmer siebenundzwanzig im ersten Stock nur auf ausdrückliche Anweisung zu betreten und zu reinigen war. Sie hatte kurz vor elf vorsichtig an die Tür geklopft, geduldig gewartet und dann ein zweites Mal geklopft. Als niemand antwortete, hatte sie die Klinke hinabgedrückt und das Zimmer betreten.

Zuerst nahm sie an, dass die Frau unter der Bettdecke noch im Schlaf lag, und wollte sich wieder entfernen. Doch irgendetwas schien nicht zu stimmen. Es roch nicht nur muffig und ungelüftet, sondern noch nach etwas anderem, das ihr nicht gefiel. Sie hatte zaghaft *signora* gerufen, und als keine Reaktion kam, war sie an das Bett getreten. Von der Frau war nur ein Teil des Gesichts und das blonde Haar zu sehen, aber es reichte, um festzustellen, dass sie nicht atmete. Woraufhin das Zimmermädchen den Raum verlassen hatte, um Signor Bon, den Besitzer der Pensione, zu benachrichtigen. Sie war ein wenig irritiert über ihre Entdeckung, aber sie war nicht schockiert. Allerdings hatte sie weder die Bettdecke zurückgeschlagen noch die Schublade des Nachttisches geöffnet. Das tat ein paar Minuten später Signor Bon, und was er sah, veranlasste ihn, das Zimmer sofort abzuschließen und den Hausdiener zur Wache an der Piazza zu schicken. Man holte Tron aus dem Café Florian und Bossi aus seinem Labor unter dem Dach der Questura. Sie brauchten zwanzig Minuten bis zur Pensione Seguso, und sie ahnten, was sie dort erwarten würde.

Zwei Stunden später war die übliche Prozedur beendet. Bossi hatte den Tatort grünlichen Gesichts fotografiert, mit geöffneter und geschlossener Schublade, mit zugeschlagener und aufgedeckter Bettdecke. Die Leber der Frau hatte der Täter in der Schublade deponiert. Dr. Lionardo hatte seine erste Untersuchung vorgenommen und angedeutet, dass die Sektion im Innocenti keine neuen Erkenntnisse ergeben würde. Die Frau war erdrosselt und gefesselt worden. Der hohe Blutverlust sprach dafür, dass ihr Herz während der Operation noch geschlagen hatte. Daran, dass der Eingriff professionell durchgeführt worden war, hatte Dr. Lionardo keinen Zweifel gelassen. Abwehrverletzungen konnte er nicht entdecken. Es war alles wie bei dem Mord auf der Gondel, nur dass Grassi, der Hauptverdächtige, seit zwei Tagen tot war.

Signor Bon saß hinter seinem Schreibtisch im Büro der *pensione* und rutschte unbehaglich auf seinem Stuhl hin und her. Er hatte eine spitze Nase, und nach jedem Satz zog er seine Augenbrauen in die Höhe, sodass sich Dreiecke über seinen Augen bildeten.

«Sie nannte sich Lucrezia Venezia», sagte er. «Vermutlich stammte sie aus Castello. Jedenfalls hat sie so geredet.»

«Wie oft hat sie ein Zimmer bei Ihnen gemietet?», fragte Tron.

«Dreimal die Woche vielleicht.» Signor Bon nahm einen Schluck aus seiner Kaffeetasse. «Meist blieb sie die ganze Nacht und stand am nächsten Tag spät auf. Deshalb hatten die Mädchen die Anweisung, das Zimmer siebenundzwanzig nicht zu betreten.»

«Wann ist sie gestern gekommen?»

«Gegen halb sieben.»

«Haben Sie miteinander gesprochen?»

«Wir reden selten miteinander», sagte Signor Bon. Sein pikierter Tonfall drückte aus, dass er nicht mit allen Gästen sprach. «Ich habe ihr nur den Schlüssel gegeben.»

«Und was ist dann passiert?»

«Um sieben Uhr kam ein *cavaliere* und hat nach Zimmer siebenundzwanzig gefragt.»

«Können Sie den Mann beschreiben?»

«Mittelgroß, dunkelbrauner Gehrock, Zylinderhut, schwarze Halbmaske, höchstens dreißig. Er hatte einen leichten ausländischen Akzent.»

«Und dann?»

«Ist kurz nach neun ein anderer Mann gekommen, der ebenfalls nach Zimmer siebenundzwanzig gefragt hat.»

«Wie sah der aus?»

Signor Bon zuckte die Achseln. «Ähnlich: mittelgroß, schwarzer Gehrock, Zylinderhut, schwarze Halbmaske, höchstens dreißig. Er hatte ebenfalls einen leichten ausländischen Akzent.»

«Ist er hier also aufgetaucht, *bevor* der erste *cavaliere* das Hotel wieder verlassen hat?», fragte Tron. Signor Bon nickte. «Haben Sie ihm gesagt, dass die Signorina noch Besuch hat?»

Wieder zogen sich Signor Bons Augenbrauen in die Höhe. «Das gehört nicht zu meinen Aufgaben. Vielleicht hatte ja alles seine Richtigkeit.»

«Was ist danach passiert?»

«Fünf Minuten später kam der erste *cavaliere* die Treppen herab und hat das Haus verlassen.»

«Ist Ihnen irgendetwas an dem Mann aufgefallen?»

«Nur, dass er es eilig hatte. Aber das geht anschließend allen Herren so.»

«Und der zweite *cavaliere*?»

«Kam eine Viertelstunde später die Treppe herab.»

«Also ungewöhnlich schnell. Hat er etwas zu Ihnen gesagt?»

Signor Bon schüttelte den Kopf. «Nein. Er ist genauso schnell verschwunden wie der erste *cavaliere*.»

Als Tron und Bossi vor die *pensione* traten, hatte es wieder angefangen zu regnen, und die Giudecca-Insel auf der anderen Seite des Wassers war hinter einem Schleier aus Dunst verschwunden. Aber der böige Wind, der sie auf der Hinfahrt belästigt hatte, war eingeschlafen, und Bossi konnte in der Gondel seinen großen Hotelschirm aufspannen.

«Er hat vermutlich das Dreifache verlangt», sagte Bossi. Er streckte den rechten Arm weit nach oben, damit Trons schwarzer Zylinderhut unter dem Schirm Platz hatte.

Einen Moment lang war Tron irritiert. «Wofür?»

«Für das Zimmer. Signor Bon darf an niemanden vermieten, der sich nicht ausweisen kann. Das ist ein klarer Verstoß gegen das Meldegesetz.»

«Ich weiß. Und ich hätte ihn darauf hingewiesen, wenn ich das Gefühl gehabt hätte, dass er uns etwas verschweigt.»

«Wenn es fünf Minuten gedauert hat», sagte Bossi, «bis der erste Besucher die Lobby durchquert hat, nachdem der zweite Besucher nach oben gegangen ist, wäre es denkbar, dass die beiden sich begegnet sind und dabei ein paar Worte gewechselt haben. Dann wäre einer der beiden Männer ein wichtiger Zeuge. Es dürfte nur schwierig sein, diesen Mann zu ermitteln. Wir können schlecht in jedem Hotel der Stadt einen Anschlag machen und darum bitten, sich als Zeuge in einem Mordfall zu melden.»

«Sind wir uns darüber einig, dass es sich mit großer Wahrscheinlichkeit um den Täter handelt, der Signorina Calatafimi und auch die unbekannte Frau an den Zattere auf dem Gewissen hat?»

Bossi nickte. «Es sieht ganz danach aus.»

«Wie lange ist der zweite Besucher auf dem Zimmer gewesen?»

Der Ispettore überlegte kurz. «Höchstens eine Viertelstunde, wenn es stimmt, was Signor Bon gesagt hat.»

«Dass der Mörder nur eine Viertelstunde für sein grausiges Programm gebraucht hat, ist äußerst unwahrscheinlich», sagte Tron. «Ich denke, dass es der *erste* Besucher war, der Signorina Lucrezia getötet hat.»

«Dann hätte also der zweite Besucher die Leiche entdeckt und sich einfach aus dem Staub gemacht?»

«Nachdem er offenbar darüber nachgedacht hat, wie er sich verhalten sollte», sagte Tron. «Und es dann für klüger gehalten hat, wortlos zu verschwinden. Vielleicht war es ein Ehegatte auf Abwegen, der sich nicht kompromittieren wollte.»

Bossi seufzte. «Und was machen wir jetzt?»

«Grassi ist aus dem Spiel», sagte Tron. «Stattdessen haben wir einen Verrückten, der durch Venedig streift und junge Frauen ausweidet. Und womöglich bereits auf der Suche nach einem neuen Opfer ist.»

Bossis Augen weiteten sich entsetzt.

«Gibt es das? Jemand, der einfach mordet? Auf bestialische Art und Weise? Ohne einen nachvollziehbaren Grund?» Jetzt lag eine gewisse Faszination in Bossis Gesichtsausdruck.

Tron hob die Schultern. «Denken Sie an die Geschichten über Werwölfe und Vampire. So hat man Verbrechen erklärt, die keinen nachvollziehbaren Grund hatten und dermaßen abscheulich waren, dass man sich nicht vorstellen konnte, ein Mensch könnte sie begangen haben.»

«Und wie fassen wir diesen Mann? Wir wissen nur, dass er mittelgroß ist, einen ausländischen Akzent hat und eine schwarze Halbmaske trägt.»

Tron schüttelte den Kopf. «Ein bisschen mehr können wir schon sagen. Wir wissen, dass der Täter etwas von Anatomie versteht und dass er kein Gelegenheitsmörder ist. Jedenfalls sind der Mord auf der Gondel und der Mord im Hotel eiskalt geplant worden.»

«*Militärisch* geplant?»

«Sie denken an den Oberst?»

Bossi nickte.

«Dann wäre die Angelegenheit Sache der Militärpolizei», sagte Tron. «Das Problem ist, dass wir nicht den geringsten Beweis vorlegen können.»

Bossi dachte einen Moment lang nach. Dann sagte er: «Wissen Sie, wo der Oberst wohnt?»

«Spaur sagt, bei Toggenburg.»

«Im Palazzo Benzon?»

«Stumm gilt als Toggenburgs Protegé», sagte Tron. «Angeblich frühstücken sie zusammen.»

«Wir könnten ihn trotzdem ...»

Tron unterbrach Bossi mit einer Handbewegung. «Den Oberst überwachen? Wenn das jemand erfährt, sind wir erledigt.»

«Und was machen wir?»

«Erst mal herausfinden, wer diese Frau ist», sagte Tron. «Und dann sehen wir weiter. «Übrigens», setzte er hinzu, «können wir noch etwas über den Mann sagen: Er ist vermutlich sehr eitel. Denken Sie an die Schublade. Die Tatsache, dass er seine Spielchen mit diesem Organ treibt, kann nur bedeuten, dass er sich über uns lustig macht. Er will demonstrieren, dass er klüger als die venezianische Polizei ist. Wahrscheinlich träumt er davon, dass die *Gazzetta* über den Fall berichtet. Und mich namentlich erwähnt.»

«Das hat sie bereits», sagte Bossi.

Trons Kopf schnellte nach links. «Wie bitte?»

Bossi machte ein unglückliches Gesicht. «Drei Spalten auf der zweiten Seite. Überschrift: *Brutaler Mord auf einer Gondel.* Ihr Name wird auch erwähnt.»

Tron spürte, wie ihm plötzlich heiß wurde. Und dann wieder kalt. Und dann wieder heiß. «Normalerweise würde die Zensur einen solchen Bericht nie passieren lassen», sagte er. «Schon gar nicht während der Karnevalszeit. Irgendjemand muss sich in die Tätigkeit der Zensurbehörde eingemischt haben.» Er atmete tief durch. «Was wird Spaur wohl dazu sagen?» Eigentlich lag es auf der Hand. Er wusste genau, was der Polizeipräsident zu diesen Verbrechen sagen würde. «Der Baron ist heute Morgen zusammen mit der Baronin nach Verona gefahren», fuhr Tron fort. «Er kommt erst Montagnachmittag wieder nach Venedig. Dann wird er die *Gazzetta* lesen, und wir müssen ihm mitteilen, dass sich ein dritter Mord ereignet hat.» Tron schloss entnervt die Augen. «Wenn es nicht ebenfalls bereits in der Zeitung steht.»

22

Ignaz Zuckerkandl erhob sich von seiner knarrenden Bettstatt, schlug den Kragen seines Gehpelzes nach oben und versuchte, die kleinen Dampfwölkchen zu ignorieren, die aus seinem Mund strömten. Das Bett stand an der Wand eines winzigen Zimmers, dessen einziges Fenster auf den Rio della Fava hinausging, und natürlich reichte der lächerliche *scaldino* nicht aus, um den Raum zu erwärmen. Einen Kleiderschrank gab es nicht, stattdessen waren ein paar Haken an der Wand befestigt worden. Das einzige Möbelstücke außer dem Bett war ein Waschtisch, auf dem er seinen Musterkoffer mit den chirurgischen Messern abgestellt hatte. Das Zimmer war deutlich überteuert; dafür hatte der Portier darauf verzichtet, die Personalien aufzunehmen.

Tatsächlich hatte er sich in den letzten vierundzwanzig Stunden so verhalten, als hätte *er* die Frau umgebracht und nicht der Bursche, der ihm die Tür geöffnet hatte. Wenn es der venezianischen Polizei gelänge zu rekonstruieren, was er nach seinem Besuch in der Pensione Seguso getan hatte, würde sie unweigerlich zu dem Schluss kommen, dass es sich bei dem Täter nur um ihn handeln konnte.

Er wandte sich vom Fenster ab, trat vor den Waschtisch und klappte den Musterkoffer mit den chirurgischen Messern auf. Da lagen sie blitzend vor ihm, ordentlich aufgereiht in ihren Vertiefungen aus grünem Samt: zwei Dutzend große und kleine Messer, alle verschieden geformt und jeweils unterschiedlichen chirurgischen Zwecken dienend. Der Musterkoffer hatte etwas Reales, etwas Kaufmännisch-Solides. Er erinnerte ihn daran, dass er einmal ein normales Leben geführt hatte, bevor dieser Albtraum über ihn hereingebrochen war.

Es war kurz nach zwei, und vermutlich hatte ein Zimmermädchen die Leiche heute Morgen entdeckt. Er versuchte sich vorzustellen, in welcher Besetzung die Polizei den Tatort betreten hatte: ein Commissario und zwei Sergenti, denen beim Anblick der Leiche garantiert schlecht geworden war. Natürlich würden sie zuerst den Concierge befragen. Aber was hatte der gesehen? Zwei maskierte Herren, die sich kaum voneinander unterschieden. Das brachte sie nicht weiter. Also würden sie versuchen, die Identität der Frau zu ermitteln, und dann früher oder später darauf stoßen, dass die Signorina ihre Bekanntschaften im Mulino zu machen pflegte. Aber was hätten sie damit gewonnen?

Er überlegte. Wie lange hatte er mit der Frau im Mulino gesprochen? Höchstens zehn Minuten. Nachdem sie sich verabredet hatten, war sie wieder in der Menschenmenge verschwunden, und er hatte das Etablissement kurze Zeit später verlassen. Mit einer schwarzen Halbmaske, wie sie jeder zweite Venedigbesucher trug. Nein – es gab keine

Spur, die zu ihm führte. Und dass das Regina e Gran Canal, in dem er logiert hatte, von sich aus die Polizei benachrichtigen würde, war eher unwahrscheinlich. Auch wenn er sich nach seiner Rückkehr an der Rezeption wie ein Esel benommen hatte.

Natürlich wäre es nicht nötig gewesen, das Regina e Gran Canal Hals über Kopf zu verlassen, wenn er nicht seine Hand auf den Empfangstresen gelegt hätte, als er um seinen Schlüssel bat – mitten auf das aufgeschlagene Gästebuch, auf dem ein großer Blutfleck zurückgeblieben war. Und wenn er nicht die Nerven verloren hätte, als ihm der Concierge anbot, den Hotelarzt zu verständigen. Er war rot geworden, hatte etwas Unverständliches gestammelt und war davongestürzt. Im Zimmer hatte er festgestellt, dass seine Manschetten voller Blut waren. Was der Concierge kaum übersehen haben konnte.

Anschließend hatte er sich auf das Bett gelegt und versucht zu rekonstruieren, was geschehen war, nachdem er in der Pension festgestellt hatte, dass die Frau gar nicht atmete. Er musste die Bettdecke zurückgeschlagen haben, denn er hatte die Tote gesehen – ein Bild, das so scharf war wie die französischen Fotografien, die auf der Piazza verkauft wurden.

Die Frau hatte mit leicht geöffnetem Mund auf der Seite gelegen, eine blonde Strähne war über ihr rechtes Auge gefallen. Um ihren Hals lief eine bläulich verfärbte Einkerbung, und es hatte einen Moment gedauert, bis ihm klargeworden war, dass jemand sie stranguliert hatte. Ein paar Sekunden länger brauchte er dann, um zu begreifen, dass er bislang nur einen Teil des ganzen Gräuels zur Kenntnis genommen hatte. Gewissermaßen den unscheinbaren Anfang. Das Blut, das im Kerzenschein wie Rotwein schimmerte, bedeckte ihren Körper unterhalb der Rippenbogen und war in breiten Schlieren über Bauch und Oberschenkel gelaufen. Und dann sah er auch die Wunde, aus der das Blut ausgetreten war. Nicht dass er Wert darauf gelegt hatte, sie zu betrachten, doch irgendetwas hinderte ihn daran, die Augen abzuwenden. Es handelte sich um eine klaffende, längliche Öffnung, die über dem Bauchnabel begann und schräg nach unten lief, um dort in einer blutigen Pfütze zu verschwinden. Ein Tropfen Blut hatte sich am Rand der Wunde gesammelt, und er sah mit Entsetzen, wie der funkelnde Tropfen dicker wurde und schließlich herabfloss.

Hatte er nach diesem Anblick kurz das Bewusstsein verloren? Er wusste es nicht. Er konnte sich nur daran erinnern, wie er vor dem Bett gekniet und auf das würgende Geräusch gelauscht hatte, das aus seinem Hals kam. Ein wenig später war er mühsam aufgestanden, war zum Fenster getaumelt und hatte um Atem gerungen. Jedenfalls hatte er irgendwann mit zitternden Händen die Bettdecke über die Frau gebreitet. Dann hatte er das Zimmer verlassen und es tatsächlich geschafft, das Vestibül zu durchqueren und an dem Concierge vorbeizulaufen, ohne wie ein Betrunkener zu taumeln oder gar zu straucheln. War es eine bewusste Entscheidung gewesen, die *pensione* zu verlassen, ohne den Vorfall zu melden? Nein, denn er war unfähig gewesen, einen klaren Gedanken zu fassen.

Daran, wie er zurück ins Regina e Gran Canal gekommen war, erinnerte er sich nicht. Hatte er sich an jeder Ecke umgedreht, um festzustellen, ob ihm der Mann, der ihm das Zimmer siebenundzwanzig geöffnet hatte, gefolgt war? Der Mann, der vermutlich die Frau auf dem Gewissen hatte? Auch das wusste er nicht. Sein Verstand war erst wieder in der Lobby des Regina in Gang gekommen. Doch dass er dort einwandfrei gearbeitet hatte, konnte man leider nicht behaupten.

Zuckerkandl drehte sich um, ließ den Musterkoffer mit den Messern aufgeklappt auf dem Waschtisch stehen und setzte sich auf die Bettkante. Das Zimmer lag im Erdgeschoss des Hotels, und er konnte die Kälte spüren, die durch das brüchige Mauerwerk hindurch in den Raum kroch. Eine nasse Kälte, die schuld daran war, dass das Hemd mit den blutgetränkten Manschetten, das er zwischen zwei Garderobenhaken aufgespannt hatte, immer noch nicht trocken war. Wahrscheinlich wäre es klüger, das Beweisstück einfach in einem der zahlreichen *rios* zu versenken.

Aber konnte er es wagen, das Hotel zu verlassen – auch um ein warmes Café aufzusuchen? Sich durch die üble Gegend, in welcher der Albergo della Fava lag, zum Markusplatz durchzuschlagen? Und wieder die misstrauischen Blicke des Portiers zu ertragen, wenn er den Schlüssel abgab? Wie schnell sprach es sich im Milieu herum, was in der Pensione Seguso geschehen war? Dass der Wahnsinnige, der dieses Gemetzel veranstaltet hatte, noch auf freiem Fuß war? Und was wäre, wenn der Portier …

Nein – es würde keinen Sinn haben, die Tat zu leugnen. Die Beweise waren überwältigend. Er riss die Augen auf, die er unwillkürlich geschlossen hatte, und sein Blick fiel auf den aufgeklappten Koffer mit den chirurgischen Messern. Mein Gott, die Messer! Er hatte nicht daran gedacht, dass ihn auch dieser Koffer verdächtig machte! Er stürzte zum Waschtisch, um den Deckel zu schließen, als es plötzlich an der Tür klopfte.

Aus! Sie hatten ihn erwischt! Er hielt inne, straffte den Körper und atmete tief durch. Als er zur Tür ging, staunte er über die Erleichterung, die er darüber empfand, dass sie ihn gefasst hatten.

Aber dann war es nur das Zimmermädchen, das sein Bett

machen wollte und den Krug mit heißem Wasser brachte, um den er heute Morgen gebeten hatte. Die Frau war geschminkt wie eine Schlampe, und er konnte sich vorstellen, dass sie nicht nur als Zimmermädchen im Albergo della Fava arbeitete. Wieder fiel ihm ein, dass seine Mutter ihn immer vor Frauen gewarnt hatte.

23

Als Tron am nächsten Montag das Café Florian betrat, hatte er die *Gazzetta* bereits gelesen. Einen Artikel über einen Mord in der Pensione Seguso gab es noch nicht, doch war nicht auszuschließen, dass die *Gazzetta* morgen darüber berichten würde. Sie hatten das Wochenende damit verbracht, die Identität der ermordeten Frau zu ermitteln, und waren tatsächlich erfolgreich gewesen. Bei der angeblichen Lucrezia Venezia handelte es sich um eine gewisse Julia Dossi aus Castello, die ihre Bekanntschaften meist im Mulino gemacht hatte. Sie hatte keinen *Zuhälter*, arbeitete auf eigene Rechnung und empfing ihre Kunden entweder in ihrer Wohnung oder in der Pensione Seguso. Tron vermutete, dass sie die beiden Männer aus dem getarnten Stundenhotel ebenfalls im Mulino kennengelernt hatte, aber dort liefen die Ermittlungen ins Leere. Es gab zu viele Männer mit schwarzen Halbmasken, die dort verkehrten.

Im Grunde waren sie keinen Schritt weiter gekommen. Nur, dass es zur Gewissheit geworden war, dass ein Verrückter die Stadt durchstreifte und jederzeit erneut zuschlagen konnte – eine grauenhafte Vorstellung. Tron fragte sich, wie lange es Spaur gelingen würde, diese Morde aus der Statistik herauszuhalten. Auf jeden Fall würde der Polizeipräsident ihn höchstpersönlich für die Verbrechen verantwortlich machen.

Trons vormittägliche Besuche im Florian folgten einer festen Routine. Er betrat das Café um halb zehn, unter dem Arm die neuesten Manuskripte für den *Emporio della Poesia*. Nach der Inspektion der Torten ließ er sich im maurischen Salon nieder. Die nächsten anderthalb Stunden las er, wobei er die Gäste im Auge behielt, die das Café betraten. Trugen sie ausländische Zeitungen unter dem Arm? Dachten sie, die kaiserlichen Behörden würden die Lektüre von subversiven Gazetten einfach hinnehmen?

Gegen elf, wenn die meisten Tische besetzt waren, erschien ein uniformierter Sergente aus der Wache an der Piazza. Gemeinsam gingen sie dann durch die Räume. Die Fremden protestierten fast nie, wenn Tron sie darauf hinwies, dass das kaiserliche Zensurdekret untersagte, ausländische Zeitungen einzuführen. Und er sie im Namen des Allerhöchsten konfiszieren müsse.

Heute hatte sich der Fischzug gelohnt. Auf Trons Tisch lagen der *Moniteur*, die *Times*, die *Kreuzzeitung* und die *Revue de Marseille*. Alle umsonst! Eine wahre Freude für einen leidenschaftlichen Zeitungsleser, wie Tron es war. Er begann die Lektüre mit der *Times* und fand auf der zweiten Seite einen Artikel mit der Überschrift: *Massaker in Castelvetrano*. Piemontesische Truppen hatten Aufständische verfolgt, diese waren entkommen, woraufhin der Kommandant der Einheit eine exemplarische Strafaktion in dem nahegelegenen Castelvetrano befohlen hatte. Die Bilanz bestand in knapp hundert toten Zivilisten. Die Hälfte von ihnen waren Frauen und Kinder. Tron schüttelte entsetzt den Kopf.

Wie glücklich war die Bevölkerung damals gewesen,

als Garibaldi die verhassten Bourbonen vertrieben hatte und sie Bürger eines vereinigten Italien wurden! Freiheit! Selbstverwaltung! Steuersenkung! Doch seit Süditalien von Turin aus verwaltet wurde, waren die Steuern ständig gestiegen und wurden mit äußerster Brutalität eingetrieben. Kein Wunder, dass sich der Süden in offenem Aufruhr befand. Eigentlich, dachte Tron, sollte nach diesen Erfahrungen kein vernünftiger Venezianer den Wunsch haben, unter die Knute Turins zu kommen. Manchmal fragte er sich, ob alle Welt verrückt geworden war.

Der Mann am Nebentisch zum Beispiel. Er hatte eine fliehende Stirn und blies mit dicklichen Lippen auf seinen dampfenden *brodo di pesce*, den der Kellner gerade serviert hatte – eine mit Safran gewürzte Fischsuppe, die nur dann schmeckte, wenn sie kochend heiß auf den Tisch kam. Am Revers des Mannes steckte ein Schleifchen mit der Trikolore. Es war nicht besonders groß, aber trotzdem gut zu erkennen: rot, weiß, grün. Die Farben der italienischen Einheit. Tron musste an den Artikel denken, den er gelesen hatte – *die Hälfte davon Frauen und Kinder* –, und spürte, wie sich sein Puls beschleunigte.

Er sprang auf und trat, ohne genau zu wissen, was er gleich tun würde, vor den Tisch des Mannes. Als er gerade die Polizeimarke aus der Tasche seines Gehrocks zog, berührte jemand seine Schulter. «Commissario?»

Tron fuhr auf dem Absatz herum – und erblickte Bossi, der vorschriftsmäßig salutierte. Tron verdrehte die Augen und seufzte. «Was gibt es, Ispettore?»

«Wir haben die Wasserleiche identifiziert», sagte Bossi knapp.

Wie bitte? Tron hatte Schwierigkeiten, seine Gedanken von dem fliehstirnigen Suppenlöffler auf die Frauenleiche an den Fondamenta degli Incurabili zu lenken. *Die*

Hälfte von ihnen Frauen und Kinder. Im Grunde, dachte Tron, war der Mörder, den sie suchten, harmlos. Ein ganz kleiner Fisch. Die wirklich gefährlichen *Killer* trugen Uniform. Und kriegten Orden für ihre Verbrechen.

Er räusperte sich. «Was ist passiert?»

«Der Gondoliere und die Zofe der Frau waren auf der Questura, um eine Vermisstenanzeige aufzugeben», sagte Bossi leise.

«Jetzt erst?»

«Sie haben sich gescheut, zur Polizei zu gehen.»

«Warum?»

Bossi lächelte schief. «Livia Azalina – das ist der Name der Frau – war eine *mammola*.»

«Eine *mammola* mit Gondoliere und Zofe?»

Bossi nickte. «Mit Kundschaft ausschließlich aus gehobenen Kreisen. Sie hat vom Bahnhof in Verona aus ein Telegramm mit ihrer Ankunftszeit in Venedig geschickt. Nur dass sie nie dort ankam.»

«Wann war das?»

«Am Sonntag vor einer Woche. Sie hat den Nachtzug genommen. Und am Donnerstag», fuhr Bossi fort, «ist die Leiche an den Zattere gefunden worden. Dr. Lionardo hat geschätzt, dass die Tote drei bis vier Tage im Wasser getrieben hat. Es passt also alles zusammen.»

«Ist das der einzige Grund, aus dem Sie glauben, dass es sich bei Signorina Azalina um die Frau von den Zattere handelt?»

Bossi schüttelte den Kopf. «Ich habe der Zofe und dem Gondoliere das Armband gezeigt, und sie haben es sofort wiedererkannt.»

«Also hat die Signorina den Zug in Verona bestiegen und ist nie in Venedig angekommen, weil sie ...» Tron hielt inne, weil ihn das Schlürfgeräusch hinter ihm irritierte.

«In ihrem Coupé ermordet wurde», ergänzte Bossi den Satz.

Tron nickte. «Und der Mörder hat ihre Leiche in die Lagune geworfen, weil er in Venedig nicht aus einem Abteil steigen wollte, in dem man vielleicht ein paar Minuten später eine Tote gefunden hätte.» Er sah Bossi an. «Was bedeutet, dass der Mann, der den Mord auf der Gondel und den Mord in der Pensione Seguso verübt hat – wenn es denn ein und derselbe ist –, am vorletzten Sonntag den Nachtzug von Verona nach Venedig benutzt hat.»

«Und da wäre noch etwas», sagte Bossi.

«Was?»

«Auf der Wache an der Piazza wartet ein Signore, der Sie sprechen möchte», sagte Bossi. «Er weiß etwas über den Mord in der Pensione Seguso.»

«Hat er Ihnen etwas Genaueres mitgeteilt?»

Bossi schüttelte den Kopf. «Er möchte persönlich mit Ihnen reden. Er sagt, er kennt Sie. Ein Signor Muratti.»

Tron überlegte kurz. «Ein kleiner Dicker?»

«Klein, dick und schmierig», bestätigte Bossi.

«Muratti betreibt ein Hotel in der Nähe vom Rialto», sagte Tron. Er warf, im Begriff zu gehen, noch einen Blick über die Schulter. Der Mann mit der fliehenden Stirn und der Trikolore am Revers blies immer noch auf seine heiße Fischsuppe, und plötzlich hatte Tron das Gefühl, dass er etwas erledigen musste, bevor er sich auf den Weg machte – er wusste auch, was. Auf Bossis Aussage würde er sich, trotz der Trikolore am Revers des Mannes, verlassen können. «Einen kleinen Moment noch, Ispettore.»

Tron drehte sich langsam um. Dann zog er zum zweiten Mal seine Polizeimarke aus der Tasche und sagte zu dem Mann: «Wenn Sie jetzt nicht sitzen bleiben, nehmen wir Sie fest.»

Der Mann hob den Kopf und starrte ihn verständnislos an. Tron sah die Rillen, die der Kamm durch sein fettiges schwarzes Haar gezogen hatte. «Ich soll was?»

Tron lächelte. «Einfach sitzen bleiben.»

Ein blubberndes Geräusch kam von den Lippen des Mannes. Er zog die Schultern hoch. «Ich sitze bereits.» War da ein piemontesischer Akzent herauszuhören? Dieser leichte Anklang ans Französische. Kam der Bursche womöglich aus Turin?

Tron lächelte breit. «Wir könnten Sie vier Tage festhalten, bevor sich ein Richter für Sie interessiert. Und das ist genau das, was wir tun werden, wenn Sie aufstehen.» Er wandte sich an Bossi, der neben ihm stand und mit seinen blitzenden Sternen auf den Schulterklappen die Staatsmacht verkörperte. «Richtig, Ispettore?»

Bossi, der Tron besorgt ansah, beschränkte sich darauf, stumm zu nicken. Tron hatte den Eindruck, dass Bossi den Mann kannte, aber das spielte jetzt keine Rolle mehr. Plötzlich war ihm, als ob ein wildes Tier in seinem Inneren tobte und ihn in Stücke reißen würde, wenn er es nicht von der Kette ließ. Er hatte keine Wahl.

Die Hälfte von ihnen Frauen und Kinder.

Tron hob den Teller mit dem dampfenden *brodo di pesce* hoch und hielt ihn über den Kopf des Mannes. Als er kurz davor war, den Teller umzudrehen, fragte er sich, ob er nicht auch verrückt war.

24

«Einen Moment lang dachte ich, Sie würden ihm die Fischsuppe tatsächlich über den Kopf kippen», sagte Bossi, als sie ein paar Minuten später ins Freie traten. «Ihr Gesichtsausdruck war so dynamisch.»

Sie hatten das Florian verlassen, um zur Polizeiwache auf der anderen Seite der Piazza zu laufen. Es war kühler geworden, und über der Stadt hingen dichte Wolken, die zwar keinen Regen verhießen, aber auch nicht so aussahen, als würden sie bald aufreißen. Auf dem Markusplatz herrschte ein regelrechtes Gedränge, und wieder stellte Tron fest, dass sich fast alle auf der Piazza maskiert hatten, selbst die Maronenverkäufer, die hinter ihren Kohlenbecken auf Kundschaft warteten.

Tron lachte nervös. «Wieso sollte ich dem Mann seine Fischsuppe über den Kopf kippen?»

«Weil er ein Schleifchen mit der Trikolore am Revers hatte», sagte Bossi sachlich. «Ich weiß, dass Sie diese Leute nicht ausstehen können.»

Das traf allerdings zu. Ganz im Gegensatz zu Ispettor Bossi, der mit diesen Leuten sympathisierte. Was bedauerlicherweise auch für die Principessa galt. Tron war rundum von Patrioten umgeben.

«Wir hatten uns», sagte er, «mit dem Polizeipräsidenten darauf verständigt, diese Schleifchen zu ignorieren, wenn sie nicht allzu groß sind.»

Was natürlich immer eine Frage der Einschätzung war. Für Bossi sahen große Schleifen eher klein aus, während für Tron kleine Schleifen eher groß aussahen.

«Fanden Sie das Schleifchen zu groß, Commissario?»

Eine gute Frage. Tron versuchte, sich zu erinnern. Das Problem war, dass er die ganze Zeit an den Zeitungsartikel gedacht hatte. «Es war vielleicht eher klein», meinte er schließlich. «Deshalb habe ich es auch ignoriert.»

Das stimmte natürlich nicht, und Bossis Protest kam sofort. «Sie waren kurz davor, es nicht zu ignorieren», stellte der Ispettore nüchtern fest. «Und ihm die Suppe über den Kopf zu kippen.»

Sie liefen gerade an einer Gruppe von schunkelnden Franzosen vorbei, die sich untergehakt und einen Gesang angestimmt hatten. Tron fiel auf, dass sie alle schwarze Halbmasken trugen. Er sagte: «Und *wenn* ich es getan hätte?»

Inzwischen bedauerte er fast, dass er es nicht getan hatte. Und dass er sich auf diese alberne Diskussion mit Bossi einließ. Ob er noch einmal ins Florian zurückgehen sollte? Die Fischsuppe war bestimmt noch heiß. Nein, lieber nicht.

«Dann hätten Sie bezeugt», fuhr Tron in dienstlichem Ton fort, «dass es sich um eine Ungeschicklichkeit meinerseits gehandelt hatte.» Hoffte er jedenfalls.

Bossi blieb hartnäckig. «Es wäre trotzdem ein großer Fehler gewesen.»

Wie? Wollte der Ispettore eine politische Diskussion? Die konnte er haben. Tron hatte die konfiszierte *Times* noch bei sich. Er würde Bossi auf den Artikel hinweisen. «Weil das Anliegen, das in dieser Trikolore zum Ausdruck kommt, berechtigt ist?»

Doch Bossi schüttelte den Kopf. «So habe ich das nicht gemeint, Commissario.»

«Und wie *haben* Sie es gemeint, Bossi?»

«Weil das Grün kein Grün, sondern ein Blau war.»

Tron blieb abrupt stehen. «Wie bitte?»

«Rot, weiß, *blau*», sagte Bossi. «Die Farben des französischen Kaiserreichs. Das blaue Bändchen ist von den beiden anderen verdeckt worden. Sie haben in Wahrheit nur zwei Bändchen gesehen und auf das dritte geschlossen.»

«Wir schließen immer von dem, was wir sehen», sagte Tron pedantisch, «auf das, was wir nicht sehen. Das ist bei Ermittlungen so.»

«Nur, dass Sie in diesem Fall danebengelegen haben.» Bossi lächelte nachsichtig. «Ich kenne den Mann. Wahrscheinlich hätte ich es Ihnen schon im Florian sagen sollen, aber es ging alles so schnell.»

Tron runzelte die Stirn. «Und wer ist es?»

«Der neue französische Konsul, Monsieur Blanche», sagte Bossi. «Er hatte vor ein paar Tagen ein Problem mit einem Taschendieb.» Bossi warf einen besorgten Blick auf Tron. «Vermutlich hält er Sie jetzt für einen Verrückten.»

Darüber musste Tron heftig lachen. Als ihm Bossi die Tür zum Wachlokal aufhielt, sah der Ispettore ihn an, als wäre er tatsächlich verrückt geworden.

Signor Muratti war so klein und dick, wie Tron ihn in Erinnerung hatte. Er trug einen gutgeschnittenen dunkelbraunen Gehrock, sein rabenschwarzes Haar war glatt nach hinten gekämmt, der Schnurrbart akkurat gestutzt. Das Auffälligste an seiner Erscheinung waren die Augen. Sie waren dunkel, glutvoll, fast schwarz – wie die eines in die Jahre gekommenen Violin-Zigeuners. Tron schätzte ihn auf Anfang vierzig. Muratti hatte im Hinterzimmer der Wache gewartet, und als Tron und Bossi den Raum betraten, erhob er sich. Die Petroleumlampe, die von der Decke hing, warf einen scharfen Schatten und ließ ihn noch gedrungener aussehen als sonst.

«Signor Muratti?»

«Sie erinnern sich an mich?» Muratti schien erfreut zu sein. Er hatte das servile Gehabe eines Mannes, dessen Geschäfte sich am Rand der Illegalität bewegen. Er schüttelte Tron und Bossi die Hand. Dann setzte er sich wieder.

Tron lächelte. «Was kann ich für Sie tun, Signore?»

Signor Muratti räusperte sich nervös. «Vielleicht kann ich etwas für *Sie* tun. Es geht um den Artikel in der *Gazzetta*. Über den Zwischenfall in der Gondel. Ist der Mann bereits ...»

Tron schüttelte den Kopf. «Wir arbeiten daran.»

«Nun, dann ...»

«Ja?»

Signor Muratti seufzte. «Ich bin es eigentlich gewohnt, meinen Gästen gegenüber Diskretion walten zu lassen.»

Tron nickte verständnisvoll. «Natürlich.»

«Aber in diesem Fall ...» Muratti brach den Satz ab. Sein Gesicht zog sich in kummervolle Falten.

Tron beugte sich nach vorne. «Ja?»

«Hielt ich es für notwendig, Sie aufzusuchen», beendete Signor Muratti den Satz. Dann schwieg er wieder. Offenbar gehörte er zu den Leuten, denen man jedes Wort aus der Nase ziehen musste.

«In welchem Fall?», erkundigte sich Tron geduldig.

«Der Mann ist vorgestern eingezogen und hatte keine Papiere», sagte Signor Muratti. «Ich vermute, dass es sich um einen Österreicher handelt, jedenfalls hatte er einen deutschen Akzent. Als das Mädchen sein Zimmer machen wollte, war er gerade dabei, seine Manschetten zu säubern.» Signor Muratti hielt inne und sah Tron bedeutungsvoll an. «Sie sagte, es hätte wie Blutflecken ausgesehen.» Er lehnte sich erschöpft zurück – so als hätte er selbst versucht, die Manschetten zu reinigen. «Nachdem der Mann das Haus verlassen hatte, habe ich mich ein wenig in seinem Zimmer umgesehen.»

«Und?»

«Das Mädchen hatte recht», sagte Signor Muratti. «Im Koffer des Mannes befand sich ein Hemd mit Blutflecken auf den Manschetten.»

Also hatte Signor Muratti das Gepäck des Mannes durchsucht. Juristisch betrachtet handelte es sich um Einbruch. Dass er seelenruhig davon erzählte, fand Tron bemerkenswert.

«Und es sah so aus», fuhr Signor Muratti fort, «als hätte der Mann versucht, die Flecken zu entfernen.»

«Vielleicht hat es sich um Rotwein gehandelt?», wandte Tron ein.

Signor Muratti schüttelte lächelnd den Kopf. «Glauben Sie mir, ich kann Blutflecke von Rotweinflecken unterscheiden.» Dann fügte er nach einer kleinen Pause hinzu: «Außerdem war da noch dieser andere Koffer.»

«Was für ein Koffer?»

«Ein kleiner flacher Koffer mit einer Sammlung von scharfen Messern», sagte Signor Muratti. «Die *Gazzetta* hat geschrieben, der Mörder hätte der Frau die Leber entfernt.»

Bossi mischte sich ein. «Wissen Sie, wie lange der Mann in Venedig bleiben wird?»

«Der Signore hat mich gebeten, ihm für zwei Uhr eine Gondel zu bestellen, die ihn zum Bahnhof bringen soll», erwiderte Signor Muratti.

Ein Blick auf die Uhr an der Wand sagte Tron, dass es zwanzig Minuten vor zwei war. Er drehte den Kopf zu Bossi und Bossi seinen zu ihm. Dann nickten sie beide fast gleichzeitig. Und sprangen auf.

Ignaz Zuckerkandl, seinen Musterkoffer unter dem Arm, stieg am Fuß der Rialtobrücke aus der Gondel. Er bezahlte den Gondoliere, der ihn vom Ognissanti hierher gebracht hatte, und fügte ein großzügiges Trinkgeld hinzu. Er fühlte sich leicht, fast heiter, so als wäre eine große Last von seinen Schultern gefallen. Auch der Regen, der vor ein paar Minuten eingesetzt hatte, konnte ihm die gute Stimmung nicht verderben.

Merkwürdig, dachte er, dass die kindischen Wahnvorstellungen, die ihm während der letzten beiden Tage das Leben zur Hölle gemacht hatten, mit einem Schlag verschwunden waren. Hatte der lukrative Auftrag, den er im Ognissanti unterschrieben hatte, diesen Gemütsumschwung bewirkt? Er wusste es nicht. Er wusste nur, dass er in den letzten beiden Tagen unter einer regelrechten Panik gelitten hatte. Wahrscheinlich, überlegte er, hatte es an der schweren Nervenbelastung durch *die Sache* gelegen. Doch jetzt bedauerte er es fast, dass er sich dazu entschieden hatte, Venedig früher als geplant zu verlassen. Nein, es war niemand hinter ihm her. Schon der Gedanke daran war albern. Warfen die beiden uniformierten Polizisten, die ihm auf dem Campo Bartolomeo entgegenkamen, etwa einen misstrauischen Blick auf ihn? Natürlich nicht. Warum sollten sie auch?

Zwei Minuten später hatte er die Pensione della Fava erreicht. Da die Rechnung bereits beglichen war, ging es nur noch darum, das Gepäck in die Rezeption zu schaffen und auf den Gondoliere zu warten, der ihn zum Bahnhof bringen würde. Als sein Koffer schließlich verladen war, verabschiedete ihn der Hausdiener mit einem verständnisvollen Augenzwinkern von Mann zu Mann – so als hätte er es hier in Venedig exzessiv *getrieben*.

Eigentlich hatte er erwartet, dass sie vom Rio Fontego in den Canalazzo einbiegen würden, was ihm die Gelegenheit geboten hätte, einen letzten Blick auf den Ponte Rialto zu werfen. Doch der Gondoliere schien einen anderen

Weg zum Bahnhof eingeschlagen zu haben, vielleicht eine Abkürzung. Sie wechselten von einem kleinen *rio* in den anderen, wichen hin und wieder einer entgegenkommenden Gondel oder einem *sandalo* aus, passierten regnerisch verschleierte Wassertore, und er genoss das weiche Gleiten durch das Wasser.

Mein Gott! Was für ein Abenteuer! Und wie wacker er es bestanden hatte! Befriedigt registrierte er, wie das grausige Geschehen der letzten beiden Tage bereits verblasste, sich in eine skurrile Episode verwandelte, wie man sie zu später Stunde seinen Freunden erzählte.

Er schloss die Augen und lauschte auf das Geräusch, mit dem die Regentropfen auf das Dach des *felze* prasselten, und der Piccolo im Regina e Gran Canal fiel ihm wieder ein. Er musste an die kurze Berührung ihrer Hände denken. Und an den langen Blick, den ihm der Piccolo anschließend zugeworfen hatte. *Warum gabst du mir die tiefen Blicke?* Ach, vergangen und verweht! Er stieß einen tiefen Seufzer aus und lehnte sich in sein Polster zurück. Plötzlich verspürte er den unsinnigen Wunsch, irgendetwas möge eintreten, das ihn daran hinderte, die Stadt zu verlassen. Eine plötzlicher Kriegsausbruch, eine unerwartet über die Stadt verhängte Quarantäne oder der Brand des Bahnhofs.

Doch als der Bug der Gondel die Stufen berührte, die vom Wasser zum Bahnhofsvorplatz hinaufführten, schien alles zu sein wie immer. Nur das Bahnhofsgebäude sah ein wenig anders aus, den Vorplatz hätte er nicht wiedererkannt: Er war kaum belebt, und neben dem Haupteingang, den er größer in Erinnerung hatte, stand ein uniformierter Polizist Wache. Merkwürdig auch, dachte er, dass ihm bei seiner Ankunft nicht aufgefallen war, wie sehr die Uniformen der Gepäckträger denjenigen der venezianischen Polizei ähnelten.

Zwei von ihnen, in ihrer Mitte ein Zivilist, eilten bereits dienstfertig auf seine Gondel zu. Ein dritter Gepäckträger lief dicht hinter dem Zivilisten und hielt, den Arm nach vorne gereckt, einen Regenschirm über ihn. Vor der obersten Stufe blieben sie stehen und blickten auf ihn herab. Der Zivilist, der die Gepäckträger anführte, trug einen Gehrock, dazu den üblichen schwarzen Zylinderhut, und betrachtete ihn mit hochgezogenen Brauen. Dann sagte er in reinstem Toskanisch, vielleicht weil er wusste, dass er es mit einem Ausländer zu tun hatte: «Ich bin Commissario Tron. Wir müssen Sie leider bitten, uns ein paar Fragen zu beantworten.»

25

«Ich gratuliere», sagte die Principessa, nachdem Tron seinen Bericht beendet hatte. Es war sieben Stunden später, und er saß im Speisezimmer des Palazzo Balbi-Valier.

Sie hatten den Mann mit dem sympathischen Namen Zuckerkandl bis in die Abendstunden verhört, und als sich noch herausgestellt hatte, dass er am vorletzten Sonntag den Nachtzug von Verona nach Venedig benutzt hatte, schien sich alles zu fügen.

Doch es wurde schließlich halb zehn, bis Tron endlich am Tisch der Principessa Platz nehmen konnte – gerade noch rechtzeitig zum Dessert, einem *parfait à la banane.* Tron hätte den Glückwunsch der Principessa lieber unter vier Augen entgegengenommen. Aber ihm gegenüber, auf der anderen Seite des Tisches, saß ölig lächelnd ihr Neffe Julien.

Er war nicht ganz der strahlende Beau wie auf der Fotografie, aber der *Pariser Schick*, den die Principessa hervorgehoben hatte, war nicht zu übersehen. Er hatte pomadisierte Haare und trug formelle Abendgarderobe mit einer Cattleyablüte im Revers – eine Bekleidung, auf der die Augen der Principessa hin und wieder bewundernd verweilten. So wie die Blicke des Neffen hin und wieder bewundernd das Dekolleté der Principessa streiften. Eine weniger gefestige Persönlichkeit als er, dachte Tron, hätte womöglich einen Eifersuchtsanfall erlitten.

Der ölige Neffe war dem Bericht von der Verhaftung mit dem Gesichtsausdruck eines Mannes gefolgt, der gerne Schauerromane liest – je blutiger, desto besser. Er sah Tron mit funkelnden Augen an. «Hat er gestanden?»

Tron hatte den Eindruck, dass der Neffe es gerne gehört hätte, wenn sie den Mann ein wenig gefoltert hätten. «Der Bursche hat nur zugegeben, dass er in der Pensione Seguso war», sagte er. «Und dass er am vorletzten Sonntag den Zug von Verona nach Venedig genommen hat.»

Der Kopf des Neffen fuhr abrupt nach oben. «Sie meinen den Nachtzug?»

Tron nickte. «Es hat auch in diesem Zug einen Mord gegeben; so wie es aussieht, den ersten aus der Serie. Der Mörder hat die Leiche der Frau aus dem Abteil in die Lagune geworfen. Das Opfer konnte jedoch erst heute identifiziert werden.»

Der Neffe war bleich geworden. «Hat der Mörder dem Opfer auch die ...»

«Ja, das hat er», sagte Tron. «Warum wollen Sie das wissen?»

«Weil ich auch mit diesem Zug gekommen bin. Aber fragen Sie mich nicht, ob ich irgendetwas bemerkt habe. Es hat die ganze Zeit geregnet, und ich war todmüde.» Der Neffe griff nach seinem Löffel. Als er sprach, klang seine Stimme belegt. «Hat dieser Mann noch etwas gesagt?»

Tron schüttelte den Kopf. «Er hat sonst nur wirres Zeug geredet.»

Das hatte er in der Tat. Während des Verhörs hatte der Mann mit hochrotem Kopf immer wiederholt, dass es ihm nur darum gegangen wäre, *die Sache zu machen*. Was genau *die Sache* war, die er *machen* wollte, blieb unklar.

«Ist der Mann tatsächlich verrückt?» Die Principessa tauchte den Löffel in ihr Bananenparfait, was im selben Augenblick auch der ölige Neffe tat. Ein Gleichklang der Seelen? Tron war irritiert.

Er nickte. «Definitiv. Spaur war ganz entzückt. Weniger begeistert war er über den neuen Artikel in der *Gazzetta*.»

Wie bereits befürchtet, hatte die *Gazzetta di Venezia* auch über den Mord in der Pensione Seguso berichtet. Der Artikel bestand aus drei Spalten und deutete zwischen den Zeilen an, dass sich das Vertrauen der Venezianer in ihre Polizei momentan sehr in Grenzen hielt.

Der Neffe, der mit den venezianischen Verhältnissen nicht vertraut war, runzelte die Stirn. «Wer ist Spaur?»

«Der Polizeipräsident», sagte Tron. «Mein Vorgesetzter, der sich wegen dieser Morde große Sorgen macht. Es gibt im Moment eine Art Wettbewerb zwischen den österreichischen Polizeipräsidenten», fügte er hinzu. «Da machen sich allzu viele Verbrechen in unserer Statistik nicht gut. Und eine schlechte Presse schon gar nicht.»

«Haben *Sie* mit den Leuten von der *Gazzetta di Venezia* gesprochen?»

Tron schüttelte den Kopf. «Mein Bericht geht in zwei Exemplaren an den Polizeipräsidenten. Ein Exemplar behält er, das zweite Exemplar wird an den Stadtkommandanten Toggenburg weitergeleitet. Und der scheint die Presse informiert zu haben. Selbstverständlich, ohne uns zu fragen. Wir sind ein okkupiertes Land, Signor Sorelli.»

«Was dir ja ganz recht ist», kommentierte die Principessa bissig.

«Die Principessa», sagte Tron zu dem Neffen, «wünscht eine Vereinigung mit Piemont. Ich hingegen bin skeptisch.»

«Weil Sie an die Situation im Süden denken?»

Wie bitte? Tron nickte erstaunt. Ein klarer Pluspunkt für den Neffen. Einen Moment lang hatte Tron den Eindruck, dass Julien die Lage in Süditalien kommentieren wollte, aber er kam auf das ursprüngliche Gesprächsthema zurück.

«Dann wollte», sagte der Neffe, «dieser Toggenburg Sie offenbar düpieren.»

Tron zuckte mit den Achseln. «Oder ein Offizier aus seinem Stab.»

«Vermutlich dein spezieller Freund Oberst Stumm», bemerkte die Principessa.

Der Neffe hob überrascht den Kopf. «Oberst Stumm von Bordwehr?»

«Ich hatte kürzlich Ärger mit ihm.» Tron nickte. «Kennen Sie den Oberst?»

«Kennen ist zu viel gesagt. Mir fiel dieser merkwürdige Name auf seinem Gepäck auf.»

Jetzt war Tron überrascht. «Wo haben Sie ihn gesehen? Etwa im Nachtzug nach Verona?»

«Wir hatten eine kurze Begegnung auf dem Bahnhof», bestätigte der Neffe. «Seine Koffer sind irrtümlicherweise in mein Coupé gebracht worden. Der Gepäckträger hat die Abteile verwechselt. Oberst Stumm war dabei, als sein Gepäck abgeholt wurde, und hat sich bei mir entschuldigt. Übrigens trug er keine Uniform.» Der Neffe sah Tron an. «Warum interessieren Sie sich für den Oberst?»

«Weil er mit der Frau bekannt war, die auf der Gondel ermordet wurde.»

«Stand er unter Verdacht?»

Tron schüttelte den Kopf. «Nein. Aber ich halte ihn für potentiell gewalttätig. Wir wissen, dass er vor Jahren in Wien eine Prostituierte misshandelt hat.»

«Was gut zu seinen zusammengewachsenen Augenbrauen passen würde. Es gibt äußere Merkmale, an denen man einen *deliquente nato* erkennen kann.»

«Und einen geborenen Verbrecher erkennt man an seinen Augenbrauen?»

«Auch an der Form seines Schädels», sagte der Neffe. Er starrte einen Moment lang auf die Schale mit dem Bananenparfait. Dann fragte er: «Sind Sie sicher, dass der Oberst nichts mit der Sache zu tun hat?»

Tron nickte. «Wir rechnen damit, dass der Mann, den wir am Bahnhof verhaftet haben, im Laufe des morgigen Tages gestehen wird. Zumal wir ihm versichert haben, dass er nicht am Galgen enden wird.»

«Wo sonst?»

«In einer Anstalt», sagte Tron. «Wir haben es mit einem Verrückten zu tun. Juristisch ginge es dann nicht um Mord, sondern um die Tat eines Unzurechnungsfähigen. Man könnte sagen, dass die jungen Frauen einem bizarren Unfall zum Opfer gefallen sind. So als hätte sie ein Zirkuslöwe zerrissen.»

Der Neffe machte ein nachdenkliches Gesicht. «Das erinnert mich an einen Doppelmord in der Rue Morgue, der in einem verschlossenen Zimmer begangen wurde. Die Polizei kam nicht weiter, bis ein Privatdetektiv, ein gewisser Monsieur Dupin, schließlich die Lösung lieferte: Es hat sich auch hier um eine Art Unfall gehandelt. Der Täter war ein Orang-Utan. Er ist über den Kamin in das Zimmer eingedrungen.»

«Und warum ist die Polizei nicht darauf gekommen,

sondern nur dieser Monsieur Dupin?», wollte die Principessa wissen.

«Weil er scharfsinniger war als sie.» Der Neffe lächelte herablassend. «Monsieur Dupins Prinzip war: Wenn alles Denkunmögliche eliminiert wird, bleibt die richtige Lösung übrig. Und die richtige Lösung war der Orang-Utan.»

Die Principessa warf einen bewundernden Blick auf ihren Neffen. Das ergab zwei Minuspunkte.

Tron stellte seine Tasse ab und sagte ebenfalls lächelnd: «Das ist ein ziemlich alter Hut, Signor Sorelli. Ockhams Rasiermesser.»

Wie erwartet – und erhofft – besagte die verunsicherte Miene des Neffen, dass er noch nie von Ockhams Rasiermesser gehört hatte.

«Von mehreren Theorien», fuhr Tron flüssig fort, «die den gleichen Sachverhalt erklären, ist die einfachste vorzuziehen. Denken Sie an Kopernikus. Wenn man von der einfachen Annahme ausgeht, dass die Sonne, und nicht die Erde, im Mittelpunkt des Universums steht, ist die Bewegung der Himmelskörper leicht zu erklären. Die ptolemäische Erklärung braucht erheblich mehr Annahmen.»

Tron lehnte sich, befriedigt darüber, dass er das Wort *ptolemäisch* korrekt ausgesprochen hatte und die Augen der Principessa jetzt anerkennend auf *ihm* ruhten, in seinem Stuhl zurück. Jetzt hatte er es dem Pomadekopf gegeben.

«Im Übrigen», fuhr er, immer noch lächelnd, fort, «beschreiben Sie genau das, was wir tun. Die einfachste Erklärung dafür, dass jemand seine Opfer aufschlitzt und sie bei lebendigem Leibe ausweidet, ist die, dass der Mann verrückt ist.»

26

Sie war niedlich, höchstens zwanzig und blond. Offenbar hatte sie ihn kommen sehen und war aus der Dunkelheit der Arkaden des Palazzo Ducale in den Schein der Gaslaterne getreten. Das Messer steckte in seiner Tasche. Er trug es jetzt immer bei sich.

Eigentlich wollte er nur kurz vor die Tür treten, doch stattdessen hatte er sich eine halbe Stunde später auf der Piazza wiedergefunden. Jetzt, kurz nach Mitternacht, war der Markusplatz beinahe menschenleer. Vor dem Café Quadri stand eine Gruppe kaiserlicher Offiziere, eine andere Offiziersgruppe hatte sich vor dem Café Oriental versammelt. Von den zahllosen fliegenden Händlern war lediglich ein Maronenverkäufer vor der Porta della Carta übrig geblieben. Ein paar Maskierte passierten den Campanile, und ihre Blendlaternen warfen einen flackernden Lichtschein auf die Mauer des Glockenturms. Wie eine Theaterkulisse, dachte er. Wieder überkam ihn das Gefühl, in dieser Stadt am rechten Ort zu sein. Hier schien alles gestattet zu sein, und am Ende fügte sich alles.

Als er auf die Frau zutrat, konnte er schon von weitem ihr Lavendelparfum riechen. Es verband sich in der feuchten Luft mit dem Geruch verbrennender Holzkohle zu einer Mischung, die ihm vage bekannt vorkam. Und dann fiel es ihm ein; so klar und deutlich, dass es ihm einen Moment lang den Atem raubte.

Es war die Erinnerung an seine erste *Operation*, die er vor mehr als zehn Jahren in Wien durchgeführt hatte. Ebenfalls in einer mäßig kalten Winternacht, und auch damals hatte sich das Lavendelparfum der Frau mit dem Geruch verbrennender Holzkohle vermischt. Hatte er sie angesprochen oder sie ihn? Er wusste es nicht mehr. Das

Stundenhotel, in das sie gegangen waren, lag in der Nähe des Michaelerplatzes, ein Haus mit abblätterndem Putz und knarrenden Stiegen. Sie hatte sich entkleidet, mit geschäftsmäßigen, routinierten Bewegungen, und ihm ein ebenso routiniertes Lächeln geschenkt. War es dieses Lächeln gewesen, das nicht ihre Augen erreichte?

Sie hatte sich auf den Rücken gelegt, und seine Hände waren langsam über ihren Körper gewandert, über Bauch, Brust und Schultern. Dabei hatte er gespürt, wie sich etwas in ihm regte. Nicht das, was sich normalerweise in einem Mann regte, wenn er eine Frau berührte, sondern etwas ganz anderes. Ein wildes Tier, das ihm Angst machte – jedenfalls damals noch. Als seine Hände ihren Hals erreichten, hatte er zugedrückt. Er hatte zugesehen, wie ihr Gesicht erst rot wurde, dann blau, wobei ihre Augen hervorquollen, als würden sie jeden Moment aus ihren Höhlen rutschen.

Nachdem sie tot war, hatte er minutenlang auf sie herabgestarrt und genau gewusst, dass es damit nicht zu Ende war, ohne allerdings die geringste Ahnung zu haben, wie es weitergehen könnte. Seine Gedanken hatten sich unablässig im Kreis bewegt. In diesem Augenblick hatte alles aus Schatten bestanden, schwarz auf schwarz. Schließlich hatte er wie in Trance das Etui mit dem Messer aus der Tasche gezogen und die Spitze des Messers über den Bauch der Frau geführt, ohne zu wissen, was er als Nächstes tun würde. Er hatte zugesehen, wie sich der Einschnitt, der kaum über die obersten Hautschichten hinausging, langsam mit dunkelrotem Blut füllte. Das hatte ihn so fasziniert, dass er zum zweiten Mal geschnitten hatte, nur ging der Schnitt diesmal deutlich tiefer. Beim dritten Schnitt, dem, der sie aufschlitzte, hatte er auf einmal gewusst, was er wollte.

Als er die Operation durchführte, war das Machtgefühl,

das er dabei empfand, unglaublich gewesen – so als strömte die Donau bei Hochwasser durch seinen Kopf. Er hatte dieses Gefühl so sehr genossen, dass er damals schon wusste, es würde ein zweites Mal geben. Und ein drittes Mal.

Natürlich hatte er Schuldgefühle erwartet, lähmende Albträume, die ihn jede Nacht um den Schlaf bringen würden. Aber merkwürdigerweise war das Gegenteil eingetreten. Er hatte sich am Tag darauf wie neugeboren gefühlt. Dinge, die er früher nie beachtet hatte – ein Sonnenuntergang, der Anblick hastender Menschen auf der Straße, das Leuchten der Gaslaternen –, prägten sich jetzt ein wie eine Serie von glänzenden Kameen, in Bildern, die so klar waren, als wären sie galvanisiert. Er hatte das Leben auf der Zunge geschmeckt wie einen Schluck Wein direkt aus der Flasche.

Trotzdem hatte es fünf Jahre gedauert, bis er die nächste *Operation* vorgenommen hatte, diesmal in Triest und ebenfalls in einer kalten Winternacht. Zwei Jahre später hatte er in Wien operiert, auch wieder in der Nähe des Michaelerplatzes, nur diesmal mit präzisen, genau gesetzten Schnitten. Seine Technik hatte sich bereits deutlich verbessert.

Dann war eine längere Pause eingetreten, bis er vor einer Woche dieser Frau im Coupé begegnet war. Und leider sofort etwas unternehmen musste. Nein – nicht *leider*, denn er hatte es genossen. Und er hatte festgestellt, dass ein gewisser Reiz darin lag, die Operation woanders als in einem billigen Stundenhotel durchzuführen. Dass danach alles wie am Schnürchen gelaufen war, hatte ihn nicht überrascht. Diese Stadt hatte etwas Inspirierendes, eine ausgesprochen kreative Atmosphäre, die den Künstler in ihm ansprach.

«Signore?»

Er schlug die Augen auf, stand wieder auf der Piazza und hatte Holzkohlengeruch und Parfumduft in der Nase.

Die blonde Signorina sah ihn besorgt an. «Ist alles in Ordnung, Signore?»

Er holte tief Luft und senkte lächelnd den Kopf. Es war alles in schönster Ordnung – zumal er gerade festgestellt hatte, dass er nicht nur das Messer eingesteckt hatte. Dann erklärte er ihr, was er von ihr wollte, und zog anschließend, um seine Worte zu bekräftigen, den Schlüssel aus der Tasche.

Als sie ihn kommen sah, war sie aus den Arkaden des Palazzo Ducale getreten und hatte ihm den üblichen Blick zugeworfen. Sie hatte ihre Augenbrauen emporgezogen und ein Lächeln angedeutet. Erwartungsgemäß war er stehengeblieben und hatte sie ebenfalls betrachtet – ein Herr mittleren Alters, der einen Gehpelz trug und einen schwarzen Zylinderhut auf dem Kopf hatte. Dass er nicht maskiert war, beruhigte sie. Der Bursche, der seit ein paar Tagen sein Unwesen in Venedig trieb, hatte, wenn man den Gerüchten Glauben schenken konnte, immer eine schwarze Halbmaske getragen.

Ein wenig irritierend fand sie, dass er in eine Art Trance verfallen war, nachdem er sie betrachtet hatte. Er hatte zwei, drei Minuten lang die Augen geschlossen und dazu die Lippen bewegt, wie in einem stummen Gebet. Vermutlich war er ein wenig schüchtern. Also war sie auf ihn zugetreten, und sie hatten sich schnell auf einen großzügigen Pauschalpreis geeinigt.

Das alles – und auch, was der Mann nur im Flüsterton sprach – war ein wenig seltsam, doch sie hatte nichts gegen Kunden, die ausgefallene Wünsche äußerten. Gewöhnlich gehörten solche Männer den gehobenen Kreisen an, zahlten gut und wurden nie gewalttätig. Und wenn jemand Spaß daran hatte, sich ein Hundehalsband anzulegen und zu bellen, wenn sie es miteinander trieben – mein Gott, sollte er doch. Da gab es ganz andere Sachen, die sie störten. Mundgeruch etwa. Auch dass der Mann keinen hatte, sprach für ihn.

Was er von ihr verlangt hatte, bevor sie ins Hotel gehen würden, war ausgesprochen harmlos. Zuerst hatte sie gedacht, er sei ein Verrückter, der sie auf den Pfad der Tugend zurücklenken wollte. Aber als sie ihn darauf ansprach, hatte er lächelnd den Kopf geschüttelt. Offenbar ging es ihm nur um sein eigenes Seelenheil.

Zehn Minuten später hatten sie die Riva degli Schiavoni verlassen und waren in die kleine Gasse eingebogen, die direkt zu San Giovanni in Bragora führte. Es traf sich gut, dass sich das Hotel, in das sie sich nach dem Gebet begeben würden, in unmittelbarer Nähe befand. Vermutlich, dachte sie, würde eine halbe Stunde reichen, um ein paar Kerzen anzuzünden und ein Dutzend Rosenkränze zu beten. Dass der anschließende Hotelbesuch orgiastische Züge annehmen würde, erschien ihr unwahrscheinlich. Es war leicht verdientes Geld.

Als sie den Campo überquert hatten, schloss er das rechte der drei Kirchentore geräuschlos auf, und sie traten ein. Innen schlug ihr ein Dunst von Weihrauch und verwelkten Blumen entgegen. Sie hörte, wie er in der Dunkelheit nach den Kerzen tastete, vernahm das Anreißen des Streichholzes und sah, wie sich eine gelbliche Blase unter seinen Händen entfaltete. Dann folgte sie ihm zum Altar. Langsam, wie in einem Ritual, entzündete er dort Kerze um Kerze, sodass ein bernsteinfarbener Schein in der Dunkelheit schwebte und den unteren Teil der *pala* in ein fahles Licht tauchte.

Auf einen Wink von ihm hatte sie vor dem Altar niedergekniet, um den ersten Teil ihres Vertrags zu erfüllen. Ob sie *laut* beten sollte? Da sie sich nicht sicher war, was er von ihr erwartete, beschloss sie, das *Ave-Maria* mit leiser Stimme zu murmeln.

Ave Maria, gratia plena, Dominus tecum.
Benedicta tu in mulieribus,

Sie hielt inne, um einen Blick über die Schulter zu werfen. Als sie sah, dass der Mann lächelnd auf sie herabblickte, fuhr sie fort:

Et benedictus fructus ventris tui, Iesus.
Sancta Maria, Mater Dei, ora pro nobis peccatoribus,
nunc et in hora mortis nostrae.

Wieder drehte sie den Kopf und stellte fest, dass der Mann sie immer noch mit derselben freundlichen Miene betrachtete. Doch einen Moment später fiel das Lächeln auf seinem Gesicht so unvermittelt von ihm ab, dass sie es fast wie ein Eiszapfen auf dem Boden zerschellen hören konnte. Er beugte sich nach vorne, seine Händen schossen auf sie herab und umklammerten ihren Hals. Als sie begriff, was mit ihr geschah, versuchte sie zu schreien, aber es war schon zu spät.

Es hätte nicht viel gefehlt, und er wäre ebenfalls auf die Knie gesunken. Neben ihr zu sein, zu wissen, was gleich mit ihr geschehen würde, und dabei in ihr *Ave-Maria* einzustimmen, wäre ein reizvoller Akt der Blasphemie gewesen. Andererseits hatte sich das Tier in ihm gemeldet – wobei *gemeldet* untertrieben war, denn in dem Moment, in dem die ersten Verse des *Ave-Maria* über ihre Lippen gekommen waren, hatte es ihn kreischend aufgefordert, zur Tat zu schreiten. Und da nichts dagegen sprach, die Angelegenheit ein wenig zu beschleunigen, hatte er den Augenblick benutzt, in dem sie sich umdrehte und ihn anblickte. Offenbar um festzustellen, ob sie den ersten Teil ihrer Abmachung zu seiner Zufriedenheit erfüllt hatte. Ja, das hatte sie. Dass er auf den zweiten Teil der Abmachung – das gemütliche Zusammensein im Hotel – verzichten würde, wusste sie noch nicht. Aber er bezweifelte, dass sie sich darüber gefreut hätte.

Im Nachhinein betrachtet, war es natürlich ein Fehler gewesen, dass er sie nicht attackiert hatte, als sie ihm noch betend den Rücken zukehrte. Aber so stießen seine Hände von vorne auf ihren Hals herab. Das war vorteilhaft, weil er auf diese Weise die Kraft und den Druck seiner Daumen auf ihrer Kehle nutzen konnte. Es war jedoch auch riskant, weil ein frontaler Angriff ihr die Gelegenheit gab, zu reagieren. Und genau das geschah jetzt.

Er hatte vorgehabt, sich auf sie zu stürzen, ihren Körper mit seinem Gewicht auf den roten Teppich vor dem Altar zu stoßen und dabei seine Daumen so lange wie nötig auf ihrer Kehle zu lassen. Doch anstatt nach hinten zu fallen, gelang es ihr, sich im Fall zur Seite zu drehen und ihm zwei Finger in sein linkes Auge zu stoßen. Der Schmerz war unerträglich, aber noch unerträglicher war der Schrei, den sie ausstieß, nachdem er seine Hände von ihrem Hals lassen musste. Es war der lauteste Schrei, den er je gehört hatte, schrill und durchdringend, er zerschnitt die Stille des Kirchenraums wie ein Messer. Ein Fausthieb schleuderte ihren Kopf gegen die Altarstufen und brachte sie zum Schweigen. Gütiger Himmel! Hatte jemand dieses Gekreische gehört? Diese unwürdige Schreierei vor dem Altar des Herrn? Er erhob sich und lauschte angestrengt in die Dunkelheit. Hörte er klappende Türen, das Geräusch herbeieilender Schritte? Nein, es war absolut still.

Als er sich umwandte und auf sie herabblickte, atmete sie noch. Zwar schwach und röchelnd, aber ihre Lungen saugten immer noch Luft ein und stießen sie wieder aus. Das war gut so, denn er zog es vor, die *Operation* an einem lebenden Körper durchzuführen. Einen ansprechenden Anblick bot sie allerdings nicht mehr. Die Wunde auf ihrer Stirn blutete stark, das Blut war ihr über das linke Augenlid und die Wange bis auf den Mund herabgeflossen.

Er kniete sich nieder und riss ihren Mantel auf. Dann nahm er das Messer aus der Tasche und zog die Klinge mit einer schnellen Handbewegung auf Hüfthöhe durch ihr Kleid. Ein weiterer Schnitt legte ihren Bauch frei. Voilà! Die *Operation* konnte beginnen. Dass der Schnitt durch die Bauchdecke sie aus ihrer Ohnmacht erwachen lassen würde, bezweifelte er. Wenn er von kundiger Hand ausgeführt und mit einem extrem scharfen Messer vorgenommen wurde, war solch ein Schnitt in der Regel schmerzlos. Das Brennen der Wunde kam immer erst später, und sie würde tot sein, bevor sie etwas spüren konnte. Selbstverständlich würde er – so wie die Dinge lagen – das *Organ* auf dem Altar deponieren.

Er räusperte sich, als er die Klinge in fingerbreitem Abstand über ihren Bauch führte, um die genaue Schnittlinie zu bestimmen. Dass er vor dem ersten Einstich immer nervös war, irritierte ihn nicht. Erfahrungsgemäß würde sich seine Nervosität mit jedem weiteren Schnitt legen. Er setzte die Spitze des Messers auf den Bauch und zog sie ein paar Zentimeter über die Haut. Sofort sammelte sich rotes Blut in dem Einschnitt – ein Anblick, der ihn jedes Mal aufs Neue entzückte. Ein weiterer Schnitt verlängerte die Wunde, und er sah, wie noch mehr Blut herausquoll. Als er die Klinge zum dritten Mal ansetzte, diesmal, um sie mit kräftigem Druck über die ganze Schnittlinie zu führen, hörte er plötzlich, wie sich die Tür zur Sakristei öffnete.

27

Hübsch, dachte Tron, der es sich auf einer der roten Polsterbänke im maurischen Salon des Café Florian bequem gemacht hatte. Die Verse, einfache, sich in Paaren reimende Jamben, flossen anmutig dahin, und er bezweifelte inzwischen, ob es wirklich eine gute Idee wäre, das zweiseitige Gedicht auf eine Seite zu kürzen. Andererseits hatte Spaur wieder eine Prosadichtung angekündigt, die in der nächsten Ausgabe des *Emporio della Poesia* mindestens zehn Seiten Platz einnehmen würde. Die Novelle des Polizeipräsidenten über einen alternden Schriftsteller, der sich in Venedig in eine junge Polin verliebt und an der Cholera stirbt – eine selten dämliche Geschichte –, war ein großer Erfolg für Spaur gewesen, und Tron fragte sich, ob …

«Commissario?»

Tron hob erschrocken den Kopf und griff automatisch nach der Meringue, die der Kellner des Florian ihm eben serviert hatte; ein äußerst leckeres Teilchen, bestrichen mit einer üppigen Schicht Schokolade, die ihrerseits von einer Schicht *mousse au chocolat* gekrönt war. Bossi hatte noch einen Satz hinterhergeschoben, von dem Tron nur die Wörter *Kirche*, *Messer* und *Altar* registriert hatte. Sein Verstand war immer noch bei dem *Emporio*.

Der Ispettore wirkte ausgesprochen derangiert. Sein Gesicht war gerötet, und Tron sah Schweißperlen auf seiner Stirn glänzen. Ob er Bossi die Meringue empfehlen sollte? Mit zusätzlicher Schlagsahne? Nein, lieber nicht. Der Ispettore sah nicht so aus, als würden ihn jetzt Gebäckteilchen interessieren.

Tron setzte ein beruhigendes Lächeln auf. «Was ist los, Bossi?»

Nicht dass er es wirklich wissen wollte. Eigentlich wollte er nur in aller Ruhe sein Frühstück beenden, sich gegen zwölf gemütlich in die Questura begeben, um das Verhör von Signor Zuckerkandl mit einem Geständnis abzuschließen.

Bossi hatte Platz genommen und dämpfte die Stimme. Von den Nachbartischen warf man ihnen neugierige Blicke zu. «Er hat gestern Nacht wieder zugeschlagen.»

Wie bitte? Das war ein Satz, den Tron nicht verstand. Die einzige Person, die Bossi meinen konnte, hatten sie gestern verhaftet. «*Wer* hat zugeschlagen?»

«Der Verrückte», sagte Bossi. «Diesmal in einer Kirche. Direkt vor dem Altar.»

Tron legte die Kuchengabel, mit der er den Rest der Meringue aufspießen wollte, wieder auf den Teller zurück. Die *mousse* sah plötzlich grau und unappetitlich aus – wie geronnenes Blut. Er räusperte sich. «In welcher Kirche ist das passiert?»

«In San Giovanni in Bragora», sagte Bossi. «Der Pfarrer war eben auf der Questura. Er hat die Frau vor dem Altar gefunden. Neben ihr lag ein scharfes Messer.» Der Ispettore holte tief Luft. «Ich glaube, dass Zuckerkandl unschuldig ist und der Mann, den wir suchen, noch frei herumläuft.»

Noch frei herumläuft.

«Dann könnte ...», fuhr Bossi fort, brach aber den Satz sofort wieder ab. Es war klar, was er sagen wollte.

Tron nickte. «Stumm hat am vorletzten Sonntag den Nachtzug von Verona nach Venedig benutzt. Der Neffe der Principessa, Signor Sorelli, hat ihn gesehen. Der Oberst war in Zivil.» Tron musste sofort an das Gespräch mit Spaur denken, das ihm bevorstand. «Womit wir vier Tote hätten», sagte er matt.

Bossi schüttelte den Kopf. «Das stimmt nicht.»

«Die erste Tote in der Gondel», sagte Tron. «Die zweite an den Zattere, die dritte im Hotel. Und jetzt die vierte Tote in der Kirche.» Er sah Bossi irritiert an. «*Was* stimmt nicht?»

«Die Frau ist noch am Leben.»

Tron setzte sich ruckartig auf. «Sie *lebt*?»

«Sie ist weniger schwer verletzt, als es zunächst den Anschein hatte.»

«Wer sagt das?»

«Der Arzt, den der Pfarrer gerufen hatte.» Bossi dachte kurz nach, bevor er die Verletzungen aufzählte. «Würgemale am Hals, eine lädierte Nase, eine Platzwunde an der Stirn. Aber sonst nichts.»

«Ist sie bei Bewusstsein?»

«Der Pfarrer sagt, sie kann reden.»

Tron sprang energisch auf.

«Die Gondel wartet am Molo», sagte Bossi.

Offenbar hatte Pater Hieronymus sie bereits auf dem Campo della Bragora kommen sehen, denn die Tür des Pfarrhauses öffnete sich, bevor sie klingeln konnten. Vor ihnen stand ein Mann, der Tron gerade bis zur Schulter reichte.

Tron schätzte Pater Hieronymus auf Mitte fünfzig. Sein

bartloses Gesicht war durchscheinend blass, die braunen Augen etwas vorstehend, der Rand ihrer Lider gerötet. Er trug eine Soutane, darüber ein goldenes Kreuz. Die Hand, die er Tron mit schlaffem Druck gereicht hatte, war auffällig weiß. Sein Kneifer gab ihm das Aussehen eines Privatgelehrten, der sich als Priester verkleidet hatte. Um seine Füße strich eine bräunliche Katze und rieb ihr Fell an seiner Soutane.

«Möchten Sie die Signorina sofort sehen, oder wollen Sie erst mit mir sprechen?» In der Stimme des Paters verband sich eine unerwartet tiefe Tonlage mit einer trägen, aber kultivierten Sprechweise.

«Vielleicht reden wir zuerst», sagte Tron.

«Dann würde ich vorschlagen, dass wir uns in mein Arbeitszimmer begeben», sagte Pater Hieronymus. Er ging voraus, öffnete eine Tür am Ende des Flures und machte einen höflichen Schritt zur Seite.

Das Arbeitszimmer hatte zwei hohe Fenster zum Campo und eine weitere Tür, die zur Kirche führen mochte. Eine ganze Wand wurde von deckenhohen Bücherregalen eingenommen. Zwei altertümliche Holzstühle und ein Lesepult erinnerten Tron an Bilder, auf denen der heilige Hieronymus in seinem Studierzimmer dargestellt war. Auf einer Staffelei stand ein zur Hälfte gereinigtes Gemälde mit einer Flusslandschaft. Daneben, auf einem Tischchen, sah Tron eine Sammlung von Pinseln, Tuben, Schabern und Fläschchen. Es roch nach Ölfarbe und Lösungsmittel.

«Ich bin nicht nur zum Hüter meiner Schäfchen bestimmt», sagte Pater Hieronymus, nachdem sie Platz genommen hatten, «sondern auch für das verantwortlich, was frühere Generationen unserer Kirche hinterlassen haben.»

Womit er offenbar das künstlerische Inventar der Kirche

meinte, das dem Pater, vermutete Tron, vielleicht mehr am Herzen lag als seine Schäfchen.

«Ich nehme an, Sie wissen», fuhr der Pater fort, «was die Stadt an dieser Kirche hat.» Er warf einen inquisitorischen Blick auf seine Besucher.

Nein, das wusste Tron nicht. Jedenfalls nicht so genau. Hing hier ein Tintoretto? Oder gar ein Tizian? Oder womöglich zwei von jeder Sorte? Vorsichtshalber senkte er bejahend den Kopf. Die Katze, ein Tier mit mähnenartigem Nackenfell, war dem Pater gefolgt, und Tron musste unwillkürlich lächeln. Der Löwe zählte zu den Attributen des heiligen Hieronymus. Pater Hieronymus hatte Trons Blick bemerkt. «Hätte es *Gattopardo* nicht gegeben», sagte er lächelnd, «würde die Signorina nicht mehr leben.»

«Gattopardo?»

«Meine Katze», sagte der Pater. «Sie ist auf mein Bett gesprungen und hat gemaunzt. Davon bin ich wach geworden. Ich wollte aufstehen, um Milch aus der Küche zu holen, aber dann habe ich diesen Schrei gehört. Er kam direkt aus der Kirche. Also habe ich mir etwas übergezogen und bin durch die Sakristei dorthin gelaufen. Als ich die Tür öffnete», fuhr der Pater fort, «sah ich einen Mann, der neben einer liegenden Person kniete und ein Messer in der Hand hatte. Wie auf dem Maggiotto. Ich war gewissermaßen der Engel.»

«Maggiotto?»

Pater Hieronymus sah Tron an wie einen Erstklässler. «*Das Opfer Abrahams*, Commissario. Im rechten Gang.»

Aha, offenbar handelte es sich um ein Gemälde, und Maggiotto war der Maler. Tron nickte verständnisvoll.

«Als der Mann mich hörte», fuhr Pater Hieronymus fort, «ist er aufgesprungen.»

«Und dann?»

«Habe ich ihn angeschrien. Ich bin schließlich kein Engel. Er hätte mich töten können. Aber er zog es vor zu verschwinden.»

«Auf welchem Weg?»

«Vermutlich durch die Tür, die er auch benutzt hatte, um zusammen mit der Frau die Kirche zu betreten.»

«Sind die Kirchentüren nicht nachts abgeschlossen?»

«Natürlich sind sie das.»

«Dann hat der Mann entweder einen Dietrich benutzt oder einen Schlüssel gehabt.»

Der Pater schüttelte den Kopf. «Die Schlösser zu den drei Portalen sind vor einem halben Jahr ausgewechselt worden, nachdem jemand versucht hatte, unseren Vivarini zu stehlen.» Wieder setzte Pater Hieronymus voraus, dass seine Besucher über die Ausstattung der Kirche im Bilde waren. «Mit einem Dietrich», beendete er seinen Gedankengang, «ist nicht viel anzufangen.»

«Wollen Sie damit sagen, dass der Mann einen Schlüssel benutzt hat?»

Der Pater nickte. «Zumal ich einen meiner beiden Schlüssel vermisst habe.»

«Wo bewahren Sie die Schlüssel normalerweise auf?»

«An einem Brett in der Sakristei.»

«Wer hat Zugang zur Sakristei?»

«Der Küster, meine Haushälterin und meine Besucher. Die betreten mein Arbeitszimmer durch die Sakristei.»

«Und wer besucht Sie?»

«Alle möglichen Leute mit unterschiedlichen Anliegen.»

«Es könnte also einer Ihrer Besucher den Schlüssel entwendet haben.»

«Das wäre möglich.»

«Wann haben Sie entdeckt, dass einer der beiden Schlüssel verschwunden ist?»

«Vor ein paar Tagen. Was aber nicht bedeuten muss, dass der Schlüssel schon seit einiger Zeit nicht mehr da ist.» Pater Hieronymus sah Tron an. «War es der Mann, der die Frau auf der Gondel ermordet hat?»

«Wir gehen davon aus», sagte Tron.

«Ich habe den Artikel in der *Gazzetta* gelesen.» Der Pater schüttelte entsetzt den Kopf.

«Vor zwei Tagen», sagte Tron, «hat der Mann auch eine Frau in einem Hotel ermordet.»

«Ist der Frau ebenfalls die Leber entnommen worden?»

Tron nickte. Plötzlich fiel ihm der Maggiotto ein – die Opferung Isaaks durch Abraham. «Ich frage mich», sagte er langsam, «ob es sich dabei nicht um eine Art Opferritual handelt. Vielleicht war es kein Zufall, dass der Mann versucht hat, die Frau direkt vor dem Altar zu töten.»

Pater Hieronymus dachte kurz nach. «Das ist möglich. Nur dass es dem Mörder nicht auf das Töten ankam.»

«Worauf sonst?»

Der Pater sah Tron triumphierend an. «Darauf, dem Organ Informationen zu entnehmen.»

Es dauerte einen Moment, bis Tron verstand, was der Pater damit meinte. «Sie glauben, es hat sich um ein Augurium, eine Weissagung aus den Eingeweiden, gehandelt?»

Pater Hieronymus nickte selbstgefällig. «Der Mann könnte die Vorstellung haben, dass ein Augurium auf geweihtem Boden besonders präzise Weissagungen erlaubt. Jedenfalls», fuhr er fort, «wäre ein Augurium die Erklärung dafür, dass der Mann seinen Opfern die Leber entnimmt.»

«Eine andere Erklärung», sagte Tron freundlich, «wäre die, dass der Mann schlicht und einfach verrückt ist.»

Doch dies war ein Gedankengang, den der Pater – wie

seine Miene deutlich besagte – für *zu* schlicht hielt. «Sie heißt Maria Maggiotto», sagte er, indem er sich säuerlich lächelnd erhob. «Aber sie kennt den Maler gar nicht. Kommen Sie, Commissario. Ich bringe Sie zu ihr.»

28

«Bemerkenswert», sagte Tron, als sie eine gute Stunde später wieder auf den Campo della Bragora traten. Der Himmel sah kränklich und bleich aus, es hatte angefangen zu nieseln.

«Was ist bemerkenswert, Commissario?» Bossi spannte seinen Regenschirm auf, um seine frischgebügelte Uniform vor Wasserflecken zu bewahren.

«Dass unser Mann nicht maskiert war», sagte Tron. «Und wie gut die Signorina das Ereignis überstanden hat.»

Für eine Frau, die dem Tod durch einen bloßen Zufall – oder das Maunzen einer Katze – entronnen war, hatte Signorina Maggiotti in der Tat einen bemerkenswert guten Eindruck gemacht. Auch die Würgemale am Hals und die Platzwunde auf ihrer Stirn sahen eher harmlos aus. Die lädierte Nase, die Bossi erwähnt hatte, wies lediglich einen Kratzer auf.

Sie hatten ein langes Gespräch mit der jungen Frau geführt, während diese, halb aufgerichtet in den Kissen, mit sichtlichem Behagen eine Hühnerbrühe geschlürft hatte. Offenbar genoss sie den Aufenthalt im Pfarrhaus, das bequeme Bett und die Fürsorge des Priesters. Sie schien bereits auf einem Plauderfuß mit Pater Hieronymus zu stehen und hatte die Absicht bekundet, nach den Ereignissen der letzten Nacht *auszusteigen*. Doch das, dachte Tron, sagten die jungen Frauen vermutlich immer, wenn sie in Schwierigkeiten geraten waren.

«Wir können», fuhr er fort, «aus dem Umstand, dass der Mann nicht maskiert war, ein paar interessante Schlüsse ziehen.»

«Und welche?»

«Dass er gestern improvisiert hat», sagte Tron. «Wahrscheinlich hatte er gar nicht die Absicht, sich ein Opfer zu suchen, als er aus dem Haus ging, und wollte nur eine Runde über die Piazza drehen.»

«Und da hat Signorina Maggiotti ihn angesprochen.»

Tron nickte. «Er sieht ihre blonden Haare, und etwas in ihm reagiert – wie ein Hund auf einen Befehl. Oder so wie bei ganz normalen Menschen manchmal eine automatische Reaktion abläuft, wenn sie ein bestimmtes Wort hören.»

Bossi schien irritiert. «Automatische Reaktion?»

«Ga-ri-bal-di», sagte Tron langsam, jede Silbe betonend.

Sofort ging ein Ruck durch Bossis Körper, als hätte er eine galvanische Apparatur berührt. Sein Rückgrat straffte sich, und seine Augen leuchteten auf. Er schien ein paar Zentimeter zu wachsen.

«Genau das meine ich», sagte Tron, der ein Lachen unterdrücken musste. «Die blonden Haare lösen einen Reiz bei ihm aus, und er beschließt, sich diese Frau nicht entgehen zu lassen. Dass er sein Gesicht anschließend im Dunkeln gehalten und geflüstert hat, geschah vermutlich instinktiv.»

«Und der Schlüssel? Wie kam er an den Schlüssel? Hatte er den rein zufällig mit?»

Tron hob die Schultern. «Gute Frage. Ich weiß es nicht.»

«Was denken Sie über die Theorie von Pater Hieronymus, dass es sich um ein heidnisches Ritual gehandelt haben könnte?»

«Der Pater gehört zu den Leuten, die gerne mit einer gelehrten Erklärung aufwarten», sagte Tron. «Haben Sie sich seine Bibliothek angesehen?»

Bossi schüttelte den Kopf.

«Sie besteht hauptsächlich aus antiken Klassikern», sagte Tron. «Kein Wunder, dass der Pater sofort an ein Augurium gedacht hat.»

«Dann war es also eher ein Zufall, dass der Mann versucht hat, die Frau direkt vor dem Altar zu töten.»

Tron zuckte die Achseln. «Auf jeden Fall hat er eine Vorliebe für ungewöhnliche Schauplätze. Der Artikel in der *Gazzetta* wird ihn gefreut haben.»

Der Ispettore blieb stehen und schwenkte seinen Regenschirm haarscharf an Trons Zylinderhut vorbei. «Ob er nach diesem Fehlschlag aufhört?»

«Wer immer es ist», sagte Tron, «er weiß vermutlich, dass die Signorina ihn *nicht* identifizieren kann. Und denkbar wäre auch, dass er versucht, die Scharte wieder auszuwetzen.»

«Sie meinen, er könnte erneut zuschlagen?»

«Auszuschließen ist es nicht», sagte Tron müde.

Bossi sah ihn an wie einen zum Tode Verurteilten. «Was werden Sie Spaur sagen?»

Großer Gott, Spaur! Tron hatte völlig vergessen, dass ihm noch ein Gespräch mit dem Polizeipräsidenten bevorstand. Der womöglich von seinem Adlatus, Sergeant Kranzler, bereits erfahren hatte, dass sie den Mörder gefasst hatten und nur noch ein Geständnis brauchten. Wahrscheinlich hatte Spaur bereits den roten Teppich für ihn ausgerollt.

Sergeant Kranzler strahlte wie ein Kronleuchter, als Tron das Vorzimmer des Polizeipräsidenten betrat. «Der Baron erwartet Sie bereits.»

Na bitte. Offenbar war Spaur bis jetzt tatsächlich nur über die Verhaftung Zuckerkandls informiert und wusste noch nicht, was sich gestern Nacht zugetragen hatte. Tron fragte sich, wie Spaur die Nachrichten verkraften würde.

«Gute Arbeit», sagte Spaur, nachdem Tron Platz genommen hatte. Der Polizeipräsident strahlte ebenfalls wie ein Kronleuchter. «Der Bursche hat gedacht, die Gondel fährt ihn zum Bahnhof, und dann landet er vor der Questura. Genial, Commissario. Damit dürfte der Fall abgeschlossen sein. Die Baronin hatte sich bereits Sorgen gemacht.» Spaur fischte ein Praliné aus der obligatorischen Demel-Schachtel auf seinem Schreibtisch und lehnte sich befriedigt zurück.

«Baron, ich ...»

Spaur hob die Hand. «Keine falsche Bescheidenheit.» Er sah Tron an. «Glauben Sie, dass er bald gesteht?»

«Ich fürchte, wir ...»

Spaur lächelte wohlwollend. «Hauptsache, wir haben ihn aus dem Verkehr gezogen.»

Tron nahm einen neuen Anlauf. «Ich fürchte, dass Signor Zuckerkandl nicht gestehen wird.»

Spaur sah Tron verständnislos an. «Setzen Sie ihn auf Wasser und Brot. Spätestens nach drei Tagen wird er reden.»

«Er wird ...»

«Falls wir überhaupt», fuhr Spaur fort, «ein Geständnis brauchen. Immerhin ist der Mann verrückt.»

Tron schüttelte den Kopf. «Zuckerkandl wird nicht gestehen, weil er mit der Sache nichts zu tun hat. Der Mann ist unschuldig.»

Spaurs Hand, die sich nach einem Praliné ausgestreckt hatte, verharrte regungslos in der Luft. «Wie bitte?»

Tron holte tief Atem. «Der Mörder ist immer noch frei. Er hat gestern Nacht versucht, eine Frau zu töten.»

Für einen Mann, dessen Träume sich eben in Luft aufgelöst hatten und dem ein unangenehmes Gespräch mit seiner Gattin bevorstand, war Spaurs Reaktion bemerkenswert gelassen. Er zog eine Flasche Grappa und ein Glas aus der Schublade seines Schreibtisches, schenkte sich ein und trank. «Erzählen Sie.»

Als Tron mit seinem Bericht zu Ende gekommen war, hatte Spaur drei weitere Grappe getrunken und die Demel-Schachtel geleert. Sein Schreibtisch war mit kleinen Papierstücken übersät, in denen die Pralinen eingewickelt waren. «Wo ist das alles passiert?»

Tron war sich sicher, dass er den Namen der Kirche erwähnt hatte. «In San Giovanni in Bragora», sagte er. «Der Täter hatte offenbar einen Schlüssel. Pater Hieronymus vermutet, dass er ihn aus der Sakristei gestohlen hat.»

Spaur machte ein überraschtes Gesicht. «Sagten Sie Pater Hieronymus?»

Tron nickte. Den Namen des Priesters hatte er ebenfalls schon erwähnt. Er fragte sich, ob Spaur ihm überhaupt zugehört hatte.

Der überraschte Gesichtsausdruck Spaurs hatte sich noch verstärkt. «Der Mann, der wie ein Gelehrter auftritt und Veneziano wie ein Einheimischer spricht?»

«Und der eine Katze hat, die wie ein Löwe aussieht», sagte Tron. «Wieso? Stammt er etwa gar nicht aus Venedig?»

«Nein, er kommt aus Wien», sagte Spaur, «und ist seit 1848 in Venedig. Damals hat er auch seinen Beruf gewechselt. Und seinen Namen.»

Tron runzelte die Stirn. «Was war er vorher?»

«Ein kaiserlicher Offizier», sagte Spaur. «Leutnant Holenia im Dragonerregiment Maria Isabella.»

Tron brauchte ein paar Sekunden, um zu begreifen, was

Spaur gerade gesagt hatte. «Also war Pater Hieronymus im selben Regiment wie …»

Spaur nickte. «Wie Stumm von Bordwehr.»

«Der Oberst könnte den Pater besucht haben, und dabei könnte er den Schlüssel entwendet haben.»

Spaur verdrehte die Augen. «Nachdem er sich gesagt haben *könnte*, dass er auch mal in einer Kirche einen Mord begehen *könnte*? Das sind zu viele *Könnte*, Commissario! Ich weiß nicht einmal, ob die beiden zur selben Zeit im Regiment waren. Vielleicht sind sie sich ja nie begegnet.»

«Es wäre», sagte Tron, «nicht die einzige Spur, die zu Stumm führt. Wir konnten inzwischen die Tote an den Zattere identifizieren. Sie ist am vorletzten Sonntag im Nachtzug von Verona nach Venedig ermordet worden. In einem Zug, den auch der Oberst benutzt hat.»

Spaur schüttelte den Kopf. «Sie hatten zuerst eine Spur, die zu Grassi führte, und dann eine, die zu Zuckerkandl führte.» Der Polizeipräsident lockerte seinen Kragen mit der fahrigen Bewegung eines Mannes, der kurz vor einem Nervenzusammenbruch steht. «Nein, Commissario. Ich glaube nicht mehr an Ihre Spuren. Hier handelt es sich um einen Wahnsinnigen. Nicht um einen kaiserlichen Offizier.»

Spaur stand auf, ging schwankend zum Fenster, öffnete es und holte ein paarmal tief Luft. Nachdem er sich wieder gesetzt hatte, stellte er die entscheidende Frage. «Wird der Mann wieder zuschlagen? Oder ist er auf der Flucht?»

«Das hat mich Bossi auch gefragt», sagte Tron.

«Was haben Sie geantwortet?»

«Dass er wieder zuschlagen wird.»

«Und warum?»

«Weil er eitel und verrückt ist», sagte Tron. «Und weil er weiß, dass wir nicht hinter jede *mammola* einen Polizisten stellen können.»

29

Das Kleid war aus grünlich changierender Seide und hatte ein mit winzigen Perlen besetztes Oberteil, das im Schein der Petroleumlampen verführerisch funkelte. Es hing über einer samtüberzogenen Schneiderpuppe im Schaufenster von Petrucci. Direkt neben dem Café Quadri gelegen, war Petrucci *das* Modegeschäft Venedigs. Jedenfalls, dachte Carla Dolci, wenn man das nötige Kleingeld hatte.

Hinter der Schneiderpuppe war ein niedriger Vorhang angebracht; durch ihn hindurch konnte sie ein elegantes Paar sehen, das gerade mit einem der Angestellten verhandelte. Die Dame lachte, und Carla Dolci fragte sich, ob auch sie eines Tages bei Petrucci einkaufen und mit dem Verkäufer scherzen würde. Sie schätzte, dass sie mindestens ein Jahr lang arbeiten müsste, um sich ein solches Kleid wie im Schaufenster kaufen zu können. Was bedeutete, dass sie es sich nie leisten konnte.

Sie trat zur Seite, um einer Dame und einem Herrn Platz zu machen, die sich dem Schaufenster von Petrucci genähert hatten. Als sie sich umdrehte, traf ihr Blick den des Mannes, und der Bursche hatte tatsächlich die Nerven, ihr zuzuzwinkern. Hatte er erkannt, wie sie ihre Brötchen verdiente? Vielleicht an der etwas zu dick aufgetragenen Schminke? Oder an den schwarzen Wimpern, die ein wenig zu lang waren, um echt zu sein? Wahrscheinlich. Es war auch wenig sinnvoll, dass man es ihr *nicht* ansah, in welchem Gewerbe sie arbeitete. Schließlich konnte sie sich kein Schild um den Hals hängen, auf dem ihre Tarife standen.

Was sie konnte und jetzt tat, war, mit wiegenden Hüften die Piazza zu überqueren und dabei einzelne Herren mit anzüglichen Blicken zu bedenken. Natürlich geschah dies mehr oder weniger automatisch, denn sie wäre nie auf den Gedanken gekommen, hier nach Kunden zu fischen – schon gar nicht an einem erstaunlich milden Februarabend, der halb Venedig auf die Piazza getrieben hatte. Der Markusplatz war für ihr Gewerbe tabu. Da verstand Ispettor Bossi, der gutaussehende Leiter der Polizeiwache an der Piazza, keinen Spaß.

Carla Dolci blieb im trüben Licht einer Gaslaterne vor dem Palazzo Ducale stehen und zündete sich eine Zigarette an. Die dünne Rauchsäule stieg auf und verflüchtigte sich in der nebligen Nachtluft. Als ein maskierter Signore an ihr vorbeilief und ihr einen Blick zuwarf, fühlte sie sich einen Moment lang unbehaglich. Hatte sie sich jetzt auch von der Nervosität ihrer Kolleginnen anstecken lassen? Sie war sich nicht mehr so sicher.

Natürlich waren die Gespräche, die sie in den letzten Tagen geführt hatten, immer nur um ein Thema gekreist: Hatte sich der Verrückte, der auf der Gondel und im Seguso zugeschlagen hatte, aus dem Staub gemacht, oder lag er noch immer auf der Lauer? Die eine Hälfte der Frauen war davon überzeugt, dass der Mann Venedig verlassen hatte, während die andere glaubte, er halte sich immer noch in der Stadt auf und könne jederzeit wieder zuschlagen. Ähnlich kontrovers wurde die Blondinenfrage diskutiert. War es reiner Zufall, dass ausgerechnet zwei blonde Frauen gestorben waren, und hätte es ebenso gut eine Brünette treffen können? Wenn es stimmte, dass sich der Mann ausschließlich an Blondinen hielt, musste sie allerdings auf der Hut sein.

Doch Carla Dolci hatte sich inzwischen längst eine eigene Meinung gebildet. Für sie stand fest, dass der Mann die Stadt verlassen hatte und es sich rein zufällig um Blondinen gehandelt hatte. Folglich gab es nicht den geringsten Grund, mitten in der Karnevalszeit eine Arbeitspause einzulegen, zumal sich die Tarife innerhalb von zwei Tagen um ein Viertel erhöht hatten. *Risikoprämie* hatte es einer ihrer Kunden gestern genannt – ein Wort, das ihr nicht bekannt war. Jedenfalls konnte ihr das nur recht sein. Nach kurzem Nachdenken beschloss sie, ihr Glück heute Abend im Stella zu versuchen.

Ein Stunde später schloss Carla Dolci die Tür eines Zimmers im Imperiale auf und gratulierte sich dazu, wie schnell alles gegangen war. Das Stella war gerammelt voll gewesen, und sie hatte freie Auswahl gehabt. Entschieden hatte sie sich für einen Herrn mittleren Alters ohne Mundgeruch. Dass er eine schwarze Halbmaske trug – geschenkt. Jeder zweite Mann im Stella trug eine schwarze *bautta*. Auch dass er mit einem ausländischen Akzent sprach, irritierte sie nicht. Viele Gäste im Stella sprachen mit einem ausländischen Akzent. Als Signor Crespi, der Concierge, ihr den Schlüssel aushändigte, hatte er ihr einen besorgten Blick zugeworfen. Kein Wunder – er gehörte zu der Fraktion, die fest davon überzeugt war, dass sich der Gondelmörder immer noch in der Stadt aufhielt.

Doch selbst falls das zutreffen sollte, dachte sie amüsiert, dann doch gewiss nicht in ihrem Zimmer. Der Mann, der jetzt seine Maske abgenommen hatte, bot ein Bild vollendeter Harmlosigkeit. Auf seine Stirn, Nase, Kinn und

Mund traf nur ein Wort zu: unauffällig. Er hielt sich kerzengerade, vermutlich wollte er sich als Offizier in Zivil präsentieren. Viele Zivilisten taten das, um sich ein Air zu geben. Meistens wirkte es lächerlich.

Genauso lächerlich wie der militärische Ton, den der Bursche jetzt anschlug. Er hatte seinen Gehrock ausgezogen und lag, den Rücken an die Wand gelehnt, in Hemdsärmeln auf dem Bett. Neben ihm auf dem Nachttisch stand die obligatorische, im Preis inbegriffene Flasche Champagner.

«Aufheben und auf den Bügel», sagte der Bursche. Er zeigte auf seinen Gehrock, der vom Fußende des Bettes gerutscht war.

Im Hinblick auf das, was nun auf dem Programm stand, fand sie diesen Ton ein wenig barsch. Aber wenn der Kerl das brauchte – warum nicht? Vor zwei Wochen hatte ein Kunde von ihr verlangt, dass sie erst strammstand und anschließend – äußerst locker bekleidet – salutierte. Zwanzigmal hintereinander. Selbstverständlich hatten sie sich vorher über die Kosten für diese zusätzliche Leistung geeinigt.

Sie bückte sich, wobei sie auf ein routinemäßiges Lächeln verzichtete – Rekruten auf dem Kasernenhof lächelten nicht. Dann hob sie den Gehrock auf und ging langsam zum Schrank.

Vermutlich, dachte sie später, hätte sie das Messer nicht entdeckt, wenn ihr der Gehrock nicht aus der Hand gerutscht wäre, als sie ihn auf den Bügel hängen wollte. Gerade wollte sie ihn aufheben, da sah sie, wie sich unter dem Stoff der Außentasche ein kleiner, schmaler Gegenstand abzeichnete, nicht länger als eine Hand. Den Rücken zum Bett, bückte sie sich, dabei ließ sie die Finger ihrer rechten Hand in die Tasche des Gehrocks gleiten und zog den Gegenstand hervor. Die Petroleumlampe stand hinter ihr auf dem Nachttisch, sodass ihr Körper einen Schatten warf, aber das Licht reichte aus, um zu erkennen, was sie in der Hand hielt: ein längliches Gerät aus Holz, das in der Mitte einen Schlitz hatte und an einer Seite ein Scharnier. Dann begriff sie – und ihr Verstand befand sich plötzlich in freiem Fall –, dass es sich um ein Rasiermesser handelte. *Ein Rasiermesser.*

Weiß der Himmel, woher der Entschluss kam, nicht schreiend aus dem Zimmer zu flüchten. Auf einmal wusste sie, was zu tun war. Was nicht bedeutete, dass sie keine Angst hatte und ihr das Herz nicht bis zum Hals klopfte. Als sie sich umdrehte, fühlten sich ihre Beine an wie Gummi, aber sie schaffte es, die paar Schritte bis zum Kopfende zu machen, ohne zu straucheln. Es gelang ihr auch, die Champagnerflasche zu nehmen und dabei zu lächeln. Der Mann hatte sich halb aufgerichtet und blickte ihr ins Gesicht. Deshalb entging ihm auch, dass sie die Champagnerflasche *am Hals* gepackt hatte – wie eine Keule.

Sie lächelte immer noch, als die Flasche auf den Kopf des Mannes herabsauste, seine Stirn traf und zerplatzte wie bei einer Schiffstaufe. Ein paar Spritzer landeten auf ihrem Gesicht. Der Mann stieß mit dem Kopf gegen die hölzerne Rückwand des Bettes, prallte ab wie eine Billardkugel und kippte dann seitlich weg. Rotes Blut strömte aus einer Stirnwunde und sickerte in das Kissen. Der Mann hatte die Augen geschlossen. Er röchelte, und einen Augenblick später ging das Röcheln in ein flaches, unregelmäßiges Atmen über. Hätte sie zu diesem Zeitpunkt noch eine intakte Flasche in der Hand gehabt, so hätte sie vermutlich ein zweites Mal zugeschlagen – gewissermaßen, um den Vorgang abzuschließen. Doch das wäre, wie sich später herausstellte, keine gute Idee gewesen.

Also trat sie einen unsicheren Schritt zurück, kam ins Stolpern und wäre gefallen, wenn sie sich nicht am Pfosten des Bettes festgehalten hätte. Dann schloss sie die Augen, machte einen tiefen, keuchenden Atemzug und stieß den lautesten Schrei ihres Lebens aus – einen von der Sorte, die mühelos durch dicke Wände dringt und Gläser zerspringen lässt.

Signor Crespi, einen Bleistift in der Hand, hörte den Schrei, als er gerade die Anmeldeformulare der letzten Woche ordnete. Das Hotel Imperiale war kein reines Stundenhotel. Es gab immer eine Reihe von alleinstehenden Herren, die hier länger logierten und denen er gerne behilflich war, etwas Passendes für die Nacht zu finden. Signor Crespi kannte den Artikel in der *Gazzetta*. Natürlich wusste er auch, was dem Kollegen in der Pensione Seguso passiert war. Er sprang von seinem Schreibtisch auf, rannte zur Treppe, kehrte dann aber wieder zurück, um schnell einen Revolver aus der Schublade zu ziehen. Die Waffe, die er offiziell gar nicht besitzen durfte, war nicht geladen, und Signor Crespi besaß auch keine Munition. Er war davon ausgegangen, dass es in den meisten Fällen ausreichend war, den Revolver zu zeigen und den Hahn knacken zu lassen – ein Fall, der bisher noch nie eingetreten war. Ob er mit seiner Vermutung recht hatte, würde sich jetzt herausstellen.

Als Carla Dolci die Augen wieder öffnete, erkannte sie Signor Crespi unter dem Türsturz. Er hatte große, vom Schreck geweitete Augen, hielt einen Revolver in der Hand und sah ausgesprochen verstört aus. Ihr Verstand war inzwischen nicht mehr in der Lage, den Ereignissen zu folgen, aber ihr Gefühl sagte ihr, dass sie jetzt in Sicherheit war. Dann gaben ihre Beine nach und sie sank zu Boden. Das Letzte, was sie sah, bevor sich eine gnädige Ohnmacht über sie breitete, war das Bild eines perlenbesetzten Kleides, das im Schaufenster eines Ladens an der Piazza hing.

30

Trotz des bombastischen Namens war das Hotel Imperiale nicht mehr als eine mittelgroße Absteige mit abblätternder Fassade, die überwiegend von Laufkundschaft aus den nahegelegenen Etablissements frequentiert wurde, also ein Stundenhotel. Das sich allerdings, ähnlich wie die Pensione Seguso, einen seriösen Anstrich gab. Dementsprechend trug Signor Crespi, der Besitzer, einen tadellosen Gehrock. Die kleine Lobby präsentierte sich als Empfangshalle einer harmlosen Familienpension. Auch der Mann und die junge Frau, die gerade die Treppe herunterkamen, als Tron und Bossi das Imperiale betraten, hätten auf den ersten Blick als normale Reisende durchgehen können. Nur dass die junge Frau zu viel Rouge aufgetragen hatte und ebenso wie der Mann beim Anblick von Bossis Uniform sofort nervös guckte. Sie gaben den Schlüssel ab, nickten Signor Crespi flüchtig zu und verdrückten sich eilig. Von den beiden Sergenti, die Bossi bereits vorausgeschickt hatte, war nichts zu sehen.

«Ich habe Ihren Leuten zwei Stühle und ein paar Getränke nach oben bringen lassen», sagte Signor Crespi, nachdem er Tron und Bossi mit einer höflichen Verbeugung begrüßt hatte. «Sie sitzen vor der Tür. Dritter Stock, Zimmer vier.»

Er sprach in einem Ton, als wäre die Ergreifung des Ausweiders Teil des normalen Hotelbetriebes. Obwohl Signor Crespi groß und hager war, erinnerte er Tron an den dicken Concierge in der Pensione Seguso.

«Und der Mann?»

«Liegt gefesselt auf dem Bett. Seine Verwundung ist weniger schwer, als es zunächst den Anschein hatte. Er war sogar in der Lage zu sprechen.»

«Woher wissen Sie das?»

Signor Crespi lächelte schmerzlich. «Weil er mich ziemlich rüde beschimpft hat.»

«Hatten *Sie* ihn gefesselt?»

Signor Crespi nickte gemessen. «Es erschien mir ratsam. Selbstverständlich war der *cavaliere* zu diesem Zeitpunkt noch bewusstlos. Er ist erst zum Schluss erwacht und hat sich kräftig gewehrt.»

Tron sah sich um. «Und die Signorina, die den Mann niedergeschlagen hat?»

«Signorina Dolci wartet in meinem Privatbüro.» Signor Crespis gepflegte Hand wies auf eine halb angelehnte Tür hinter dem Empfangsschalter.

«Ist sie verletzt?»

Signor Crespi schüttelte den Kopf. «Glücklicherweise nicht. Sie nimmt gerade etwas zu sich.»

Signorina Dolci nahm tatsächlich etwas zu sich. Sie saß auf dem roten Plüschsofa, das im Hinterzimmer von Signor Crespi stand, trank Kaffee und verspeiste ein Stück Kuchen. Als Tron und Bossi das Zimmer betraten, faltete sie die *Gazzetta di Venezia*, in der sie bis eben gelesen hatte, zusammen. Wenn sie denn tatsächlich gelesen hatte, dachte Tron. Die meisten Frauen in diesem Gewerbe konnten nicht lesen. In Venedig, der Stadt der gebildeten Kurtisanen, taten sie aber gerne so. Tron fand, dass Carla Dolci für eine Frau, die gerade dem Tod entronnen war, erstaunlich gelassen wirkte. Dass sie blond war, überraschte ihn nicht. Der Ausweider schien eindeutig auf Blondinen abonniert zu sein.

«Ich bin Commissario Tron», sagte Tron. «Und das ist Ispettor Bossi.» Er trat einen Schritt in den Raum hinein, machte aber keine Anstalten, sich auf einem der Stühle niederzulassen. «Wie fühlen Sie sich?»

Signorina Dolci lehnte sich auf dem Sofa zurück. «Mir geht es gut, Commissario.» Der Aussprache nach kam sie aus Triest.

Tron lächelte. «Das freut mich. Wären Sie einverstanden, wenn ich Ihnen ein paar Fragen stelle?» Die Frau nickte.

«Wo haben Sie den Mann getroffen, Signorina Dolci?»

«Im Stella.»

«Wann war das?»

Signorina Dolci überlegte kurz. «Gegen acht Uhr. Wir sind zehn Minuten später im Imperiale angekommen.»

«Haben Sie miteinander geredet?»

Sie schüttelte den Kopf. «Er wollte nur wissen, woher ich komme, und ich habe es ihm gesagt.»

«Aus Triest?»

«Beinahe, Ispettore.» Signorina Dolci lächelte. «Aus Capodistria. Aber meine Mutter kam aus Triest.»

«Hat er Ihnen verraten, wo *er* herkommt?», fragte Tron.

«Nein. Ich habe es ihn auch nicht gefragt. Aber er sprach wie ein Ausländer.»

«Und Sie hatten keine Angst vor dem Mann? Obwohl er Italienisch mit Akzent sprach und eine Halbmaske trug?»

Signorina Dolci schüttelte den Kopf.

«Warum nicht?»

«Weil ich davon überzeugt war, dass der Aufschlitzer Venedig bereits verlassen hat.»

«Was ist passiert, als Sie im Zimmer waren?»

«Er hat sich aufs Bett gelegt und mir befohlen, seinen Gehrock auf einen Bügel zu hängen.»

«Ihnen *befohlen*?»

«Ja, er sprach plötzlich in einer Art Befehlston.»

«Und Sie haben getan, worum er Sie gebeten hat?»

Signorina Dolci nickte. «Und dabei habe ich das Messer entdeckt. Da steckte etwas Längliches, Hartes in der Seitentasche seines Gehrockes. Ich wurde neugierig, vielleicht auch ein wenig misstrauisch. Ich zog das Ding kurz heraus und sah, dass es sich um ein Rasiermesser handelte.»

«Waren Sie schockiert?»

«Natürlich.»

«Aber warum sind Sie nicht aus dem Zimmer gerannt, nachdem Sie das Messer entdeckt hatten?»

Ein naheliegende Frage. Tron hatte den Eindruck, dass Signorina Dolci selbst nicht wusste, warum sie nicht geflüchtet war. Sie starrte ratlos auf die Zinken ihrer Kuchengabel. «Das kann ich Ihnen nicht sagen, Commissario. Vielleicht weil ich einfach wütend war.»

«Erzählen Sie weiter.»

«Dann habe ich mich langsam umgedreht und bin zum Bett gelaufen.»

«Um was zu tun?»

«Dem Mann einen Schlag mit der Champagnerflasche zu versetzen. Ich hab ihn an der Stirn erwischt. Sein Kopf ist nach links gekippt, und er war bewusstlos. Es ging leichter, als ich gedacht hatte.»

«Und danach?»

«Habe ich geschrien. So laut ich konnte. Und dann stand Signor Crespi plötzlich im Zimmer.» Signorina Dolci griff nach der Kuchengabel. «Ist der Spuk jetzt vorbei?»

Tron lächelte – auch über den Griff zur Kuchengabel. «Der Spuk ist vorbei.»

Signorina Dolci spießte ein Stück Kirschtorte auf und sagte wütend: «Der Mann sah völlig normal aus.»

Der Mann sah völlig normal aus, dachte Tron, als er mit Bossi die Treppen zum dritten Stock hinaufstieg. So hatte ihn auch die Signorina beschrieben, die gestern Nacht in der Kirche entkommen war, und ähnlich hatte sich auch der Gondoliere geäußert. Kein augenrollendes Monstrum mit Schaum vor dem Mund, sondern ein Mann, dessen Verstand offenbar einwandfrei funktionierte – bis auf den kleinen Defekt, der ihn dazu brachte, Frauen zu strangulieren und auszuweiden. Auf den ersten Blick genauso *normal*, grübelte Tron weiter, wie der Kommandant der piemontesischen Einheit, die zwei Dutzend Frauen und Kinder massakriert hatte. Und verglichen mit dem war der Ausweider ein kleines Licht.

Der Flur im obersten Stock des Imperiale war breiter, als Tron erwartet hatte. Von der Decke hingen drei Petroleumlampen, der Schein der mittleren fiel auf Pucci und Caruso, die Karten spielend auf zwei Stühlen saßen. Der Anblick der zwei Sergenti, die einen seit einer Woche fieberhaft gesuchten Serienmörder bewachten, hatte einen grotesken Einschlag ins Gemütliche. Als sie Tron den Flur betreten sahen, sprangen Pucci und Caruso auf und salutierten.

«Er hat keinen Mucks mehr von sich gegeben», sagte Sergente Pucci, die salutierende Hand immer noch an der Schläfe.

«Keinen Pieps», fügte Caruso hinzu.

Tron warf einen verstohlenen Blick auf Bossi. Sollte er dem Ispettore den Vortritt lassen? Würde er stolz sein, wenn er den Raum als Erster betreten durfte? Nein, wahrscheinlich nicht. Bossis Heldenmut hielt sich in Grenzen.

«Schließen Sie auf», sagte Tron resigniert.

Tron sah, wie Sergente Pucci den Schlüssel vorsichtig nach links drehte – mit dem angespannten Gesicht eines Mannes, der eine Bombe entschärft. Als der Sergente zurücktrat, drückte Tron die Klinke nach unten und stieß die Tür mit dem Fuß auf. Vorsichtshalber blieb er auf der Schwelle stehen.

Der Mann, das Monstrum, das *völlig normal aussah*, lag mit angezogenen Beinen und der Tür den Rücken zukehrend auf dem Bett. Die Wäscheleine, mit der Signor Crespi ihm die Beine gefesselt hatte, war deutlich zu erkennen, seine vor der Brust zusammengebundenen Hände blieben unsichtbar. Er war in Hemdsärmeln, hatte aber seine Stiefel anbehalten. Der Kleiderschrank stand offen, und Tron konnte den Gehrock auf dem Bügel sehen. Mit dem Beweisstück in der Tasche.

Tron machte einen weiteren Schritt in den Raum hinein. Dann blieb er stehen, um diesen Moment zu genießen, holte tief Luft und atmete wieder aus. Sie hatten ihn also erwischt. Dass sie diese Verhaftung nicht als eigenen *Fahndungserfolg* (ein Wort aus dem Vokabular Bossis) verkaufen konnten, war bedauerlich. Aber man konnte den offiziellen Bericht immer noch frisieren.

Tron wollte sagen: *Legen Sie dem Mann Handschellen und Fußfesseln an.* Doch bevor er den Mund aufmachen konnte, wälzte der sich plötzlich auf den Rücken, drehte den Kopf zur Tür und sah ihn an.

Die Champagnerflasche hatte eine Beule auf seiner linken Stirnhälfte zurückgelassen, und wie bei allen Kopfwunden war reichlich Blut ausgetreten. Es war ihm über die Wange geflossen und hatte sich als ockerfarbene Maske über seine linke Gesichtshälfte gelegt. Das verlieh dem Mann einen bizarren Einschlag ins Karnevalistische – man vermisste unwillkürlich das lustige Hütchen – und hinderte Tron ein paar Sekunden lang daran, zu erkennen, dass es sich um den Oberst handelte.

Doch dann erlosch jeder Zweifel: Es war tatsächlich Oberst Stumm von Bordwehr höchstpersönlich. Der Mann mit den zusammengewachsenen Augenbrauen. Julien hatte recht gehabt. Ein kaiserlicher Oberst, der Frauen aufschlitzte und ausweidete, konnte nur verrückt sein. Niemand würde auf den Gedanken kommen, ihn für seine Taten verantwortlich zu machen. Ein halbes Dutzend Militärärzte würde ihm Unzurechnungsfähigkeit attestieren. Sie würden den Oberst in einer Anstalt verschwinden lassen und seine Morde aus dem öffentlichen Gedächtnis tilgen. Und aus der Polizeistatistik. Spaur durfte aufatmen.

Als Tron einen Schritt auf das Bett zutrat, sah er einen flüchtigen Moment lang die Erleichterung in den Augen des Obersts: Erleichterung darüber, dass es ein Ende hatte. Tron straffte sich und sagte: «Oberst Stumm, ich verhafte Sie wegen Mordes.»

Das war ein schöner Satz, obwohl er nicht ganz stimmte, denn kein venezianischer Polizist hatte das Recht, einen kaiserlichen Offizier zu verhaften. Tron wusste genau, dass es sich nur um eine vorläufige Festnahme handeln konnte. Aber *Ich nehme Sie jetzt vorläufig fest* hätte sich albern angehört.

31

Spaurs Gesicht hatte die Farbe reifer Tomaten, seine Augen waren zu schmalen, zornigen Schlitzen zusammengezogen. Schweiß glänzte auf seiner Stirn, lief ihm von den Schläfen herab und tröpfelte auf den Kragen seines Hemdes. Anstatt sich gemütlich zurückzulehnen und die fast liegende Haltung einzunehmen, die er normalerweise bevorzugte, saß er steif und aufrecht da. Seine rechte Hand, die sonst damit beschäftigt war, Konfektstücke aus der obligatorischen Demel-Schachtel zu fischen, trommelte einen nervösen Marsch auf die Schreibtischplatte. Der Polizeipräsident hatte vier Tassen Kaffee hintereinander getrunken und Sergeant Kranzler angeschnauzt, als der länger als fünf Minuten gebraucht hatte, um eine frische Kanne zu bringen.

Es sprach alles dafür, dachte Tron, dass Spaur beim Frühstück ein äußerst unangenehmes Gespräch mit seiner Gattin geführt hatte. Die Aussicht auf eine Einladung in die Hofburg, ohnehin durch das Wüten des Ausweiders gefährdet, hatte sich durch die Ereignisse der letzten Nacht praktisch in Luft aufgelöst, und Tron konnte sich gut vorstellen, dass die Baronin ihren Gatten dafür verantwortlich machte. Mit einer lauten, keifenden Stimme. Möglicherweise fragte sich Spaur inzwischen, ob es eine gute Idee gewesen war, Signorina Violetta zu ehelichen.

Der Bericht der Kommandantura, noch in der Nacht aufgesetzt, war sowohl ihm als auch dem Polizeipräsidenten kurz nach sieben Uhr in der Früh an die jeweiligen Privatadressen zugestellt worden – ein höchst ungewöhnlicher Vorgang. Unterschrieben war der Bericht von Toggenburg persönlich. Die Ablösung des verantwortlichen Commissarios wurde an keiner Stelle direkt verlangt, aber zwischen den Zeilen angedeutet. Die Botschaft hinter der Maßnahme konnte nicht klarer sein: Wir, das kaiserliche Militär, sind effektiv, schnell und schrecken auch vor Nachtarbeit nicht zurück.

Spaur legte den Bericht auf den Schreibtisch zurück und hob den Kopf. «Wie lange hat es gedauert, bis der Offizier aus der Kommandantura im Hotel war?»

Tron dachte kurz nach. Sie hatten das Zimmer mit dem gefesselten Oberst um neun betreten, und kurz bevor die Soldaten schließlich eingetroffen waren, hatte die Glocke von San Zaccaria zehnmal geschlagen. «Eine gute Stunde.»

Spaur verdrehte die Augen. «Es wäre also Zeit genug gewesen, uns vor dieser Blamage zu bewahren.» Er griff wieder nach dem Bericht, las ein paar Zeilen und funkelte Tron über den Tisch hinweg an. «Hier steht, dass Sie, Ispettor Bossi und Sergente Caruso gerade dabei waren – ich zitiere wörtlich – *Kirschtorte mit Schlagsahne* zu verspeisen, als Leutnant Sikorski mit seinen Männern im Hotel eintraf.» Spaur schnaubte. «Trifft das zu, Commissario?»

Ja, das traf bedauerlicherweise zu. Signor Crespi, immer an einem guten Verhältnis zur Polizei interessiert, hatte höflich darauf bestanden, dass *die Cavalieri etwas zu sich nehmen sollten.* Und war, nachdem Tron als fürsorglicher Vorgesetzter keine Einwände erhoben hatte, mit einem großen Tablett zurückgekehrt. Das alles, auch der anschließende Verzehr von Kirschtorte mit Schlagsahne, hatte sich unter den Augen des Obersts abgespielt. Gewissermaßen ein gefundenes Fressen für ihn. Tron war sich, ebenso wie Spaur, über die katastrophale Wirkung der Worte *Kirschtorte* und *Schlagsahne* in dem Bericht der Kommandantura völlig im Klaren.

«Es gab nichts zu tun, Baron», sagte Tron. «Da wir überzeugt waren, dass es sich bei dem Ausweider um einen Angehörigen der kaiserlichen Streitkräfte handelte, lag der

Fall nicht mehr in unseren Händen. Wir hatten nicht einmal das Recht, Fragen an den Oberst zu richten. Und da es bereits ein Missverständnis zwischen ihm und uns gegeben hatte, hielt ich es für klug, mich diesmal genau an die Regularien zu halten. Das Einzige, was wir tun konnten, war, den Mann bis zum Eintreffen der Militärpolizei festzuhalten.»

Spaur musterte Tron mit zusammengekniffenen Augen. «Stumm hat keinen Versuch gemacht, den Fall mit Ihnen zu klären?»

Tron schüttelte den Kopf. «Er war stumm wie ein Fisch. Er hat lediglich gesagt, dass wir uns noch wundern werden.»

«Sie haben das nicht ernst genommen?»

«Warum sollten wir? Es sprach alles gegen ihn. Die Maske, der Akzent, das Messer, die Vorgeschichte.»

«Ist niemand auf den Gedanken gekommen, das angebliche Beweisstück zu untersuchen?»

«Wir haben das Rasiermesser selbstverständlich sofort gesichert», sagte Tron.

«Aber offenbar, ohne einen genauen Blick darauf zu werfen.»

«Der Oberst hätte die Angelegenheit mit einem einzigen Wort klären können», sagte Tron lahm.

Spaur trank einen weiteren Schluck Kaffee und sah den Commissario wütend an. «Hat er aber nicht. Stattdessen hat er Sie *ins Messer* laufen lassen. Und das konnte er nur, weil Sie die ganze Operation an einem faulen Beweisstück aufgehängt haben.» Er setzte seine Tasse klirrend ab. «Was genau ist passiert, nachdem Leutnant Sikorski mit seinen Leuten im Hotel aufgetaucht war?»

«Ich habe ihn über die Situation ins Bild gesetzt und ihm den Mann übergeben. Selbstverständlich mit der Bitte, am nächsten Tag ein Übergabeprotokoll an die Questura zu schicken.»

«Und dann?»

«Hat Leutnant Sikorski dem Oberst die Fesseln abgenommen, und der Oberst hat den Leutnant sofort zur Seite genommen und ein paar Worte mit ihm gewechselt.»

Spaur gab ein gequältes Geräusch von sich. «Und Leutnant Sikorski hat anschließend verlangt, das Rasiermesser des Obersts zu sehen. Richtig?»

Tron nickte. «Der Leutnant hat es aufgeklappt, die Schärfe geprüft und mich anschließend gefragt, was ich von der Klinge halte.»

«Und was haben Sie geantwortet?» Spaur beugte sich über den Schreibtisch und sah Tron an.

Tron stellte fest, dass er nicht die geringste Lust hatte, an den peinlichen Höhepunkt des Abends zurückzudenken. An den Moment, als Leutnant Sikorski grinsend versucht hatte, sich mit der Klinge in den Daumen zu ritzen. Und er, Tron, sich zu Recht wie ein Esel vorgekommen war.

«Ich musste zugeben», sagte Tron, «dass die Klinge des Rasiermessers ...» Er brach den Satz ab.

«Ja?» Spaur blieb unerbittlich.

«Dass die Klinge stumpf war», sagte Tron.

Spaur lächelte, aber seine Augen waren eiskalt. «Und dann hat der Oberst Sie vermutlich darauf hingewiesen, wie unwahrscheinlich es ist, dass der Ausweider mit einem stumpfen Rasiermesser in die Schlacht zieht.»

Tron seufzte. «Das hat er allerdings.»

«Womit wir den Oberst vergessen können.»

«Nicht unbedingt», sagte Tron.

«Was soll das heißen, Commissario?» Der Polizeipräsident hob die Augenbrauen.

«Er könnte das Terrain sondiert haben.»

«Um einen weiteren Mord vorzubereiten?»

«Vielleicht», sagte Tron, «weil er nach dem Debakel in der Kirche kein Risiko mehr eingehen möchte. Damit, dass die Frau auf das Messer stoßen und ihn niederschlagen würde, konnte er nicht rechnen.»

Der Polizeipräsident zog eine Flasche Grappa aus der Schublade, entfernte den Korken und sah Tron mitleidig an. «Sie halten den Oberst immer noch für den Ausweider?»

«Ich würde ihn jedenfalls noch nicht von der Liste der Verdächtigen streichen», sagte Tron. Eine völlig unsinnige Bemerkung, weil es gar keine Liste gab. Genau das war das Problem.

Spaur gab einen Schuss Grappa in seinen Kaffee. «Wenn er es tatsächlich war», sagte er, «dann werden die Morde aufhören. Der Oberst wird auf Tauchstation gehen.»

Tron schüttelte den Kopf. «Das glaube ich nicht.»

«Und warum nicht?»

Tron hatte plötzlich die kreischende Stimme im Ohr, mit der Stumm von Bordwehr auf der Wache *Ich bringe dich um* geschrien hatte. «Weil der Oberst verrückt ist», sagte er.

32

Die Tischdecke war voller Flecken, der Falerner war sauer und eiskalt, und selbstverständlich war das Weinglas mit fettigen Fingerabdrücken übersät. Dass seine Serviette, die er immerhin zum Mund führen musste, eindeutig benutzt worden war, hatte ihn nicht überrascht. Der Laden, der sich Trattoria Goldoni nannte, war ein Saustall, und die bloße Vorstellung, wie es in der Küche aussah, drehte ihm den Magen um. Am Nebentisch saßen zwei angeheiterte Leutnants der kroatischen Jäger und verspeisten gemeinsam einen Kalbskopf: Augen, Zunge, Maul, Zahnfleisch. Ihre gewaltigen, balkanmäßigen Kinnladen kauten und mahlten, wobei die Leutnants durchdringende Knack- und Knirschgeräusche hervorbrachten. Jedes Mal, wenn er schaudernd einen Blick zum Nebentisch riskierte, musste er unwillkürlich an das griechische Wort *Nekrophagen* denken. Leichenfresser.

Die Leber, die ihm der dicke Kellner gebracht hatte, *fegato alla veneziana*, war allerdings ausgezeichnet. Genauer gesagt: Sie war so zubereitet, wie er es sich erhofft hatte. Sie war sorgfältig abgezogen und geschnetzelt, und der Koch hatte sie mit Knoblauch, Zwiebeln, Rosmarin und Thymian in Olivenöl gebraten. Serviert wurde sie zusammen mit einer großen Portion Polenta, die mit Parmesankäse und Butter verrührt worden war. Dass der Koch so weit gegangen war, die Polenta zusätzlich mit frischer Sahne zu verfeinern, stand in auffälligem Kontrast zu den traurigen Standards, die offenbar sonst in der Trattoria Goldoni herrschten.

Es hatte einen ganzen Tag gedauert, bis er nach dem bedauerlichen Zwischenfall in San Giovanni in Bragora sein geistiges Gleichgewicht wiedergefunden hatte. Den täglichen Dienst hatte er lustlos verrichtet, den Ausführungen seines Herrn und Meisters war er nur mit halbem Ohr gefolgt. Jedes Mal, wenn er die Augen schloss, war in seinem Kopf die grässliche Szene abgelaufen, die sich in der Nacht zuvor auf den Altarstufen abgespielt hatte: das durchdringende Knarren, mit dem sich die Tür der Sakristei geöffnet hatte, die bedrohliche Silhouette des Mannes auf der Schwelle, das Messer, das ihm, wie Abraham, vor lauter Schreck aus der Hand gefallen war, und dazu noch in seinem Inneren das kreischende Tier, das immer eine Ewigkeit brauchte, um etwas zu kapieren. Nur gut, dass wenigstens *er* die Nerven behalten und sich sofort aus dem Staub gemacht hatte. Hatte Pater Hieronymus ihn erkannt? Nein, dafür war es in der Kirche viel zu dunkel gewesen. Sonst wäre der Commissario schon lange bei ihm aufgetaucht, um ein Gespräch mit ihm zu führen.

Jedenfalls war ihm heute Nachmittag eingefallen, wie er diese peinliche Scharte auswetzen konnte, und je mehr er darüber nachgedacht hatte, desto mehr hatte ihn sein Einfall fasziniert. Dass das wilde Tier in ihm seine Faszination nicht teilte, war ein wenig enttäuschend gewesen. Aber im Grunde, dachte er, handelte es sich um ein primitives Lebewesen, dem es völlig gleichgültig war, unter welchen Umständen Blut floss – solange es nur kräftig sprudelte. Er rief den Kellner, bezahlte die Rechnung, gab ein großzügiges Trinkgeld und brachte es sogar fertig, die kroatischen *Nekrophagen* (inzwischen hackevoll) vom Nebentisch mit einem freundlichen Nicken zu bedenken.

Ein paar Minuten später durchschritt er den Sottoportego unter dem Uhrenturm und erreichte die Piazza San Marco. Jetzt, um diese Zeit – es war kurz vor acht – war es hier äußerst belebt. Ganze Heerscharen von maskierten Fremden schoben sich an Maronen- und Frittoliniverkäufern vorbei, Kinder, aufgeregt, weil man sie noch nicht ins Bett geschickt hatte, fütterten Tauben, und vor dem Café Quadri hatte sich die übliche Ansammlung von kaiserlichen Offizieren gebildet. Waren mehr Polizeipatrouillen als sonst auf der Piazza zu sehen? Nein, das fand er nicht.

Natürlich hatte er an dem Falerner nur genippt, und sein Kopf war vollständig klar. Aber seiner Bewegung eine gewisse alkoholbedingte Unsicherheit zu verleihen schien ihm eine gute Idee zu sein. Also überquerte er die Piazza mit wankenden Schritten. Dicht vor der schweren Eichentür des Glockenturmes blieb er stehen, lehnte sich mit der linken Hand an die Tür und ließ den Kopf hängen – die typische Haltung eines Mannes, der ein wenig über den Durst getrunken hatte. Dann zog er den Dietrich aus der Tasche, schob ihn in das Schloss. Er drehte ihn ein paarmal hin und her und fand die entsprechende Vorhaltung sofort. Es war, wie er es erwartet hatte. Das Schloss ging so leicht auf wie eine Pralinenschachtel. Er ließ die Vorhaltung wieder zurückschnappen und drehte sich langsam um. Niemand hatte ihn beobachtet. Er schätzte, dass er in spätestens zwei Stunden wieder zurück sein würde – dann allerdings in Begleitung. Und dass sich niemand für einen Signore und eine Signorina interessieren würde, die das beneidenswerte Privileg hatten, den Glockenturm außerhalb der normalen Öffnungszeiten zu besteigen. Allenfalls ein paar ahnungslose Fremde mochten ihn vielleicht bitten, sich dem Aufstieg anzuschließen. Ein Ansinnen, das er höflich, aber bestimmt ablehnen würde. Für das, was er vorhatte, konnte er keine Zeugen brauchen.

Er schob den Dietrich in die Tasche zurück und lief langsam bis zur Mitte der Piazza. Zwischen einer Gruppe kaiserlicher Offiziere und dem Kohlenbecken eines Maronenverkäufers blieb er stehen und dachte kurz nach. Das Zanetto, das er sehr schätzte, kam nach der Nummer auf der Gondel nicht mehr in Betracht, und Entsprechendes galt auch für das Mulino und das Stella. Nicht dass die Signorinas dort misstrauischer gewesen wären als auf anderen Maskenbällen – er selbst hätte sich dort unbehaglich gefühlt. Schließlich entschied er, sein Glück im Castello zu versuchen. Es lag an der Riva degli Schiavoni, nur ein paar hundert Schritte vom Danieli entfernt, und galt als ausgesprochen teuer. Aber warum nicht? Seine Kleidung war tadellos, der saftige Eintrittspreis, der für eine gewisse Exklusivität sorgen sollte, war kein Problem für ihn. Außerdem amüsierte es ihn, dass sich das Castello in der Nähe der Questura befand.

Als er in die Riva degli Schiavoni einbog, schlug ihm auf einmal ein kühler Wind entgegen. Der dunkelgraue Nachthimmel über ihm war aufgerissen, und zwischen fliehenden Wolken zeigten sich ein blasser Halbmond und ein paar Sterne. Der Blick vom Campanile auf die Stadt musste an diesem Abend atemberaubend sein! Das war dem Tier in ihm natürlich völlig gleichgültig. Er hingegen würde es begrüßen, wenn ein wenig Mondschein dem Unternehmen einen Einschlag ins Romantische gäbe. Schließlich war er verrückt.

Kurz bevor er das Castello betrat, setzte er seine neue Maske auf. Sie war hellblau, hatte einen aufgemalten roten Schnurrbart und Augenbrauen aus Goldlametta. Die Maske war ungeheuer auffällig und ließ nur einen einzigen Schluss zu: dass ihr Träger nicht alle Tassen im Schrank hatte.

Dass mit dem Burschen etwas nicht stimmte, sah sie sofort. Er stand, ein Weinglas in der Hand, direkt vor dem kleinen Podium, auf dem ein Salonorchester gerade einen Walzer spielte, und trug eine blaue Halbmaske mit einem aufgemalten roten Schnurrbart. Ein Dummkopf, vermutlich jemand, der gerade erst in der Stadt eingetroffen war und nicht wusste, wie man sich kleidete. Denn das *decorum* verlangte auch im Karneval, dass sich ein *cavaliere* an gewisse Regeln hielt, speziell im Castello, in dem sich vorwiegend gehobenes Publikum einfand. Hier trug man gediegene Abendanzüge oder Fracktoilette, dazu unauffällige schwarze Halbmasken. Alles andere sah an einem Signore einfach albern aus. Veronica Franco fragte sich, wie der

Bursche es mit dieser Maske überhaupt geschafft hatte, an dem Portier vorbeizukommen. Im Castello sah man sich die Gäste genau an, bevor man sie über die Schwelle ließ. Andererseits herrschte im Moment ein gewisses Unbehagen bei Gästen mit schwarzen Halbmasken.

Sie hatte weder die Kollegin, die es auf der Gondel erwischt hatte, noch die Tote in der Pensione Seguso gekannt. Signorinas, die im Zanetto oder im Mulino arbeiteten, verkehrten normalerweise nicht im Castello, sie selbst würde sich nie freiwillig in einen billigen Schuppen wie das Zanetto begeben. Aber natürlich hatte die Buschtrommel dafür gesorgt, dass sich die Nachricht von beiden Morden wie ein Lauffeuer verbreitet hatte. Mein Gott, was dachte sich dieser Bursche dabei, seine Opfer regelrecht *auszuweiden*? Und warum tappte die Polizei – wenn man den Gerüchten Glauben schenken wollte – immer noch im Dunkeln? Weil der Bursche mit seiner schwarzen Maske, die halb Venedig trug, eine perfekte Tarnung hatte? Und weil er sich völlig unberechenbar verhielt, weil er verrückt war? So verrückt, dass er seine Opfer, nachdem er sie erwürgt hatte, *ausweidete*? Veronica Franco schüttelte sich. Nein, da waren ihr Dummköpfe mit hellblauen Masken lieber.

Eine gute Stunde später stand sie an einem Ort, an den selbst ihre wildesten Träume sie nie befördert hätten, und fand es wunderbar. Jedenfalls nachdem sich ihr Atem und Puls wieder beruhigt hatten. Bei der zweihundertsten Stufe hatte sie entnervt aufgehört zu zählen und sich gefragt, warum sie sich auf diesen Wahnsinn eingelassen hatte. Eine völlig überflüssige Frage, denn die Antwort befand sich in ihrer Tasche: zwei Lire in Gold. Also ungefähr die Summe, die sie, wenn die Geschäfte gut liefen, normalerweise in einer Woche verdiente.

Der Bursche mit der blauen Maske hatte sie angesprochen, als sie sich gerade einer Gruppe von lüsternen Offizieren in Zivil näherte. Er hatte sie, von der Seite herantretend, an der Schulter berührt – etwas, das sie normalerweise nicht ausstehen konnte. Aber sein Angebot war interessant gewesen. Ungewöhnlich, aber interessant. Die Details hatten sie noch im Castello geregelt, den vereinbarten Betrag hatte sie gleich vor der Tür kassiert. Ihrer Aufforderung, die Maske abzunehmen, war er ohne Zögern gefolgt, was sie davon überzeugt hatte, dass der Bursche harmlos war. Sie würden also zusammen ein paar Stufen hinaufsteigen, und oben würde der Bursche seine Hose aufknöpfen. Der Rest war eine Angelegenheit von höchstens fünf Minuten. Kein Ausziehen, kein Gegrapsche, keine Keucherei, sondern eine schnelle, lukrative Nummer. Zwei Goldlire konnten sich sehen lassen.

Nicht dass sie dieses Geld nicht bereits hart verdient hatte, denn der Aufstieg hatte ihr mehr zu schaffen gemacht, als sie erwartet hatte. Die hölzernen Stufen hatten bei jedem Schritt geknarrt, und die Mauern des Glockenturms hatten einen übelriechenden Dunst ausgeströmt. Zudem hatte sie bei jeder Stufe das absurde Gefühl gehabt, sie würden nicht hinauf-, sondern hinabsteigen – in feuchte Kellerräume, in denen Unaussprechliches auf sie lauerte. Was natürlich Unsinn war. Hier oben, dreihundert Fuß über der Stadt, sah sie, dass sie keineswegs in einem feuchten Kellergewölbe stand.

Die Aussicht war atemberaubend. Der Wind hatte sich gelegt, und die dunklen Wolken, die noch am frühen Abend über die Stadt getrieben waren, hatten sich wie Flaggschiffe einer besiegten Flotte auf das Meer verzogen. Über der östlichen Lagune hing ein bleicher Halbmond, der die Dächer, die Kuppeln der Kirchen und das Wasser in ein silbriges Licht tauchte. Unter ihnen lag der Markusplatz wie eine Spielzeug-Piazza, eingefasst in einen schimmernden Rand aus Gaslaternen, die von oben wie winzige Kerzen aussahen. Alles war klein, fern, seltsam entrückt und wunderschön. Es war, wenn man mal davon absah, dass ihr noch harte Arbeit bevorstand, romantisch hier oben, und einen Moment lang wünschte sie sich, eines Tages nicht mit einem Mann hier zu stehen, der sie bezahlte, sondern mit einem, der sie ...

Die Finger, die sich plötzlich um ihren Hals legten und ihre Kehle zusammenpressten, beendeten diesen Gedankengang abrupt. Sie öffnete den Mund, um zu schreien, aber es kam keine Stimme. Bevor sie das Bewusstsein verlor, schoss ihr ein Satz durch den Kopf: *Man stirbt, wie man gelebt hat.*

33

Oberst Reski, Zahlmeister des an den Zattere stationierten kroatischen Jägerregiments, verließ die Kaserne noch vor dem Morgengrauen. Es war kalt, und über dem Giudecca-Kanal lag eine dünne Nebeldecke, aber der Nachthimmel war klar und wolkenlos. Er war vor zwei Stunden aus dem Casino zurückgekehrt, hatte vergeblich versucht zu schlafen und schließlich den Entschluss gefasst, eine Kletterpartie zu unternehmen. Der Campanile unterstand – obwohl er von Zivilisten bestiegen werden durfte – der Militärverwaltung. Den Schlüssel zum Aufgang hatte er ohne Schwierigkeiten auftreiben können.

Als er eine Viertelstunde später den Markusplatz betrat, musste er wieder an die Geschichte in Verona denken: Der

Leutnant hatte denjenigen Teil seines Gehirns verfehlt, den er hätte treffen müssen, um sofort tot zu sein. Er hatte sich noch tagelang gequält, bevor er starb. Dass sich *beim Reinigen der Waffe ein Schuss gelöst hatte*, wie der Untersuchungsbericht später behauptete, war Unsinn. Aber Selbstmorde von Offizieren nahmen sich in Regimentsannalen verheerend aus.

Nein, überlegte er weiter, während er die Piazza überquerte und den Schlüssel aus seiner Uniformjacke zog, sich in die Schläfe zu feuern kam nicht in Frage. Auch nicht, sich aufzuhängen und darauf zu warten, bis einen der Strick langsam erwürgte. Man erstickte nicht friedlich, sondern versuchte reflexartig und völlig aussichtslos, sich die Schlinge vom Hals zu fummeln – ein äußerst unangenehmer Tod. Blieb also nur der Sprung von einem möglichst hohen Gebäude auf einen möglichst harten Untergrund. Vom Campanile auf die Piazza.

Er hatte einfach Pech gehabt. Um Mitternacht hatte er mit sagenhaften dreihundert im Plus gelegen, doch zwei Stunden später hatten sich Verluste in der gleichen Höhe angehäuft. Er hatte wieder einen Schuldschein ausgeschrieben, nur diesmal würde er ihn nicht einlösen können, denn die Regimentskasse war praktisch leer. Die in der nächsten Woche stattfindende halbjährliche Revision würde ihm endgültig das Genick brechen. Es gab keinen anderen Ausweg.

Jetzt war es kurz nach halb acht, und außer ein paar Einheimischen, die die Abfälle der letzten Nacht zusammenfegten, war die Piazza San Marco menschenleer. Er schloss die Eichentür des Campanile auf und ließ sie hinter sich zufallen. Dann stieg er, die Blendlaterne in der rechten Hand und die linke am Geländer, langsam nach oben. Auf der Aussichtsplattform angekommen, würde er sich eine

Zigarette anzünden und auf die steinerne Brüstung steigen. Ein kurzer Flug wie Ikarus und schließlich, nach ein paar Sekunden, der Aufprall. Dass er unten keinen erfreulichen Anblick bieten würde, war ihm klar. Menschliche Körper, aus großer Höhe auf steinernes Pflaster herabfallend, zerplatzten wie reife Melonen.

Während er mechanisch einen Fuß nach dem anderen auf die Stufen setzte, stellte er fest, dass ihm der Aufstieg erstaunlich leicht fiel. Kein Schwitzen und Gekeuche, sondern ein müheloses, wie von unsichtbaren Flügeln getragenes Emporsteigen, das ihn in eine leichte und völlig unangebrachte Hochstimmung versetzte. Hinter dem siebenten, dem letzten der kleinen Aussichtsfenster, meldete sich sein Magen – mit einem Gefühl, als hätte er tagelang nichts gegessen. Oberst Reski nahm, so als würde ihn oben ein kräftiger Imbiss erwarten, zwei Stufen auf einmal, und plötzlich hatte er eine Vision.

Sie war so klar und deutlich, dass er stehenblieb und den Mund aufsperrte. Oberst Reski sah einen Teller mit einer großzügigen Portion Tafelspitz, eingebettet in einen Kranz aus Sahnemeerrettich. Auf einem zweiten Teller häufte sich eine Portion Pressknödel. Da dies jedoch keine Vision war, die er im Moment brauchen konnte, klappte er den Mund zu und setzte sich wieder in Bewegung.

Als er die Plattform betrat, war es immer noch stockdunkel. Nur im Osten war jetzt ein kleiner Lichtpunkt zu erkennen, der sich erstaunlich schnell vergrößerte und den Horizont mit rötlichem Glanz erfüllte, sodass der Oberst unwillkürlich an ein rosa Spanferkel denken musste. Er atmete tief durch und stellte fest, dass sich das Hungergefühl in seinem Magen verstärkt hatte. Und dass nichts dagegen sprach, das Unternehmen um einen Tag zu verschieben. Das Quadri auf der anderen Seite der Piazza öffnete in einer guten halben Stunde. Er würde mit einer kräftigen Consommé beginnen, anschließend ein nahrhaftes Omelett zu sich nehmen und das Frühstück mit etwas Süßem, vielleicht etwas Kirschgefülltem, abschließen. Selbstverständlich würde er anschreiben lassen.

Oberst Reski wollte sich gerade von der Brüstung abwenden, um wieder zur Treppe zu gehen, als er plötzlich spürte, wie sein Fuß etwas Weiches berührte. Er bückte sich – und hätte vor lauter Schreck fast die Blendlaterne fallen gelassen. Es war eine junge Frau, die vor ihm auf dem Ziegelboden der Plattform lag, und sie war eindeutig tot. Ihre Augen starrten ins Leere, selbst im fahlen Schein der Laterne waren die Würgemale auf ihrem Hals deutlich zu erkennen. Sie lag auf dem Rücken, und er musste sie nicht umdrehen, um zu wissen, dass ihre Hände gefesselt waren. Auch ihre Beine waren an den Knöcheln zusammengebunden. Die junge Frau hatte einen Schuh verloren, der nackte Fuß war blutig, so als hätte sie sich verzweifelt gewehrt und wäre dabei gegen die backsteinerne Brüstung gestoßen. Dass der Mörder ihr Kleid und Mieder aufgerissen und einen tiefen Schnitt unterhalb des rechten Rippenbogens vorgenommen hatte, überraschte ihn nicht. Er wusste, mit wem er es zu tun hatte. Das entnommene Organ würde irgendwo hier oben fein säuberlich deponiert sein. Vielleicht auf der Brüstung an der Nordseite des Campanile, dort, wo man auf die Piazza herabsah.

Oberst Reski dachte nach. Der Campanile war militärisches Sperrgebiet, folglich war die Militärpolizei zuständig. Andererseits jagten die venezianischen Polizisten seit zwei Wochen genau den Mann, der offenbar wieder zugeschlagen hatte. Schließlich entschied er sich, die Wache an der Piazza zu informieren und es den Sergenti zu überlassen, entweder die Kommandantura einzuschalten oder den zuständigen Commissario. Wie hieß der noch mal? Er hatte den Namen in der *Gazzetta di Venezia* gelesen, kam aber nicht sofort darauf. Ah, richtig, Commissario Tron.

«Die Frage ist», sagte Tron vier Stunden später in seinem Büro zu Bossi, «ob wir überhaupt für diesen Fall zuständig sind.»

Nachdem Oberst Reski die Wache an der Piazza informiert hatte, waren Tron und Bossi benachrichtigt worden. Am Tatort hatte es keinen Zweifel daran gegeben, dass der Ausweider wieder zugeschlagen hatte. Die junge Frau war erwürgt, gefesselt und schließlich aufgeschlitzt worden. Diesmal hatte der Mörder das Organ auf der Brüstung der Aussichtsplattform deponiert. Oberst Reski hatten sie auf der Wache an der Piazza vernommen und das Gespräch protokolliert. Selbstverständlich formlos, denn die venezianische Polizei hatte nicht das Recht, kaiserliche Offiziere zu verhören. Jetzt ging es um die Frage, wie man Spaur die Botschaft überbrachte. Der Polizeipräsident konnte die Questura jeden Augenblick betreten. Es war kurz vor halb eins.

Bossi runzelte die Stirn. «Warum sollten wir nicht zuständig sein?»

«Weil der Campanile militärisches Sperrgebiet ist», sagte Tron. «Spaur könnte sich versuchsweise auf diesen Standpunkt stellen.»

«Um einen Mord weniger in der Statistik zu haben?»

Tron nickte. «Er wird vermutlich auch ein paar Fragen zur Rolle von Oberst Reski stellen.»

«Reski hat ein perfektes Alibi. Er war bis drei Uhr früh an einem Roulettetisch im Ridotto. Mit einem halben Dutzend Croupiers als Zeugen. Dr. Lionardo ist sich sicher, dass die Frau zu dem Zeitpunkt seit mindestens fünf Stunden tot war. Damit ist Reski aus dem Spiel.»

Tron lehnte sich auf seinem Stuhl zurück und dachte einen Moment lang nach. «Es gibt einen Aspekt bei der ganzen Geschichte, den wir nie beachtet haben, obwohl er auf der Hand liegt.»

«Und der wäre?»

«Wenn sich herausstellt, dass es sich bei dem Ausweider um einen Angehörigen der kaiserlichen Armee handelt, hätten wir es von Anfang an mit einem Fall zu tun gehabt, der nicht in die Zuständigkeit der venezianischen Polizei fällt», sagte Tron.

«Und damit auch nicht in unsere Statistik. Vier Morde weniger.»

Tron nickte. «Diese Fälle wären eine interne Angelegenheit der Streitkräfte. Spaur könnte aufatmen.»

«Aber der Oberst hat ein Alibi, das sich leicht nachprüfen lässt.»

«Genau das werde ich Spaur antworten», sagte Tron. «Abgesehen davon glaube ich, dass Oberst Reski uns tatsächlich etwas verschweigt.»

«Und was?»

«Kaiserliche Offiziere haben nicht die Angewohnheit, im Morgengrauen auf den Campanile zu klettern, um dort den Sonnenaufgang zu betrachten», sagte Tron.

«Wenn der Oberst weder den Mord begangen hat noch den Sonnenaufgang betrachten wollte, frage ich mich, was er da oben gewollt hat.»

Tron zuckte die Achseln. «Ich weiß es nicht.»

«Liebeskummer?», schlug Bossi vor.

Es dauerte einen Moment, bis Tron begriff, was der Ispettore meinte. Hin und wieder kam es vor, dass ein liebeskranker Jüngling von der Aussichtsplattform sprang und ein paar Sekunden später äußerst unerfreulich aussah. Eigenartigerweise waren es immer junge Männer – niemals Signorinas –, die ihrem Leben auf diese Weise ein Ende setzten, und Tron fragte sich, woran das lag. Weniger Liebeskummer? Wohl kaum. Weibliche Eitelkeit? Nein, daran konnte es auch nicht liegen. Es sei denn, dachte er, man glaubte, dass Frauen eitler waren als Männer, aber das war Unsinn. Da brauchte man nur an Bossi und diesen Julien zu denken. Er sagte: «Oberst Reski sah nicht aus wie jemand, der Liebeskummer hat.»

Bossi streckte das linke Bein, um zu verhindern, dass sich seine Hose am Knie ausbeulte. «Hohe Spielschulden? Immerhin hat er die Nacht am Roulettetisch verbracht.» Offenbar war der Ispettore noch nicht bereit, sich von der Selbstmordtheorie zu verabschieden.

Tron schüttelte den Kopf. «In solchen Fällen greifen Offiziere zur Dienstwaffe und feuern sich in die Schläfe. Schon um zu verhindern», fügte er mit einem anzüglichen Blick auf Bossis makellose Uniform hinzu, «dass die Dienstkleidung leidet.»

Bossi hatte keine Gelegenheit, darauf zu antworten, denn in dem Moment klopfte es draußen an die Tür. Es war Sergeant Kranzler, der Hüter von Spaurs Vorzimmer, sein Kaffeekocher und Proviantmeister. Das Gesicht des Sergeants war ernst. «Der Baron möchte Sie beide sehen, Commissario. Und zwar sofort.»

34

Während sie langsam die Treppen zu Spaurs Büro emporstiegen, fragte sich Tron, in welcher Verfassung sie den Polizeipräsidenten vorfinden würden. Hatte Spaur die neueste Hiobsbotschaft noch in Gegenwart der Baronin empfangen oder erst auf der Questura von Sergeant Kranzler? Traf Ersteres zu, dann hatte Spaur bereits ein unangenehmes Gespräch mit seiner Gattin geführt, und entsprechend grauenhaft würde seine Laune sein. Tron konnte sich lebhaft vorstellen, wie die Baronin reagiert hatte. Nach diesem Mord konnte Spaur eine kaiserliche Einladung in die Hofburg definitiv vergessen – zweifellos ein schwerer Schlag für die Baronin. Was wiederum bedeutete, dass Spaur genötigt sein würde, seine junge Frau auf andere Weise zu beglücken. Also noch mehr Geld für Schmuck und Garderobe auszugeben, als er ohnehin schon tat.

Dabei konnte man nicht behaupten, dass Signorina Violetta, ehemals Soubrette am Malibran, den Polizeipräsidenten listig in die Ehefalle gelockt hatte. Tron hatte dieses Märchen lange Zeit geglaubt, musste dann aber feststellen, dass er sich getäuscht hatte. Tatsächlich war es Spaur gewesen, der Signorina Violetta hartnäckig bekniet hatte, ihn zu heiraten. Und in Wahrheit hatte die Signorina gezögert, einen Mann zu ehelichen, der fünfunddreißig Jahre älter war als sie. Da der Polizeipräsident sich in der Rolle des attraktiven Junggesellen gefiel, hatte er überall – auch bei Tron – den Eindruck verbreitet, Signorina Violetta hätte *ihn* in diese Ehe gedrängt.

Sie war eine brünette, schlanke Fünfundzwanzigjährige mit kohlschwarzen Augen, und als Tron sie zum ersten Mal gesprochen hatte, war er von ihrer natürlichen Art angenehm berührt gewesen. Dass sich an diesem Verhalten nach ihrer ehelichen Erhebung zur Baronin nichts änderte, sprach in seinen Augen unbedingt für sie. Und war es nicht verständlich, dass die Baronin den Wunsch hatte, in der Welt, in die sie eingeheiratet hatte, auch akzeptiert zu werden? Und dass sie deshalb allergrößten Wert auf eine Einladung in die Hofburg legen musste? Dass die Baronin sich nicht scheute, beträchtliche Summen für Schmuck und Garderobe auszugeben, lag wahrscheinlich auch daran, dachte Tron, dass Spaur seiner jungen Gemahlin gegenüber die eigenen finanziellen Verhältnisse ein wenig zu rosig dargestellt hatte.

Unwillkürlich fiel ihm der bayerische König Ludwig ein – nicht der *zweite* Ludwig, der erst kürzlich die Regentschaft angetreten hatte, sondern der *erste*, den eine ganz ähnliche Konstellation zu Fall gebracht hatte. Wie alt war der König gewesen, als er im Herbst 1847 die spanische Tänzerin Lola Montez zum ersten Mal auf der Bühne gesehen hatte? Tron tippte auf sechzig. Womit sich – wenn man die Montez auf fünfundzwanzig schätzte – ebenfalls eine Differenz von fünfunddreißig Jahren ergab. Die schöne Andalusierin, in Wirklichkeit aus Irland und nicht aus Sevilla, hatte knappe zwei Jahre gebraucht, um ihren Liebhaber zu ruinieren. Am Ende musste der König abdanken, und die Montez war gezwungen, München fluchtartig zu verlassen. Ob Spaur die traurige Geschichte von Ludwig und Lola kannte? Ja, sicher. Ganz Europa hatte damals den Skandal am bayerischen Hof mit größtem Interesse verfolgt.

«Dieser Mord», sagte Spaur verdrossen, nachdem Tron und Bossi vor seinem Schreibtisch Platz genommen hatten, «geht die Questura im Grunde nichts an. Wenn ein kaiserlicher Offizier eine Leiche auf einem Militärgelände entdeckt, ist das kein Fall für die venezianische Polizei. Das habe ich jedenfalls versucht, der Baronin zu erklären.»

Der Polizeipräsident steckte sich ein Praliné in den Mund. Das tat er mit einer so schwerfälligen Bewegung, als wöge das Stück Trüffelkrokant mindestens einen Zentner. Offenbar hatte er seine Gattin von dieser Sicht der Dinge nicht überzeugen können.

Tron beugte sich verbindlich über den Tisch. «Und was hat die Baronin dazu gesagt?»

«Sie hat mir entgegnet, dass man den Campanile nicht unbedingt als *Militärgelände* bezeichnen kann», antwortete Spaur. «Und dass es sich eindeutig um den Mann handelt, nach dem wir bereits fahnden.»

«Wir werden also nicht versuchen, den Fall an die Militärpolizei abzugeben?»

Spaur schüttelte den Kopf. «Davon hält die Baronin nichts. Sie möchte», setzte er lahm hinzu, «dass wir in die Offensive gehen.»

Tron hatte nicht den Eindruck, dass der Polizeipräsident dem Ratschlag seiner Gattin mit großer Begeisterung folgte. «Wem gegenüber sollten wir in die Offensive gehen?»

«Den Militärbehörden gegenüber und auch dem Täter.»

«Und wie?»

Spaur rückte die Kaffeekanne zur Seite, um einen Blick auf die Fotografie seiner Gattin zu werfen, die in einem silbernen Rahmen auf dem Schreibtisch stand. «Die Baronin meint, wir sollten dem Burschen eine Falle stellen.»

Tron hob die Augenbrauen. «Eine Falle?»

Spaur sah Tron an wie einen begriffsstutzigen Rekruten. «Eine Falle ist ein Mechanismus, der die Beute fängt oder tötet», sagte er. «Mit einem Köder, der sie anlockt.»

Als Tron schwieg, weil er nicht wusste, was er darauf antworten sollte, räusperte sich Bossi respektvoll. «Exzellenz meinen, wir sollten einen *Lockvogel* einsetzen?» Der Ispettore sprach Spaur gewöhnlich in der dritten Person an, was der Polizeipräsident jedes Mal genoss und was Tron jedes Mal amüsierte.

Spaur warf einen wohlwollenden Blick auf Bossi. «So ist es, Ispettore. Das ist auch das Wort, das die Baronin benutzt hat – *Lockvogel.*» Er trank einen Schluck aus seiner Tasse. «Und was hatten die Opfer alle gemeinsam?»

Bossi dachte nach. Dann sagte er: «Sie waren blond und hatten grüne Augen, Exzellenz. Aber es dürfte schwierig sein», fügte er hinzu, «eine weibliche Person aufzutreiben, die sich als Lockvogel eignet.»

«Die Baronin meint, es müsse nicht unbedingt eine Frau sein, die den Lockvogel spielt», sagte Spaur.

Das schien den Ispettore zu verwirren. «Ein weiblicher Lockvogel, der keine Frau ist?»

Spaur lächelte plötzlich – auf eine Art und Weise, die Tron nicht gefiel. «Alles, was wir brauchen», sagte der Polizeipräsident langsam, «ist eine junge Person mit grünen Augen, blonden Haaren und guten Nerven.»

Bossi straffte sich dienstfertig auf seinem Stuhl. «Haben der Baron jemanden ins Auge gefasst?»

Spaurs unangenehmes Lächeln verstärkte sich. «Sie kennen die Kriterien, Ispettore. Blond, grüne Augen, keine Landsknechtfigur. Angenehmes Gesicht, keine Stimme wie ein Reibeisen. Wenn diese Person auch mit einer Waffe umgehen könnte, wäre das vorteilhaft.» Spaur lehnte sich über den Tisch und sah Bossi an. «Würden Sie mir Ihre Augenfarbe verraten, Ispettore?»

Bossi schien die Frage ein wenig zu irritieren. «Grün, Exzellenz.»

Spaur nickte zufrieden. «Na bitte.»

Der Ispettore war plötzlich bleich geworden. «Exzellenz schlagen vor, dass ich ...»

Spaur schnitt ihm mit einer Handbewegung das Wort ab. «Bei Riccardi bekommen Sie alles, was Sie brauchen.»

Bossi schluckte. «Exzellenz meinen den Kostümverleih in der Frezzeria?»

«Riccardi hat Kleider in allen Größen», sagte Spaur kalt. «Suchen Sie sich etwas Ansprechendes aus und lassen Sie sich von Signor Riccardi persönlich bedienen. Sagen Sie ihm, dass es sich um eine polizeiliche Ermittlung handelt. Er soll die Rechnung an die Questura schicken.»

«Werden Sie es machen, Ispettore?»

Bossi, den Rücken an die Wand des Flurs vor Spaurs Zimmer gelehnt, sah aus, als würde ihm ein maskierter Wegelagerer einen Dolch an die Kehle halten. Er stöhnte auf. «Spaur ist imstande, Sergeant Kranzler zu Riccardi zu schicken, um feststellen zu lassen, ob ich dort gewesen bin. Er hat es ernst gemeint.»

«Dann kleiden Sie sich ein und gehen anschließend einfach nach Hause.»

«Zu mir nach Hause? Zu meiner *Mutter*? In einem *Kleid*?» Bossi schüttelte entsetzt den Kopf.

Richtig, das hatte Tron völlig vergessen. Bossi war Junggeselle und wohnte immer noch bei seiner verwitweten Mutter. Die verhätschelte ihren Sohn, hielt ihn aber zugleich unter scharfer Aufsicht.

Der Ispettore sah Tron unsicher an. «Was würden *Sie* machen, Commissario?»

Eine interessante Frage. Tron bezweifelte, dass er in einem Kleid glaubwürdig aussehen würde. Aber bei Bossis jugendlicher Optik lag der Fall anders.

«Wenn ich Sie wäre», sagte Tron gnadenlos, «würde ich

an meine Karriere denken. Ich würde mich bei Riccardi kostümieren lassen und eine Runde über die Piazza drehen. Sie könnten auch im Florian einen Kaffee trinken.»

Der Ispettore machte ein empörtes Gesicht. «Ich soll ohne männliche Begleitung in ein Café gehen?»

Tron musste lächeln. Bossi, der Fanatiker technischen Fortschrittes, war zugleich gusseisern konventionell. Eine ehrbare Frau, die unbegleitet ins Florian ging, um dort einen Kaffee zu trinken? Undenkbar! Dass es auch etwas mit Fortschritt zu tun hatte, wenn Frauen ohne Herrenbegleitung ein Café aufsuchten, wäre dem Ispettore nie in den Sinn gekommen. Engländerinnen und Amerikanerinnen traf man jetzt immer öfter allein in den Cafés an der Piazza. Bei den Venezianerinnen, da waren sich Tron und die Principessa einig, bestand auf diesem Gebiet noch ein gewisser Nachholbedarf. Und natürlich auch bei den venezianischen Männern.

«Ein moderner Polizeibeamter», sagte Tron, «muss flexibel sein.»

«Sie meinen also, ich sollte ...»

Tron nickte. «Probieren Sie es aus. Und wenn Sie mit dem Kostüm klarkommen, drehen Sie heute Nacht eine Runde durch die einschlägigen Etablissements.»

35

Um den rein dienstlichen Charakter seines Besuches zu demonstrieren, hätte Ispettor Bossi den Kostümverleih lieber in Uniform betreten. Andererseits wollte er um keinen Preis auffallen. Eigentlich absurd, dachte er. Für Napoleon oder Julius Cäsar würde niemand den Kopf drehen, aber der Anblick eines uniformierten Polizisten konnte in einem Kostümverleih leicht Unbehagen auslösen. Was durchaus verständlich war, denn es gab erstaunlich viele *cavalieri*, denen es Vergnügen bereitete, einen Maskenball in einer Krinoline zu besuchen. Unklar blieb dabei immer, ob die Entscheidung, ein Kleid zu tragen, eine Folge karnevalistischer Enthemmung war oder ob sich ein tieferes, unter heimatlichen Umständen scharf unterdrücktes Bedürfnis dahinter verbarg. Würde man auch bei ihm den Verdacht haben, dass sich ein lange unterdrücktes Bedürfnis Bahn brach? Bossi nahm sich vor, Signor Riccardi sofort darauf hinzuweisen, dass er aus rein dienstlichen Gründen ein Kleid benötige.

Riccardis Kostümverleih befand sich zwischen einem Maskenladen und einer Trattoria, und als Bossi das Geschäft kurz nach sieben Uhr betrat, sah er sofort, dass es sich um ein Etablissement gehobenen Zuschnitts handelte. Der Geschäftsraum erstreckte sich über die gesamte Grundfläche des Hauses und wurde von Dutzenden von Petroleumkandelabern erhellt, wie Bossi sie nur aus dem Teatro Fenice kannte. Überall an den Wänden waren mannshohe Spiegel angebracht, und in der Mitte des Raumes standen zwei Schneiderpuppen mit maskierten Köpfen, die offenbar Cäsar und Kleopatra darstellen sollten. Auf dem Fußboden lagen, höchst ungewöhnlich für Venedig, kostbare Teppiche, und passend dazu schien sich das Publikum vorwiegend aus den großen Hotels zu rekrutieren. Es roch nach Parfum und frisch gebrühtem Kaffee. Bossi fand die Atmosphäre angenehm und aufregend zugleich.

Zwei Paare, laut und lebhaft französisch sprechend, standen vor den Wandspiegeln, während zwei junge Schneiderinnen neben den jeweiligen Damen knieten und mit Nadel und Faden letzte Hand anlegten. Die Damen trugen seidene Reifröcke im Stil Marie Antoinettes, die Herren gepuderte, hinten zu einem Mozartzopf zusammengebundene Perücken, dazu Kniebundhosen und Schnallenschuhe. Ein drittes Pärchen, ebenfalls in Kostümen des 18. Jahrhunderts, war gerade im Begriff, das Geschäft zu verlassen. Bossi vermutete, dass es sich bei dem Signore in schwarzem Gehrock, der ihnen die Tür aufhielt, um den Prinzipal des Etablissements, Signor Riccardi, handelte. Der sich, nachdem er die Tür hinter dem Pärchen geschlossen hatte, seinem neuen Kunden mit einem verbindlichen Lächeln näherte.

Bossi erwiderte das Lächeln. «Signor Riccardi?»

Signor Riccardi verneigte sich.

«Ich bin Ispettor Bossi vom Kommissariat San Marco», sagte Bossi.

Wenn Riccardi über den Besuch eines Polizeibeamten irritiert war, dann zeigte er es nicht. Er zog nur kurz die linke Augenbraue nach oben und erneuerte sein verbindliches Lächeln. «Was kann ich für Sie tun, Ispettore?»

«Ich brauche ein Kleid», sagte Bossi, «eine blonde Perücke und ein Paar Schuhe.» Seine Stimme hörte sich plötzlich heiser an, was weniger daran lag, dass ihm die Situation peinlich war, sondern an der ihn völlig überraschenden Feststellung, dass es ihn auf einmal *reizte*, ein Kleid zu tragen.

Riccardi hob wieder die linke Augenbraue. «Wäre es nicht besser, wenn die Signora persönlich vorbeikommt?»

Bossi atmete tief ein, dann schüttelte er den Kopf. «Ich brauche das Kleid für mich selbst», erklärte er kühn. Und da es, nachdem er es ausgesprochen hatte, nun wirklich nicht mehr darauf ankam, fügte er gleich hinzu: «Außerdem eine blonde Perücke und Schuhe in meiner Größe.»

Himmel! Hatte er das wirklich gesagt? *Ich brauche ein*

Kleid für mich selbst? Bossi fühlte, wie sich sein Herzschlag beschleunigte, er rot wurde und ihm Schweiß von der Schläfe auf den Kragen tropfte.

Was Signor Riccardi jedoch nicht zu bemerken schien. Er neigte nur höflich den Kopf. «Hatten Sie etwas, äh, Bestimmtes im Auge, Ispettore?»

Wie bitte? Etwas *Bestimmtes*? Was konnte damit gemeint sein? War das die Fangfrage, mit der Riccardi diejenigen erkannte, die den Karneval dazu benutzen, um ein *lange unterdrücktes Bedürfnis* auszuleben?

Bossi räusperte sich nervös. Seine blaue Dienstuniform fiel ihm ein und die goldenen Knöpfe, die er so gerne putzte. «Ich dachte an etwas Blaues mit goldenen Knöpfen», sagte er.

Signor Riccardi gestattete sich einen skeptischen Gesichtsausdruck. «Zu blonden Haaren? Ich fürchte ...» Er wiegte stirnrunzelnd den Kopf und sah Bossi nachdenklich an.

Der beschloss jetzt, sich beraten zu lassen. «Und was würde besser zu blonden Haaren passen?»

Signor Riccardis Antwort kam sofort. «Ein schwarzes Kleid, Ispettore.»

Das war einleuchtend. Bossi musste unwillkürlich an die Principessa di Montalcino denken, deren Lieblingsfarbe Schwarz war. Also ein schwarzes Kleid. Aber ... *was* für ein Kleid?

Über diesen Punkt hatte Bossi bereits auf dem Weg zu Riccardi nachgedacht. Fest stand, dass er weder ein aufwendiges Abendkleid noch eine ausladende Krinoline mit kompliziertem Drahtgeflecht tragen wollte – also nichts, worin er sich nicht frei bewegen konnte. Damit lief es auf ein Promenadenkleid hinaus. Außerdem wünschte er sich, dass seine schlanke Kavalleristentaille betont würde. Die

Hüftpartie, überlegte er, ließe sich wahrscheinlich problemlos ein wenig aufpolstern, und der fehlende Busen würde sich irgendwie …

Bossi schloss die Augen und sah sich, blondhaarig und kokette Blicke abfeuernd, durch ein Spalier glotzender Signori schreiten. Das Kleid, das er trug, war aus schwarzglänzendem Taft, schmal in der Taille, darüber und darunter gefällig ausgepolstert, sodass sich der Sanduhreffekt ergab, den die Männer schätzten.

«Ich möchte», sagte Bossi träumerisch, indem er wieder die Augen öffnete, «ein tailliertes Promenadenkleid.» Und setzte noch hinzu: «Aber ein *fesches*.»

O Gott. Was um Himmels willen redete er da? Hatte sich das *weibisch* angehört? Was war überhaupt mit ihm los? «Im Übrigen», fügte er hastig hinzu, wobei er versuchte, seiner Stimme einen polizeilichen Klang zu geben, «bin ich dienstlich hier.»

Sie stand am Tresen, hatte ein Glas in der Hand und betrachtete sich in dem großen Spiegel an der Wand. Hin und wieder lächelte sie ihrem Spiegelbild zu, drehte den Kopf kokett zur Seite und strich sich mit der freien Hand über die blonden Haare. Das Kleid, das sie trug, war ein schlichtes, hochgeschlossenes Promenadenkleid. Es war schwarz – ebenso schwarz wie ihre über den Ellbogen hinausreichenden Handschuhe. Ihr Profil war klassisch, gerade Nase, hohe Stirn, ein kräftig, aber nicht zu kräftig ausgebildetes Kinn, dazu eine schlanke, an den entsprechenden Stellen ansprechend gerundete Figur.

Sie gefiel ihm, und je länger er sie betrachtete, desto mehr regte sich in ihm. Er hatte sie jetzt seit einer Viertelstunde beobachtet und war sich sicher, dass sie ohne Begleitung ins Rudolfo gekommen war. Was nur bedeuten konnte, dass sie auf der Suche nach Anschluss war, ohne es jedoch eilig zu haben.

Um diese Zeit – es hatte noch nicht einmal neun geschlagen – war das Rudolfo noch halb leer. Zwei Dutzend Pärchen, alle mehr oder weniger kostümiert, drehten sich auf der Tanzfläche zu einem langsamen Walzer, gespielt von einem bemerkenswert schlechten Salonorchester. Der Rest des Publikums saß entweder an den Tischen, die die Tanzfläche säumten, oder schob sich langsam in Richtung Tresen. Es fiel ihm auf, dass es kaum jemanden gab, der nicht rauchte. Die Herren hatten entweder eine Zigarette oder eine Zigarre zwischen den Fingern, und der Qualm waberte lustlos wie eine zweite Decke über den Köpfen. Die richtige Stimmung, das wusste er aus Erfahrung, würde sich erst einstellen, wenn das Publikum aus dem Teatro Fenice und den anderen Theatern auf die Straße strömte, wild entschlossen, sich den Rest der Nacht ins Vergnügen zu stürzen.

Und er selbst? War er bereit? Und wenn – *wozu*? Jedenfalls war er auf alles vorbereitet. Das Messer und die Lederschlinge hatte er eingesteckt. Nicht dass er es unbedingt darauf angelegt hatte, heute Abend zu *operieren*. Er fühlte sich noch etwas erschöpft von seinem letzten Einsatz. Das Rudolfo hatte er nur betreten, weil es auf dem Weg lag und nicht, weil ihm der Sinn nach blutigen Abenteuern stand.

Jetzt war der langsame Walzer zu Ende. Die Paare auf der Tanzfläche lösten sich auf, gruppierten sich neu oder gingen zu den Tischen zurück. Vier befrackte Herren, jeder von ihnen eine Signorina am Arm, steuerten lachend den Ausschank an, was die blonde Frau veranlasste, sich mit ihrem Glas an das Ende des Tresens zu begeben. Dort, nur ein paar Schritte von ihm entfernt, blieb sie stehen, drehte den Kopf, und ihre Blicke trafen sich. Doch anstatt ihren

Blick wieder von ihm abzuwenden, wie er es erwartet hatte, musterte sie ihn ein paar Sekunden lang. Dann nickte sie ihm zu und hob grüßend ihr Glas, was er nur als Aufforderung verstehen konnte, sich ihr zu nähern. Er deutete eine galante Verbeugung an, hob ebenfalls sein Glas und setzte sich in Bewegung.

Als er neben sie trat und dabei den Mund unter der Halbmaske zu einem schüchternen Lächeln verzog, erkannte er zweierlei: dass die Frau grüne Augen hatte und dass es sich in Wahrheit um einen Mann handelte. Woran *genau* er es erkannte, wusste er nicht, vielleicht, dachte er, weil ihr Kinn, aus der Nähe betrachtet, doch ein wenig zu kräftig war. Dann stellte er erschrocken fest, dass es ihn nicht störte – und dass das Tier in ihm in ein wildes Geheul ausgebrochen war.

36

Als moderner Kriminalbeamter glaubte Ispettor Bossi nicht an Zufälle. Niemals hätte er, wie es seine Mutter regelmäßig tat, ein Los der *Lotteria Veneziana* gekauft. Bossi glaubte an Indizienketten, an Dampfmaschinen, Telegrafie und Gasbeleuchtung.

Der Commissario hingegen glaubte an Zufälle – ein kontroverses Thema, auf das sie immer wieder zurückkamen. Für ihn, Bossi, hatte die Welt, obwohl die italienische Einheit immer noch auf sich warten ließ, ihre rechte Ordnung. Und wenn diese Ordnung gestört wurde, war es möglich, die Quelle der Störung durch messerscharfe Indizienketten aufzufinden und zu beseitigen. Für den Commissario hingegen war die Welt ein undurchsichtiges, von

Verbrechen und technischem Fortschritt regiertes Chaos, die reinste Rumpelkammer, in der dann auch der dumpfe, sinnlose Zufall eine wichtige Rolle spielen konnte. Etwa ein Zusammentreffen Bossis mit dem *Ausweider*. Das hatte der Commissario so direkt nicht ausgesprochen, aber er hatte es auch nicht ausschließen wollen. Was selbstverständlich Unsinn war. Da konnte er, dachte Bossi, sich gleich ein Los der *Lotteria Veneziana* kaufen. Schon der Gedanke daran war lächerlich.

Außerdem gab es im Augenblick ganz andere Dinge zu bedenken. Wie kam es zum Beispiel, dass er sich in dem schwarzen Promenadenkleid so pudelwohl fühlte? So *weiblich*? Lag es daran, dass die blonde Perücke so gut zum samtigen Schwarz des Kleides passte? Oder daran, dass die Wattepolster an Brust und Hüfte sich so glatt und ohne zu drücken an seinen Körper schmiegten, als wären sie immer schon dort gewesen? Oder, überlegte er weiter, dass sich hier ein *lange unterdrücktes Bedürfnis* Bahn brach?

Lediglich die Schuhe hatten sich als gewöhnungsbedürftig erwiesen. Die hohen Absätze nötigten ihn, mit der ganzen Sohle aufzutreten, und zwangen ihn zu kleinen, femininen Schritten. Das war der Weiblichkeit seiner Fortbewegung zwar förderlich, hemmte aber seine Beweglichkeit, was sich in einem Handgemenge als fatal erweisen konnte. Allerdings rechnete er nicht mit einem Handgemenge.

Dann war es höchst merkwürdig gewesen, die Piazza San Marco zu überqueren und alles mit den Augen einer Frau zu sehen. Vermutlich tat man das automatisch, wenn man ein Kleid und hohe Schuhe trug. Und plötzlich sah man das Leben in einem ganz anderen Licht: Überall waren es die Männer, die den Ton angaben! Wie angeberisch-maskulin ihm die kaiserlichen Offiziere auf einmal erschienen, mit ihren wichtigtuerischen Begrüßungsritualen und ihrem kriegerischen Gerauche! Und wie aufgeplustert-gockelhaft seine Sergenti über die Piazza stolzierten! Dass auch der hoch aufragende Campanile einen heftigen Einschlag ins Männliche hatte, war ihm vorher nie aufgefallen, obwohl man es wirklich schwer übersehen konnte.

Zweimal hatten ihn mitten auf der Piazza Leutnants der Innsbrucker Kaiserjäger gegrüßt, und ebenfalls zweimal hatten ihm Leutnants der kroatischen Jäger hinterhergepfiffen. Das hatte ihm als Frau instinktiv gefallen, und er hatte den Herren – jedenfalls den schmucken Kaiserjägern – ein Lächeln geschenkt. Weniger erbaulich war eine dreiste Annäherung zweier in große Karos gekleideter Amerikaner gewesen, die die Nerven hatten, sich ihm vor der Porta della Carta halb in den Weg zu stellen und mit ihren Brieftaschen zu wedeln. Als er empört zurückgewichen war, hatten die Burschen etwas zwischen den Zähnen gemurmelt und die Achseln gezuckt. Da er kein Englisch verstand, hatte er nur vermuten können, dass es sich dabei um etwas Unschickliches gehandelt hatte, und er war kurz davor gewesen, den Flegeln eins mit der ledernen Handtasche überzuziehen, die ihm Signor Riccardi noch zum Schluss aufgedrängt hatte.

Ins Rudolfo hatte es ihn noch verschlagen, weil es zu seinem dienstlichen Auftrag gehörte, in einem der einschlägigen Etablissements wenigstens eine Ehrenrunde zu drehen. Außerdem hatte es ihm widerstrebt, die weibliche Rolle gleich wieder abzulegen. Das würde er dem Commissario allerdings morgen nicht erzählen. Ebenso wenig würde er die weiblichen Gedanken erwähnen, die über ihn gekommen waren, als er das Rudolfo betrat. Saß die Frisur korrekt? Hatten Lidstrich und Rouge in der nächtlichen Feuchtigkeit gelitten? Gab ihm die lederne Handtasche hier womöglich einen Einschlag ins Omahafte? Allerdings erfüllte sich seine Erwartung, dass sich alle möglichen Männer wie Geier auf ihn stürzen würden, nicht. Was ihn einerseits kränkte, ihm andererseits die Möglichkeit gab, sich ungestört an den Ausschank zu begeben und von dort aus – der Haltung wegen ein Glas in der Hand – einen ruhigen Blick in die Runde zu werfen. Beim Bestellen war es ihm mühelos gelungen, seine ohnehin nicht übermäßig tiefe Stimme eine Quart nach oben rutschen zu lassen. Jedenfalls hatte ihn die Saaltochter hinter dem Tresen ohne mit der Wimper zu zucken bedient.

Die Position am Ausschank war gut gewählt. Im Spiegel konnte er sein Äußeres bewundern und zugleich einen großen Teil des Etablissements im Auge behalten – die um diese Zeit noch mäßig besetzten Tische, umhereilende Kellner, Paare, die sich auf der Tanzfläche drehten, und das Salonorchester auf dem Podium. Dass sich keiner der anwesenden Herren für ihn interessierte, fing langsam an, ihn zu stören. Ein Lockvogel, der niemanden anlockte, war einfach albern. Ein glattrasierter Signore jedoch, der in der Nähe des Orchesterpodiums stand, hielt seit ein paar Minuten den Kopf in seine Richtung gedreht. Ob der Mann ihn beobachtete, war schwer zu sagen, denn hinter der roten Halbmaske waren seine Augen nicht zu erkennen.

Als der Walzer zu Ende war und ein Teil der Paare sich dem Ausschank näherte, beschloss er, sich mit seinem Glas ans Ende des Tresens zu verziehen. Der Mann mit der roten Maske, eine unauffällige Erscheinung in dunklem Gehrock, stand immer noch an der gleichen Stelle, und plötzlich war er sich ganz sicher, dass der Bursche ihn beobachtete. Ob er ihm signalisieren sollte, dass er gerne ein kleines Gespräch mit ihm führen würde? Ein Gespräch, das er morgen Vormittag, wenn er dem Commissario Bericht erstattete, nicht erfinden musste und das als Beleg seines Diensteifers gelten konnte? *Ich habe mich ansprechen lassen, Commissario, weil ich einen Augenblick lang tatsächlich dachte, der Bursche wäre unser Mann. Sie sagen doch immer, dass es die unwahrscheinlichsten Zufälle gibt.*

Bossi drehte den Kopf, nickte knapp und hob grüßend sein Glas. Worauf der Mann mit der roten Maske ebenfalls sein Glas hob, eine altmodische Verbeugung andeutete und sich ein wenig hölzern in Bewegung setzte. Als der Maskierte herangetreten war und seinen Mund zu einem schüchternen Lachen verzog, gab er plötzlich ein leises, jaulendes Geräusch von sich. Merkwürdigerweise kam das Geräusch nicht aus dem Mund des Mannes, sondern schien, fast wie bei einem Bauchredner, aus seinem Inneren zu dringen. Keine Frage, der Mann – offensichtlich unerfahren im Umgang mit käuflicher Liebe – war hochgradig nervös.

Bossi warf schelmisch lächelnd den Kopf in den Nacken und schürzte die Lippen – eine Geste, die er für ausgesprochen weiblich hielt. Dann klapperte er mit seinen künstlichen Wimpern und sagte: «Hallo, Schätzchen.»

37

Was antwortet man einer blonden Signorina, die das Gespräch mit *Hallo, Schätzchen* eröffnet und eine auffällig tiefe Stimme hat? Er schwieg, deutete eine knappe Verbeugung an, während das Tier in seinem Inneren immer noch heulte. Er konnte nur hoffen, dass nichts von dem Jaulen nach außen drang und dass das Tier zur Vernunft kam. Denn natürlich war der Typ ein Witz. Wenn man direkt vor ihm stand, erkannte man sofort, mit wem man es hier zu tun hatte. Die schlampig montierte Perücke saß schief auf dem Kopf, und der Versuch des Burschen, seine großen Hände in schwarze Frauenhandschuhe zu zwängen, war eindeutig missglückt; es sah aus, als könnten die Nähte jeden Moment platzen. Komplettiert wurde das Bild durch einen verschmierten Lidstrich und ungeschickt aufgeklebte, bürstenartig wirkende Wimpern. Der Bursche war ein nachlässig aufgebrezelter Transvestit. Einen Moment lang erwog er, sich umzudrehen und ihn einfach stehenzulassen. Gab es Männer, deren Sinne beim Anblick dieser Vogelscheuche in Wallung gerieten? Sahen alle Transvestiten so aus, oder war er hier an ein besonders extremes Exemplar geraten? Merkwürdig, dachte er, dass der Kerl aus ein paar Metern Entfernung tatsächlich wie eine attraktive junge Frau auf ihn gewirkt hatte. Nur aus der Nähe blieb nicht viel davon übrig. Allerdings war auch merkwürdig, dass die Bestie in ihm nicht den geringsten Anstoß daran nahm. Er hatte fast den Eindruck, dass sich das Heulen noch verstärkt hatte – so als wäre die Bestie auf eine besonders leckere Beute gestoßen.

Was dann letztlich den Ausschlag gab, sich nicht abzuwenden, sondern ... Ja, was? Mit einem *Transvestiten* auf ein Hotelzimmer zu gehen? Vorbei an einem Portier, der anzüglich grinste? Sich womöglich über ihn lustig machte? Er war sich nicht sicher, ob er einer solchen Situation emotional gewachsen war, obwohl das Projekt durchaus seine Reize hatte. Leber war Leber, wenn auch die Vorstellung, den Bauch des Mannes für die *Operation* zu entblößen, etwas Abartiges hatte. Eigentlich, dachte er, war es ein Skandal, dass die venezianischen Behörden bei Transvestiten beide Augen zudrückten.

Er räusperte sich und lächelte den Burschen freundlich an. «Champagner?»

Der stieß ein tuntiges Lachen aus und nickte affektiert. Beim Lachen sah man dunkelroten Lippenstift auf seinen Schneidezähnen. Der Mann machte einen nervösen Eindruck. Offenbar ging er diesem Geschäft noch nicht lange nach. Vielleicht, dachte er, war es ja seine Premiere. Und so, wie die Dinge lagen, auch seine Abschiedsvorstellung.

Eine halbe Stunde später überquerten sie Seite an Seite den Campo San Moisè – auf den ersten Blick ein Pärchen wie viele, vielleicht auf dem Weg ins Hotel oder zu einem der zahlreichen Maskenbälle. Obwohl es sich deutlich abgekühlt hatte, schwitzte er so stark, dass er am liebsten seine Halbmaske vom Gesicht genommen hätte. Aber das würde er erst im Hotelzimmer tun. Das Tier in ihm hatte sein Jaulen eingestellt. Jetzt stieß es lediglich hin und wieder ein leises Knurren aus. Er bezweifelte, dass der Bursche an seiner Seite es hören konnte.

Ein *travestito* also. Das war nicht ganz das, was ihm persönlich vorschwebte – er war schließlich nicht pervers. Aber aus Erfahrung wusste er, dass es irgendwann einen Punkt gab, an dem das Tier in ihm das Kommando übernahm. Einen Punkt, an dem er nur noch versuchen konnte, die Angelegenheit in halbwegs vernünftige Bahnen zu leiten. Im Rudolfo war ihm das leider nicht gelungen. Als der Bursche ihn nach zwei Gläsern Champagner zum Tanz aufgefordert hatte – so als wäre es selbstverständlich, dass nicht der *Mann* einen entsprechende Aufforderung ausspricht –, da hatte er das Ansinnen zunächst abgewehrt, war damit aber auf wütenden Protest des Tieres gestoßen. Schließlich, als das Jaulen in ihm zu laut wurde, hatte er dem *travestito* seinen rechten Arm entgegengestreckt und ihn auf die Tanzfläche geführt. Dann hatten sie zusammen einen langsamen Walzer getanzt, und er war sich sicher, dass die anwesenden Herren sie beobachtet und sich womöglich grinsend gefragt hatten, ob der Esel mit der roten Halbmaske sich darüber im Klaren war, mit wem er da tanzte. Das war peinlich und erniedrigend, zumal sich der Bursche beim Tanz in einer fast obszönen Weise an ihn geschmiegt hatte.

Jetzt hatten sie die Calle delle Ostreghe hinter sich gelassen und betraten den Campo San Maurizio. Außer zwei kaiserlichen Offizieren und einem maskierten Pärchen mit einer Blendlaterne war ihnen niemand begegnet. Selbst in der Karnevalszeit schien sich der nächtliche Trubel auf die Piazza, die Piazzetta und die Riva degli Schiavoni zu beschränken. Dass ihre Unterhaltung sich auf den knappen Austausch von Belanglosigkeiten beschränkte, war ihm nur recht, denn es ging ihm einiges durch den Kopf. Würde ein *travestito* mehr Schwierigkeiten machen als eine *mammola*? Würde es ihm gelingen, die Lederschlinge so lange in ihrer erforderlichen Position zu halten, bis der *travestito* das Bewusstsein verlor? Der Bursche an seiner Seite sah nicht sehr kräftig aus, aber er war auch nicht gerade schmächtig. Er hatte kein gutes Gefühl bei alledem, doch er wusste, dass es aussichtslos war, das Tier in ihm jetzt noch zum Abbruch des Unternehmens zu bewegen.

Vom Campo San Maurizio ging eine kleine Calle ab, die am Canalazzo endete, und dort lag, auf der rechten Seite der Gasse, die Pensione Pollini, die der *travestito* ihm vorgeschlagen hatte. Von einer Pensione Pollini hatte er noch nie etwas gehört, aber das hatte nichts zu bedeuten. In Venedig gab es Dutzende von kleinen Stundenhotels. Er würde notfalls an Ort und Stelle entscheiden, ob es nicht doch besser war, das Unternehmen vorsichtshalber abzubrechen.

Dass auch die Concierges inzwischen misstrauisch waren, lag auf der Hand. Doch vermutlich, dachte er, würde ein Maskierter, der mit einem Transvestiten auftauchte, keinen Verdacht erregen.

Der Eingang der Pension lag fast am Ende der Gasse. Es war ein unscheinbares, dreistöckiges Gebäude, über dessen Eingang ein Öllämpchen einen schwachen Lichtschein auf ein Schild mit verblichenen Buchstaben warf. Wenige Schritte vor ihnen lagen bereits die Stufen zum Canalazzo. Ein paar erleuchtete Fenster auf der anderen Seite des Wassers schimmerten schwach in der Dunkelheit, aber es war zu diesig, um den Umriss der Gebäude zu erkennen. Plötzlich fiel ihm die Operation auf der Gondel ein und das Vergnügen, das er dabei empfunden hatte. Das Vergnügen, das er und das Tier dabei empfunden hatten.

Als er, ein sentimentales Lächeln auf den Lippen, den Kopf drehte, blickte er in den Lauf einer Waffe. *Waffe* war eigentlich zu viel gesagt, denn das, was der Bursche in der Hand hielt, war trotz des schwachen Lichtes als einläufige Derringer zu identifizieren – eine Pistole, die unangenehm verletzen konnte, deren Gebrauch aber in den seltensten Fällen zum Tod führte. Eine typische Tuntenknarre mit mäßiger Durchschlagskraft, von Spielern und Frauenzimmern bevorzugt. Und offenbar auch von Transvestiten. Wenn der Bursche denn überhaupt einer war. Denn unter dieser Voraussetzung ergab alles plötzlich einen Sinn: die Aufforderung zu tanzen, das obszöne Anschmiegen auf der Tanzfläche, um zu prüfen, ob er seine Brieftasche dabeihatte. Und der preiswerte Tarif, der nur den Sinn hatte, ihn in diese dunkle Ecke zu locken. Ein Raubüberfall also. Grandios. Und was machte die Bestie, das wilde Tier in ihm? Es schien in Ohnmacht gefallen zu sein. Jedenfalls passte es zur Situation, dass die affektierte Stimme des

Mannes plötzlich kalt und sachlich sagte: «Drehen Sie sich um, Signore. Nehmen Sie die Hände hoch und legen Sie sie an die Wand.»

Na, wunderbar. Er drehte sich langsam um, stellte dabei ohne Überraschung fest, dass sie in der dunklen Gasse allein waren, und legte die Hände an den Putz der Hauswand. Sollte er laut um Hilfe rufen? Die Häuser in der Gasse waren bewohnt, und die Anwohner konnten sofort herbeieilen. Aber was dann? Sollten sie den Mann festhalten und der Polizei übergeben? Nein, bloß keine Polizei. Andererseits war zu erwarten, dass der Bursche gleich seine Taschen durchsuchen würde. Und dabei nicht nur seine Brieftasche, sondern auch das Messer und die Lederriemen finden würde. Und dann? Würde es bei ihm klingeln?

Über das, was er jetzt tat, dachte er nicht lange nach. Er nahm die Hände von der Wand, duckte sich blitzschnell und wirbelte mit angehobenen Armen um seine Achse. Sein Ellbogen traf das Kinn des Mannes, gleichzeitig fiel ein Schuss und zersplitterte eine Fensterscheibe über ihm. Er schüttelte die Hand ab, mit der der Bursche seinen Gehrock gepackt hatte, machte einen Satz in die Dunkelheit und fing an zu rennen.

Eigentlich hatte er nicht erwartet, dass der falsche Transvestit ihm folgen würde, aber der Bursche lief nun tatsächlich hinter ihm her. Am Ende der Calle Vetturi lief er links in die Calle Corfu hinein. Sein Verfolger, beim Rennen behindert durch das Kleid, war zurückgefallen, und an der Accademia hatte sich der Abstand abermals vergrößert. Er hetzte über den Campo della Carità, stürzte die Accademia-Brücke hinauf und wandte sich auf der anderen Seite des Canalazzo, am Campo San Vidal, nach rechts. Inzwischen raste sein Herz, er bekam kaum noch Luft. Das große, schmiedeeiserne Haupttor des Gartens vom Palazzo Cavalli würde zu dieser Stunde verschlossen sein, aber die Mauer machte ein paar Schritte weiter einen scharfen Knick in Richtung San Marco, und die kleine Pforte an dieser Stelle war normalerweise nicht abgeriegelt. Er rannte um die Ecke, drehte den unauffälligen Knauf nach links und stieß die Pforte auf. Dann trat er in den Garten, schloss sofort die Tür hinter sich und schob den Riegel vor. Sein Puls raste, sein Atem ging schnell und stoßweise. Als er die Schritte seines Verfolgers auf der anderen Seite der Pforte vernahm, hielt er die Luft an, um besser hören zu können. Die Schritte wurden leiser, näherten sich wieder, und dann blieb der Mann vor der Pforte stehen, drehte am Knauf, rüttelte an der Tür, murmelte etwas Unverständliches und entfernte sich schließlich.

Er schloss die Augen und lehnte seine erhitzte Stirn an die Gartenpforte. Schließlich ging er mit weichen Knien zum Haus und fragte sich, was von einer Stadt zu halten war, in der man nachts seines Lebens nicht mehr sicher sein konnte.

38

Tron schob die silberne Zuckerdose über den Tisch, deutete auf die kleine Zange und sah zu, wie sich Bossi mit zitternder Hand bediente. Ein Stück, dann noch eins, schließlich ein drittes und ein viertes. Normalerweise trank Bossi seinen Kaffee schwarz. Tron bezweifelte, dass der Ispettore wusste, was er da tat. Sein Bericht war ein wenig konfus gewesen. Es war offensichtlich, dass Bossi immer noch unter Schock stand.

«Sind Sie sicher, dass Ihnen der Mann durch die Gartenpforte des Palazzo Cavalli entwischt ist?»

Bossi, die Tasse mit dem frisch aufgebrühten Kaffee in der Hand, lehnte sich auf seinem Stuhl zurück und schloss seufzend die Augen. Der Regen hatte seine blonde Perücke in einen gelblichen Scheuerlappen verwandelt und die Schminke in seinem Gesicht verwischt. Die Reste des Lidstriches liefen ihm wie schwarze Tränen die Wangen hinab, was ihm das Aussehen eines traurigen Clowns gab. Es war kurz vor elf, und der kalte Regen, der vor einer halben Stunde mit überraschender Heftigkeit eingesetzt hatte, schlug in harten Tropfen gegen die Fensterscheiben des Palazzo Balbi-Valier. Die Principessa hatte sich, nachdem sie den überraschend aufgetauchten Ispettore begrüßt hatte, in ihren Salon zurückgezogen.

«Hinter der Brücke beginnt die Gartenmauer des Palazzo Cavalli, die nach ein paar Schritten einen Knick nach rechts macht», sagte Bossi. «Der Mann ist hinter dem Knick verschwunden, aber als ich um die Ecke kam, war er weg.»

«Und wenn er zum Campo Santo Stefano weitergelaufen ist? Er könnte sich hinter dem Brunnen versteckt haben.»

«Das habe ich überprüft», sagte Bossi. «Da war er nicht.»

«Sie meinen also, er ist durch die Pforte in der Mauer verschwunden?»

«Er kann sich ja schlecht in Luft aufgelöst haben.»

«Falls es sich denn überhaupt um unseren Mann gehandelt hat.» Tron beugte sich vor und sah Bossi an. «Ich habe immer noch nicht verstanden, warum Sie sich da so sicher sind. Sie sagten, er hat Sie angesprochen?»

«Er ist auf mich zugekommen, wir haben Champagner getrunken, und anschließend hat er mich zum Tanzen aufgefordert.»

«Was hat Sie bewogen, mit dem Mann Champagner zu trinken und danach mit ihm zu tanzen?»

«Ich wollte wissen, ob meine Maskierung funktioniert.»

«Und, *hat* sie funktioniert?»

Bossi lächelte verschämt, wurde dann aber sofort wieder ernst. «Er war ganz wild darauf, mit mir in ein Hotel zu gehen.»

«Aber was hat Ihren Verdacht erweckt? Sie hielten ja die Wahrscheinlichkeit, auf unseren Mann zu stoßen, für minimal.»

«Ich hatte plötzlich ein ungutes Gefühl», sagte Bossi. «Und dann war da dieses Messer in der Tasche seines Gehrocks.»

Tron runzelte die Stirn. «Sie haben ein Messer in der Tasche seines Gehrocks gesehen?»

«Eigentlich nur den Umriss eines länglichen Gegenstandes», räumte Bossi ein. «Es passte zu meinem unguten Gefühl. Und ich wollte der Sache auf den Grund gehen.»

«Aber vor diesem Stundenhotel waren Sie dann auch nicht viel schlauer.»

«Leider nicht. Also musste ich ihn auffordern, mir den Inhalt seiner Taschen zu zeigen.»

«Ohne sich als Ispettore der venezianischen Polizei auszuweisen?»

«Wenn er tatsächlich unser Mann gewesen wäre, hätte er sich bei dem Wort *Polizei* sofort zur Wehr gesetzt. Bei Raubüberfällen rücken die Leute meist ohne großen Widerstand mit ihren Sachen raus.»

«Und daraus, dass er die Flucht ergriffen hat, haben Sie geschlossen, dass es sich um unseren Mann gehandelt hat?»

Bossi nickte. «Dazu passte, dass er nicht laut um Hilfe gerufen hat, als er vor mir geflüchtet ist.»

«Haben Sie den Schuss absichtlich abgefeuert?»

«Er hat sich versehentlich gelöst, als mich der Ellbogen des Mannes am Kinn traf.»

«Und dann?»

«Bin ich ihm nachgerannt», sagte Bossi. «Den Rest der Geschichte kennen Sie.»

«Wie sind Sie eigentlich auf das Rudolfo gekommen?»

«Es liegt auf meinem Weg nach Hause. Und da ich die ganze Idee für ...» Bossi brach den Satz ab und starrte in seine Kaffeetasse.

Tron musste lachen. «Und da Sie die ganze Idee für Unsinn hielten, haben Sie beschlossen, eine Runde im Rudolfo zu drehen und sich anschließend zu verdrücken. Sofort nach Hause konnten Sie nicht, weil Sie sich vor Ihrer Mutter nicht in diesem Aufzug präsentieren wollten.»

Bossi machte ein verdrossenes Gesicht. «Spaur hätte garantiert nachgefragt, und Sie selber waren ja auch dafür.»

«Ich hatte lediglich geäußert», sagte Tron, «dass auch die unwahrscheinlichsten Zufälle nie auszuschließen sind.»

Bossi zupfte nachdenklich an den nassen Ärmeln seines Promenadenkleides. «Wäre es denkbar, dass der Comte de Chambord in diese Geschichte verwickelt ist? Dass er sich nachts in eine Art ... Werwolf verwandelt?»

«Ich gebe zu», sagte Tron, «dass diese Vorstellung einen gewissen Reiz hat. Aber der Comte de Chambord bewohnt den Palazzo Cavalli nicht allein.»

«Und was machen wir jetzt?»

«Ich rede morgen mit Signor Sorelli», sagte Tron. «Vielleicht hat er etwas beobachtet.» Er sah Bossi an. «Wollen Sie sich umziehen, bevor Sie gehen? Soll ich Ihnen etwas Trockenes zum Anziehen geben?»

Tron bezweifelte, dass dem Ispettore einer seiner Gehröcke passen würde, und er wusste, dass Bossi großen Wert darauf legte, auch unter widrigen Umständen adrett gekleidet zu sein.

Bossi war aufgestanden und vor den Spiegel über dem Kamin getreten. Dort fuhr er sich seufzend mit der Hand über die Perücke. «Ich sehe fürchterlich aus, Commissario.»

Er drehte sich zur Seite, warf seinem Spiegelbild einen melancholischen Blick zu und strich das Kleid über seinen Hüften glatt. Plötzlich glich er einer tragischen, vom Schicksal verfolgten Kokotte. Schließlich sagte er mit einer Stimme, die eine Terz nach oben gerutscht zu sein schien: «Ob die Principessa etwas zum Anziehen hat? In diesem Kleid kann ich unmöglich vor die Tür gehen.»

39

Als Tron am nächsten Morgen im Palazzo Balbi-Valier erwachte, war die Principessa bereits aufgestanden und hatte das Schlafzimmer verlassen, ohne ihn zu wecken. Ein Blick auf die Stutzuhr auf dem Nachttisch zeigte Tron, dass es kurz vor neun war. Obwohl er länger als acht Stunden geschlafen hatte, fühlte er sich müde und ausgelaugt.

Irgendwann in der Nacht war er aufgewacht und hatte sich dann vom ruhigen Atem der Principessa wieder in den Schlaf wiegen lassen. Danach allerdings hatte er einen grotesken, aber sehr deutlichen Traum gehabt: Bossi war in einem blauen Promenadenkleid auf der Questura erschienen und hatte angekündigt, seine Dienstgeschäfte in Zukunft als Signorina zu versehen. Und zwar mit Einwilligung des Polizeipräsidenten, der – so hatte Bossi behauptet – ebenfalls entschlossen war, von nun an ein Kleid zu tragen. Daran, dass Bossi in diesem Traum einen missbilligenden Blick auf seinen männlichen Gehrock geworfen hatte, erinnerte sich Tron noch. Danach verlor sich der Traum in einem wirren Haufen von Bildern und Handlungsfragmenten.

Eine halbe Stunde später war er rasiert und angekleidet. Dann hatte er sich von der Principessa im Kontor verabschiedet, um sich, wie jeden Morgen, zum Frühstück ins Florian zu begeben. Es regnete nicht mehr, aber der Himmel war wolkenverhangen, und als er sich von dem Traghetto an der Salute nach San Marco übersetzen ließ, wehte ein kalter Wind vom Bacino di San Marco in die Mündung des Canalazzo. Da Tron es für unklug hielt, persönlich im Palazzo Cavalli vorzusprechen, hatte er einen Sergente zu Julien geschickt, mit der Bitte, ihn möglichst schnell im Café Florian zu treffen.

Dort stellte Tron fest, dass ihn der vertraute Geruch von Kaffee und frischem Gebäck, das Klappern, mit dem die ovalen Tabletts auf den Tischen abgestellt wurden, sofort in eine bessere Stimmung versetzten. Trotz der für venezianische Verhältnisse frühen Stunde war das Florian bereits lebhaft besucht. Einige Gäste lasen die *Stampa di Torino*, ein Herr blätterte sogar in der Londoner *Times*, doch Tron hatte heute nicht die Absicht, sich um die Einhaltung der Pressezensur zu kümmern.

Nachdem er seinen Kaffee getrunken und eine halbe Brioche verspeist hatte, lehnte er sich auf der Polsterbank im maurischen Salon zurück und seufzte. Nein, dass ihre Ermittlungen bisher sonderlich erfolgreich verlaufen waren, konnte man nicht behaupten, und was sich aus Bossis nächtlichem Abenteuer ergeben würde, stand vorläufig noch in den Sternen. Zu allem Überfluss musste Tron feststellen, dass die *Gazzetta di Venezia* einen Bericht über den Mord auf dem Campanile gebracht hatte. Der Artikel deutete Zweifel an der Effizienz der venezianischen Polizei an und kam einer Kriegserklärung der Kommandantura an die Questura gleich. Das würde das Gespräch mit Spaur, das Tron nachher führen musste, nicht einfacher machen.

Es war kurz vor halb elf, als Julien den maurischen Salon betrat. Er trug eine rotgefütterte Pelerine, auf dem Kopf einen Zylinderhut, dazu weiße Handschuhe und – der letzte Schrei – weiße Gamaschen. Da sich am Nebentisch eine französische Familie niedergelassen hatte, sprachen sie Italienisch.

Tron brauchte zehn Minuten, um Julien über die Ereignisse der letzten Nacht ins Bild zu setzen. «Es ist wahrscheinlich», schloss er seinen Bericht, «dass sich gestern Nacht jemand in Ihren Garten geflüchtet hat, und wir fragen uns, wer das gewesen sein könnte. Der Mann war glatt rasiert und sprach mit einem ausländischen Akzent.»

Julien hatte sich, während er zuhörte, eine *Maria Mancini* angesteckt, die Marke, die auch die Principessa rauchte. Das fand Ton irritierend, nahm sich aber vor, nicht darüber nachzudenken – jedenfalls nicht im Moment.

Der Neffe überlegte, wobei er wie ein Kind die Finger zu Hilfe nahm: «Im Palazzo Cavalli leben zwanzig Personen. Die Hälfte davon sind Männer, und die wenigsten haben einen Bart.»

«Und wer hat *keinen* Bart?»

«Die zwei Kammerdiener des Comtes, der Gondoliere, die beiden Köche und Pater Francesco.»

«Wer ist Pater Francesco?»

«Der Beichtvater des Comtes», erklärte Julien verdrossen. Er kippte den Sambuca, den er bestellt hatte, in seinen Kaffee und rundete das Getränk mit einem Schuss Milch ab. «Pater Francesco», fuhr er fort, «hält auch die Messen in der Hauskapelle ab.»

Das Wort *Messe* hörte sich in Juliens Mund eher an wie *schwarze Messe.* Tron hatte nicht den Eindruck, dass der Neffe viel von Pater Francesco hielt. «Kennen Sie ihn näher?»

Julien schüttelte den Kopf. «Ich kenne ihn kaum, und wir reden selten miteinander. Er kann mich nicht leiden und ich ihn nicht. Mit Sicherheit», setzte er hinzu, «missbilligt er meinen Lebenswandel.»

«Wenn Sie miteinander reden – in welcher Sprache?»

«Italienisch.»

«Hat er einen Akzent?»

«Einen leichten», sagte Julien. «Man hört, dass er Ausländer ist.»

«Verlässt Pater Francesco abends hin und wieder das Haus?» Tron sah Julien gespannt an. «Vielleicht in Zivil?»

«Nicht dass ich wüsste.» Julien warf einen amüsierten Blick über den Tisch. «Wollen Sie damit andeuten, dass der Mann, der durch die Gartenpforte entkommen ist, Pater Francesco gewesen sein könnte?»

«Ich kenne den Pater nicht», sagte Tron. «Aber wenn er Ihren Lebenswandel missbilligt, wäre es denkbar, dass er ...»

Nein – das war Unsinn. Tron sprach den Satz nicht zu Ende. Ein vom religiösen Wahn erfasster Priester, der im venezianischen Rotlichtmilieu wütete, war ein Klischee aus den Groschenromanen, die Ispettor Bossi stapelweise verschlang. Andererseits war, so wie die Dinge lagen, alles denkbar.

Tron räusperte sich nervös. «Sprechen die Kammerdiener Italienisch?»

«Sie waren gestern gegen neun in der Küche, also können sie es nicht gewesen sein.»

«Woher wissen Sie das?»

«Weil ich sie dort getroffen habe.»

«Und die Köche?»

«Sind zwei beleibte Herren aus der Bretagne, die kaum Italienisch können.»

Tron seufzte. «Bleibt also nur noch der Gondoliere.»

«Der ist mindestens sechzig. Und spricht ein lupenreines Veneziano.»

Dass nur noch der Gondoliere übrig blieb, stimmte natürlich nicht ganz. Tron ergriff das Milchkännchen und gab einen Schuss in seine Tasse. Den reizvollen Gedanken, seinen Kaffee ebenfalls mit Sambuca zu veredeln, hatte er kurz erwogen und wieder verworfen – schließlich war er im Dienst. Er trank einen Schluck, lehnte sich zurück und fragte in beiläufigem Ton: «Und der Comte de Chambord?»

Julien lächelte gequält. «Ich hatte befürchtet, dass Sie mich das fragen würden.»

«Warum befürchtet?»

«Weil meine Tätigkeit», sagte Julien steif, «für Seine Hoheit der Vertraulichkeit unterliegt.»

«Es geht hierbei aber nicht um Ihre Tätigkeit als Privatsekretär.»

Julien machte eine vage Handbewegung. «Ich könnte Ihnen ohnehin nicht viel sagen.» Er hatte sich eine frische *Maria Mancini* angesteckt und blies einen dünnen Rauchring über den Tisch – was Tron wieder auf irritierende Weise an die Principessa erinnerte.

«Was *könnten* Sie mir sagen?»

«Dass der Comte de Chambord oft nachts das Haus verlässt und niemand weiß, was er dann treibt.»

«Hat er eine Geliebte?»

«Nicht dass ich wüsste. Das heißt, äh …» Julien hielt inne und machte ein unschlüssiges Gesicht. «Pater Francesco hat mich vor ein paar Tagen im Treppenhaus angesprochen und wollte mich in ein Gespräch verwickeln. Ich habe aber abgelehnt.»

«Weshalb?»

«Weil ich glaube, dass er mit mir über das Privatleben des Comtes reden wollte. Er schien sich Sorgen zu machen. Ich finde, was der Comte auf seinen nächtlichen Exkursionen treibt, ist seine Sache.»

Tron beugte sich über den Tisch. «Soll ich mit Pater Francesco sprechen?»

«Das müssen Sie selbst entscheiden.»

«Und wie kann ich ihn erreichen, ohne dass der Comte davon erfährt?»

Darüber musste Julien nachdenken. Seine Antwort war dann erstaunlich präzise. «Er besucht jeden Nachmittag die Messe in San Giacomo am Rialto. Sie könnten ihn nach dem Gottesdienst ansprechen.»

«Woran erkenne ich den Pater?»

Julien musste lachen. «Er ist glatt rasiert und hat einen ausländischen Akzent.» Dann wurde er wieder ernst. «Pater Francesco trägt bei kaltem Wetter einen dunkelblauen Radmantel über der Soutane. Und er geht bei Regen nie ohne seinen schwarzen Regenschirm aus dem Haus.»

40

Erbaut am 25. März, dem Tag der Erschaffung der Welt, der Verkündigung Mariä und der Kreuzigung Christi, im Jahre 421, dem Geburtsjahr Venedigs … So jedenfalls lautete die Legende. Auch hieß es, dass es sich bei San Giacomo di Rialto um das älteste Steingebäude der Stadt handelte. Tron, notorischer Skeptiker, bezweifelte diese Angaben, aber das hatte seiner Sympathie für diese kleine Kirche mit ihrer immer noch funktionierenden Uhr aus dem 14. Jahrhundert und ihrer geheimnisvollen Atmosphäre nie einen Abbruch getan.

Als er die Kirche gerade noch rechtzeitig zum *introitus* betrat und leise auf der letzten Bank neben dem Taufbecken Platz genommen hatte, stellte er fest, dass sich nicht mehr als zwei Dutzend Personen in dem kleinen Kirchenraum versammelt hatten. Wie immer handelte es sich um die übliche Mischung von schwarzgekleideten alten Frauen und älteren Signori. Lediglich ein Leutnant der Kaiserjäger, dessen weißer Uniformmantel sich vom Grau des Publikums abhob, fiel aus dem Bild.

Außer durch die Kerzen auf dem Altar war der Raum nur durch ein paar Lampen erhellt, die wie trübgoldene Lichter an der Decke aufgehängt waren. Eine sonderbare Lauheit hauchte durch das Kirchengewölbe, das einen seltsamen Geruch von feuchter Erde und heißem Wachs ausströmte. Hinzu kam der Duft von altem Weihrauch, der einer von der Decke hängenden Ampel in einer der Seitenkapellen entströmte. Tron konnte die dünnen Rauchschwaden sehen, die ein leichter Luftzug unter dem Messinggefäß aufwirbelte. So wie der Kirchenraum selbst, mit seinen ängstlichen Lichtern an der Decke und den uralten Mauern, stellte der Geruch ein seltsames Gemisch von Buße und Süßigkeit dar.

Ein weißgekleideter Chorknabe erschien und schritt vor einem alten Priester her, der sich langsam dem Altar näherte. Vor den Stufen des Altars kniete der Knabe nieder und sprach mit so viel Ehrfurcht die Antworten des Psalms, dass Tron, der wenig religiöse Neigungen hatte, unwillkürlich fasziniert war. Dann folgte der Priester dem Ton des Kindes und gab jedem Wort ein Gewicht, ergriffen wie bei seiner ersten Messe. Nachdem er das *confiteor* vor der Gemeinde gebetet hatte, stieg der Priester die Stufen des Altars empor. Die Messe begann, und Tron sah, wie das Kind in einem kleinen Schauer der Erregung die Wein- und Wasserkännchen küsste, bevor es sie dem Priester reichte. Diese ehrwürdige Liturgie mit ihren seit Jahrhunderten existierenden Ritualen war so weit von der modernen Welt der Dampfschiffe, Gasbeleuchtung und Telegrafie entfernt, dass Tron ein paar Augenblicke lang völlig vergessen hatte, was ihn eigentlich in diese Kirche geführt hatte. Oder: *wer* ihn in diese Kirche geführt hatte. Denn obwohl er die Anwesenden aufmerksam musterte, hatte er Pater Francesco im Dämmerlicht des Kirchenraumes noch nicht entdeckt. Ob die Vermutung Juliens, dass der Pater mit ihm über das geheime Privatleben des Comtes de Chambord sprechen wollte, tatsächlich zutraf? Bossi, den Tron nach seiner Unterredung mit Julien in der Questura gesprochen hatte, bezweifelte es. Tron war ebenfalls skeptisch, aber er würde es bald erfahren.

Ein halbe Stunde später, nach dem *ite missa est* und dem Schlusslied, stand Tron unter dem Portikus der Kirche und wartete auf Pater Francesco. Der Mann in blauem Radmantel, der die Kirche als Letzter verließ, musste es sein. Da es regnete, trat der Pater nicht sofort auf den Campo San Giacomo hinaus, sondern klappte einen großen schwarzen Regenschirm auf. Tron sah dem Pater zu, und als dieser den Schirm über den Kopf hob, trafen sich ihre Augen. Das kam einem Ansprechen gleich, worauf der Pater stutzte und die Augenbrauen fragend in die Höhe zog.

Tron deutete eine knappe Verbeugung an. «Pater Francesco?»

Der faltete den Regenschirm wieder zusammen und trat einen Schritt in den Portikus zurück. «Ja, mein Sohn?»

Dass der Pater ihn *mein Sohn* nannte, hatte einen Einschlag ins Alberne, fand Tron. Andererseits passte diese Anrede zum strengen Gesichtsausdruck des Geistlichen.

«Mein Name ist Tron», sagte Tron. Und setzte hinzu: «Commissario Tron.»

Wenn Pater Francesco überrascht war, von einem Commissario der venezianischen Polizei angesprochen zu werden, zeigte er es nicht. «Was kann ich für Sie tun, Commissario?»

«Es geht um die Mordserie der letzten zwei Wochen, Pater Francesco. Ich nehme an, Sie wissen Bescheid.»

«Allerdings.» Der Pater schüttelte entsetzt den Kopf. «Dieser Mann scheint ein wahres Monster zu sein.»

Er hatte einen leichten französischen Akzent, sein Italienisch konnte allerdings auch als Mailänder Dialekt durchgehen. Er war mittelgroß, hatte klare Gesichtszüge und dichtes, dunkles Haar. Tron fand, dass das einzig Auffällige an seiner Erscheinung die Augen waren. Sie waren groß, dunkelbraun, wirkten fast wie bei einem Kind und hatten einen eigentümlichen Ausdruck, in dem sich Strenge und Naivität mischten. Ansonsten war der Pater völlig unauffällig.

«Verstehe ich Sie richtig», sagte Pater Francesco, nachdem Tron ihm den Vorfall der vergangenen Nacht geschildert hatte, «dass der Maskierte, den Sie für den Täter halten, sich dem Ispettore in eindeutiger Weise genähert hat?»

«So ist es.»

«Und dass er sich, als der Ispettore ihn verhaften wollte, in unseren Garten geflüchtet hat?»

«Es sieht ganz danach aus, Hochwürden.»

«Ich kann Ihnen nicht ganz folgen, Commissario. In der *Gazzetta di Venezia* war zu lesen, dass dieser Mann seine Unaussprechlichkeiten an Frauen verrichtet.»

Tron nickte. «Deshalb trug der Ispettore gestern Abend auch keine Uniform.»

«Er war in Zivil?»

«Er trug ein Promenadenkleid», sagte Tron. «Wir hatten beschlossen, ihn als Lockvogel einzusetzen.»

Der Pater schwieg. Er hatte den Kopf abgewandt, sodass sein Gesichtsausdruck nicht zu erkennen war. Schließlich fragte er: «Und was habe ich mit der Angelegenheit zu tun?»

«Vielleicht haben Sie gestern Nacht etwas beobachtet.»

«Wann hat sich der Vorfall abgespielt?»

«Gegen zehn Uhr.»

«Mein Zimmer», sagte der Pater langsam, «geht auf den Rio dell'Orso hinaus. Wenn sich irgendetwas im Garten abgespielt hat, konnte ich es unmöglich bemerken.»

Tron beschloss, ein wenig deutlicher zu werden. «Wissen Sie, ob der Comte de Chambord sich um diese Zeit im Palazzo Cavalli aufgehalten hat?»

«Warum fragen Sie mich das?»

«Ich hatte eine Unterredung mit Signor Sorelli. Er hat mir geraten, mich an Sie zu wenden.»

Die dunkelbraunen Augen des Paters nahmen Tron misstrauisch ins Visier. «Und worüber möchten Sie mit mir sprechen?»

«Über den Comte de Chambord», sagte Tron. «Signor Sorelli meinte, Sie hätten sich Sorgen um ihn gemacht.»

Der Pater stieß einen tiefen Seufzer aus. «Der Comte», sagte er traurig, «verlässt den Palazzo Cavalli fast jede zweite Nacht und bleibt stundenlang fort. Und wenn Seine Hoheit», fügte er in salbungsvollem Ton hinzu, «dereinst vor dem Thron des Allmächtigen steht, dann ...»

«Benutzt er für seine nächtlichen Ausflüge die Gartenpforte?», unterbrach ihn Tron brüsk.

Bei dem Wort *Gartenpforte* war der Pater zusammengezuckt. «Der Mann, über den wir reden», sagte er theatralisch, «ist vielleicht eines Tages König von Frankreich.»

«Ich habe eine Mordserie aufzuklären, Hochwürden», sagte Tron. Er stellte fest, dass ihm der Pater nicht sonderlich sympathisch war. «Politik interessiert mich nicht.»

Pater Francesco räusperte sich nervös. «Und was geschieht, wenn sich herausstellt, dass der Comte tatsächlich in diese Angelegenheit verwickelt ist?»

Darüber musste Tron nicht lange nachdenken. «Dann wird die Regierung die Sache vertuschen. Und hätte den Comte dann in der Hand.» Tron sah Pater Francesco eindringlich an. «Wo ist der Comte gestern Abend gegen zehn Uhr gewesen?»

Der Gesichtsausdruck des Paters schien sich plötzlich zu verändern. Tron kam der Gedanke, dass er nicht nur über die soeben gestellte Frage nachdachte, sondern auch überlegte, welche Vorteile für den Vatikan sich aus einer Mitwisserschaft für ihn ergeben könnten.

«Chambord», sagte der Pater, «hat gestern gegen acht das Haus verlassen. Wann er zurückgekommen ist, weiß ich nicht.»

«Und was, denken Sie, treibt der Comte, wenn er nachts das Haus verlässt?»

«Ich denke, er geht zu Frauen.» Pater Francesco stieß ein zynisches, völlig unpriesterliches Lachen aus. «Und so, wie es aussieht», fuhr er fort, «scheine ich ja recht gehabt zu haben.» Dann trat er einen Schritt zurück und entfaltete demonstrativ seinen Regenschirm. Offenbar hatte er nicht die Absicht, das Gespräch fortzusetzen. «Was haben Sie vor, Commissario?»

«Den Polizeipräsidenten über unseren Verdacht zu unterrichten», sagte Tron. «Die Angelegenheit ist äußerst heikel, zumal Baron Spaur mit dem Comte de Chambord bekannt ist.»

Er verneigte sich knapp, und Pater Francesco nickte ihm zum Abschied zu. Tron sah ihm nach, bis er, den Schirm über sich haltend, im Regen verschwand. Vielleicht, dachte Tron, überlegte Pater Francesco bereits, welchen Preis er von Chambord für sein Schweigen verlangen konnte, falls dieser ungeheuerliche Verdacht zutraf. An einem ehemaligen *Ausweider* auf dem Thron Frankreichs würde die heilige Kirche viel Freude haben.

41

«Die Vorstellung», sagte Spaur, «dass es sich bei dem Comte de Chambord um den *Ausweider* handeln könnte, ist absurd, Commissario.»

Der Polizeipräsident warf einen wütenden Blick über seinen Schreibtisch, bevor er ein Praliné in seinem Mund verschwinden ließ. Vor ihm lag, neben der obligatorischen Konfektschachtel, demonstrativ auf der zweiten Seite aufgeschlagen, die *Gazzetta di Venezia*. Spaurs Stimmung ließ darauf schließen, dass er den Artikel über den Mord auf dem Campanile bereits ausführlich mit seiner Gattin diskutiert hatte. Es lag auf der Hand, dass Signorina Violetta, wie Tron und Bossi sie immer noch unter sich nannten, nicht erbaut gewesen war. Was ihm Spaur vermutlich, dachte Tron, sogleich mitteilen würde.

«Die Baronin», sagte Spaur mit Grabesstimme, «ist über Ihre Arbeit wenig erbaut. Das hat sie mir deutlich zu verstehen gegeben.»

Na bitte. Tron hüstelte, um ein Lächeln zu verstecken.

«Sie hat ernsthafte Zweifel daran geäußert», fuhr Spaur, immer noch wütend, fort, «dass ich meine Beamten im Griff habe.»

Er wickelte ein weiteres Praliné aus, ließ das Papier achtlos auf den Boden fallen und seufzte. «Unglücklicherweise habe ich der Baronin gegenüber angedeutet, dass der Fall kurz vor der Aufklärung steht. Und jetzt tischen Sie mir das auf!»

«Was tische ich Ihnen auf?»

«Eine Geschichte, die an Absurdität gar nicht zu übertreffen ist», sagte Spaur. «Dass der direkte Nachfahre des Sonnenkönigs ein Serienmörder sein könnte, ist grotesk.»

Der Polizeipräsident nahm Blickkontakt mit der Fotografie Signorina Violettas auf, die in einem silbernen Rahmen auf dem Schreibtisch stand. «Der Comte de Chambord hat uns eingeladen und handschriftlich ein reizendes Kompliment an die Baronin hinzugefügt. Das allein dürfte bereits für seine Unschuld sprechen.»

«Niemand hat behauptet», sagte Tron, «dass es sich bei dem Mörder um den Comte de Chambord handelt. Ich selbst halte es auch für unwahrscheinlich. Aber Tatsache bleibt, dass sich der Mann, den Bossi gestern Nacht verfolgt hat, mit großer Wahrscheinlichkeit in den Garten des Palazzo Cavalli geflüchtet hat, und dem müssen wir nachgehen.»

«Und dieser Pater Francesco?»

«Was ist mit ihm?»

«Viele Priester hassen Frauen», sagte Spaur. «Denen wäre es am liebsten, wenn wir in Venedig um zehn Uhr abends eine Ausgangssperre hätten. Und alle Priesterinnen der Venus geköpft würden.» Der Polizeipräsident ließ die rechte Hand wie ein Fallbeil auf die *Gazzetta* niedersausen. «Haben Sie diesen Pater Francesco nach seinen Alibis befragt?»

Tron schüttelte den Kopf. «Das war kein Verhör, Baron, sondern ein Gespräch, das wir vor der Kirche geführt haben. Außerdem wäre er, wenn Ihr Verdacht zutrifft, nervös geworden, als ich ihm erzählt habe, dass Bossi gestern Nacht einen Mann bis zum Palazzo Cavalli verfolgt hat. Und das wäre mir nicht entgangen.»

Spaur dachte kurz nach. «Und der neue Privatsekretär des Comte de Chambord?»

«Signor Sorelli ist ein entfernter Verwandter der Fürstin von Montalcino. Wir verkehren privat mit ihm. Sie werden ihn auf dem Maskenball kennenlernen.»

«Sie verbürgen sich für seine Unschuld?»

Tron lächelte. «In jeder Weise, Baron.»

«Wissen Sie, wo er sich gestern Nacht in dem entsprechenden Zeitraum aufgehalten hat?»

«Im Palazzo Cavalli.»

«Und das hat er Ihnen selber gesagt, richtig?»

Tron nickte. «Das hat er mir gesagt.»

«Dann kann ich nur hoffen, dass Sie sich nicht in ihm täuschen. Jedenfalls», fuhr Spaur fort, «hat mein Vorschlag, einen Lockvogel einzusetzen, die ganze Sache ein Stück vorangetrieben. Haben Sie Pater Francesco gebeten, die Augen offen zu halten?»

«Ich denke, dass er sich bei uns melden wird, wenn er etwas Ungewöhnliches beobachtet.»

«Und was beabsichtigen Sie jetzt zu tun, Commissario? Sie haben doch nicht etwa vor, den Comte mit diesen Verdächtigungen zu konfrontieren? Und Seine Hoheit womöglich nach seinen Alibis befragen?»

«Wir werden den Palazzo Cavalli nachts beobachten», sagte Tron.

Spaur verzog das Gesicht. «Falls der Comte de Chambord den Palazzo tatsächlich hin und wieder nachts verlässt, kann das völlig harmlose Gründe haben. Seine Hoheit hat ein Recht auf ein wenig Entspannung. Und wenn der Comte den Eindruck hat, dass sie ihm im häuslichen Rahmen nicht hinreichend zuteil wird, ist es verständlich, dass er sie außerhalb des Hauses sucht.»

«Es wird sich zeigen, was der Comte unter Entspannung versteht.»

«Sie wollen ihn tatsächlich überwachen?»

«Ispettor Bossi wird sich an seine Fersen heften.»

«In einem Kleid?»

Tron schüttelte den Kopf. «In Zivil.» Plötzlich fiel ihm etwas ein, was eigentlich auf der Hand lag. «Dann würde ich gerne genau wissen», sagte er, um nicht mit der Tür ins Haus zu fallen, «welchen Status der Comte in Venedig hat. Ist Seine Hoheit als Privatmann hier? Oder hat er einen diplomatischen Status? Den hätte er möglicherweise, falls er einen berechtigten Anspruch auf den französischen Thron hat.»

Spaur winkte ärgerlich ab. «Sein Anspruch ist selbstverständlich berechtigt. Die Baronin hat das handschriftlich hinzugefügte Kompliment als Gunstbeweis des zukünftigen Königs der Franzosen verstanden.»

Tron lächelte. «In diesem Fall wäre ...» Er sprach den Satz nicht zu Ende, um Spaur die Gelegenheit zu geben, die Schlussfolgerung selbst zu ziehen.

Was ein wenig dauerte und lebhaftes Augenrollen bei Spaur verursachte. Doch dann klappte der Unterkiefer des Polizeipräsidenten herab, und seine Augen weiteten sich.

«Natürlich, Commissario!», rief er. «Sie haben recht. Dann wäre der Fall keine Angelegenheit der venezianischen Polizei, sondern fiele in die Zuständigkeit der Militärpolizei. Die ihre Anweisungen vom Ballhausplatz empfangen würde.»

Tron nickte. «Und das würde bedeuten, dass wir – rückblickend betrachtet – für diesen Fall nie zuständig gewesen sind.»

Spaur strahlte über das ganze Gesicht. «Was wiederum die Folge hätte», sagte er, «dass dieser Vorgang in der polizeilichen Statistik nichts zu suchen hat.»

«Und die Baronin sich wieder auf den Empfang in der Hofburg freuen darf», fügte Tron hinzu.

«Allerdings.» Spaur grinste. «Das alles wird dem Stadtkommandanten nicht gefallen. Er wird in Zukunft keine Gelegenheit haben, hämische Artikel über die venezianische Polizei zu lancieren.» Spaur sah Tron glücklich an. «Hätten Sie das für möglich gehalten, Commissario?»

Tron verstand nicht sofort, was der Polizeipräsident damit meinte. «Äh, was bitte?»

«Dass es sich bei dem Ausweider um den Comte de Chambord handelt.»

«Mit Gewissheit können wir das jetzt noch nicht sagen.»

«Ach, nein?» Spaur runzelte unwillig die Stirn. «Sie haben mir doch eben erklärt, dass Sie den neuen Privatsekretär des Comtes gut kennen und aus dem Verhalten des Priesters schließen, dass auch er als Täter nicht in Frage kommt. Wenn dem so ist, bleibt nur der Comte de Chambord übrig.»

«Ich hatte Sie so verstanden, dass es geradezu absurd sei, den Comte zu verdächtigen.»

«Hatte ich mich so ausgedrückt?»

«Meiner Erinnerung nach ja.»

Spaur zuckte mit den Achseln. «Dies geschah unter Voraussetzungen, die offenbar nicht zutreffen. Ich habe Ihnen doch erklärt, dass die Angelegenheit von Wien aus geregelt werden muss.»

Der Polizeipräsident ließ ein weiteres Praliné in seinem

Mund verschwinden und lächelte selbstgefällig. «Jedenfalls war diese Strategie effektiv. Ohne Lockvogel wäre der Comte nie in unser Visier geraten. Wird Bossi die Überwachung des Palazzo Cavalli übernehmen?»

«Der Ispettore ist mein bester Mann.»

«Er soll nichts überstürzen», sagte Spaur. «Wir können uns keinen Fehler erlauben. Vielleicht sollten Sie, bevor wir den Fall abgeben, noch ein Gespräch mit dem Comte führen.»

«Das werde ich erst tun, wenn sich der Verdacht erhärtet hat», sagte Tron. Er wollte sich erheben, aber eine Handbewegung Spaurs hielt ihn zurück.

«Noch etwas, Commissario.»

Tron ließ sich auf den Stuhl zurücksinken.

Diesmal verschwanden gleich zwei Pralinés in Spaurs Mund, und es dauerte eine Weile, bis er wieder sprechen konnte. «Der Stadtkommandant hat Stumm von Bordwehr gestern zum Militärstaatsanwalt ernannt.»

Tron hob die Brauen. «Dann wäre der Oberst für diesen Fall zuständig.»

Spaur nickte. «Er würde auch die Verhaftung des Comtes vornehmen, wenn wir ihm die entsprechenden Hinweise geben.»

«Beweise werden wir nicht liefern können.»

«Ich sagte auch *Hinweise*, Commissario. Wir verfassen einen Bericht und überlassen es dem Oberst, daraus seine Schlussfolgerungen zu ziehen.»

«Sie meinen, falls wir uns wider Erwarten täuschen, ist der Oberst der Blamierte?»

Spaur warf einen Blick auf die Fotografie der Baronin und nickte. «Genau das meine ich.»

42

Bevor die livrierten Lakaien das Dessert servierten, hatte er kurz mit dem Gedanken gespielt, die Tafel vorzeitig zu verlassen. Aber das hatte er – mit dem Hinweis auf eine Magenverstimmung – bereits gestern Abend getan, und ein weiterer vorzeitiger Rückzug auf sein Zimmer würde unweigerlich Fragen auslösen – Fragen, die ohne ernsthafte Anteilnahme gestellt wurden. Denn darüber, dass niemand an diesem Tisch sich ernsthaft für seine Gesundheit interessierte, konnte kein Zweifel bestehen. Wie üblich war auch heute die Konversation wenig anregend gewesen. Sie hatte die neuesten Nachrichten über die Situation Maximilians in Mexiko (immer fataler) berührt, danach kurz die Lage in Frankreich gestreift (unverändert) und war dann, wie an jedem Abend, im Austausch von Belanglosigkeiten versackt. Und wie so oft hatte er sich wie ein Dampfkessel gefühlt, in dem der Druck unablässig stieg und der jeden Augenblick explodieren konnte. Kein Wunder, dachte er, dass es ihn immer häufiger danach verlangte, sich nach dieser abendlichen Tortur ein wenig Erleichterung zu verschaffen. Gestern hatte er es nicht geschafft, bis zum Ende des Diners durchzuhalten, und das hatte sich, rückblickend betrachtet, als ein folgenreicher Fehler herausgestellt. Aber das konnte er nicht vorher wissen.

Als das Dessert schließlich serviert wurde – ein Erdbeerparfait mit Schlagsahne –, hielt er vorsichtshalber den Blick auf seinen Löffel gerichtet, um die Gesichter – die *Visagen* – auf der anderen Seite des Tischtuchs nicht sehen zu müssen. Dabei war das Erdbeerparfait auch kein angenehmer Anblick: Pürierte Erdbeeren erinnerten ihn unweigerlich an blutige Innereien. Dass es Leute gab, die diese schleimige rote Masse mit sommerlicher Frische assoziierten, hatte er nie verstanden. Also begnügte er sich damit, hin und wieder den Löffel in den blutigen Brei zu senken, pro forma ein wenig davon in den Mund zu führen und nicht allzu oft zur Stutzuhr auf dem Kamin zu blicken.

Es war kurz vor acht Uhr, als er sein Schlafzimmer betrat. Er entzündete die Petroleumlampe auf seinem Nachttisch und verriegelte die Tür. Dass ihn um diese Zeit noch jemand aufsuchen würde, war unwahrscheinlich, aber er hatte nicht die Absicht, ein Risiko einzugehen. Dann ging er zu seinem Regal und räumte ein halbes Dutzend Bücher aus dem obersten Brett, um an eine kleine Holzkiste zu gelangen, die er dahinter versteckt hatte. Er öffnete die Kiste, nahm das Buch heraus, das dort unter zwei Masken lag, und setzte sich an seinen Schreibtisch. Nachdem er noch einmal gelauscht hatte, ob sich Schritte seiner Tür näherten, schlug er den Band auf, um die letzten zwanzig Seiten zu lesen. Es handelte sich um einen Roman, dessen Lektüre ein sittliches Zwielicht auf seine Person geworfen hätte, und in seiner Stellung war es ratsam, jede Zweideutigkeit zu vermeiden.

Dabei war die Geschichte, wenn auch von skandalöser Unmoral, bei weitem nicht so schlüpfrig, wie er es erwartet hatte. Dass es, wie er jetzt beim Lesen feststellte, mit den geschilderten Personen keinen guten Ausgang nehmen würde, überraschte ihn nicht. Der letzte Satz des Romans, der mit dem Kreuz der Ehrenlegion, war eine hübsche Pointe – aber war es wirklich nötig, die kleine Berta in einer Baumwollspinnerei enden zu lassen? Und waren die Tränen nötig, die ihm nach der Lektüre die Wangen hinabliefen? Er griff nach seinem Taschentuch, trocknete sich die Wimpern und dachte über den windelweichen Kern nach, der sich hinter seiner zuweilen schroffen Fassade verbarg.

Als es vom nahegelegenen Kirchturm neun schlug, klappte er das Buch zu, stand auf und trat an das halbgeöffnete Fenster. Zwar regnete es nicht mehr, aber die Luft war feucht und voller Nebel. Der langgezogene Ruf eines Gondoliere klang vom Canalazzo zu ihm herauf, seine Stimme hörte sich matt und leise an, wie durch Watte. Wenn der örtliche Nebel, dachte er, die berühmte *nebbia*, bis zum morgigen Tag anhielte, wäre man zweifellos gezwungen, den Schiffs- und möglicherweise auch den Eisenbahnverkehr einzustellen. Dass der dichte Nebel die Karnevalslust der Einheimischen und der Fremden dämpfen würde, bezweifelte er. Es war eher zu vermuten, dass die Maske aus feuchter Luft, die jetzt über der Stadt lag, dem Diskretionsbedürfnis der Nachtschwärmer entgegenkam und ihren Ausschweifungen einen zusätzlichen Schwung verlieh. Er ging zu seinem Schreibtisch, legte das Buch in den Kasten zurück und verstaute ihn wieder. Dann stellte er stirnrunzelnd fest, dass er – ohne auch nur eine Sekunde darüber nachgedacht zu haben – die beiden Masken *nicht* in den hölzernen Kasten zurückgelegt hatte. Was nur eines bedeuten konnte.

Nein – eigentlich hatte er nicht die Absicht gehabt, das Haus noch in dieser Nacht zu verlassen. Andererseits war nicht zu bestreiten, dass sich bestimmte Dinge unter der Tarnkappe der *nebbia* leichter verrichten ließen als in einer klaren Mondnacht. Und so gesehen, überlegte er weiter, wäre es geradezu töricht, die Hände in den Schoß zu legen und sich bis zum Einschlafen über das Schicksal der kleinen Berta zu grämen. Er zog kurz entschlossen seinen Mantel über, ging wieder zum Schreibtisch, schwankte ein paar Sekunden und entschied sich schließlich für die schwarze Maske.

Dass ihm auf dem oberen Flur und auch im Treppenhaus niemand begegnen würde, hatte er erwartet. Im Palazzo Cavalli zog man sich früh in die Zimmer zurück und ging entsprechend zeitig zu Bett. Unten im Erdgeschoss benutzte er den Gartenausgang und zog die Tür leise hinter sich ins Schloss. Dann durchquerte er den Garten, in dem er sich inzwischen auch bei völliger Dunkelheit orientieren konnte, öffnete die Pforte zur Straße und trat hinaus. Als er die neblige Nachtluft einatmete, überschwemmte ihn plötzlich eine Welle des Wohlbehagens. Zugleich fühlte er sich stark, unangreifbar und ausgesprochen tatendurstig.

Ispettor Bossi, der feuchten Kälte wegen die Hände tief in den Taschen seines dunkelbraunen Mantels vergraben, drückte den Rücken an die Seitenfassade von San Vidal und spähte aufmerksam in den Nebel. In zwanzig Schritten Entfernung zeichnete sich die Mauer um den Garten des Palazzo Cavalli als dunkle Masse ab – zu weit, um viel erkennen zu können, doch die schwere, mit Eisenblech beschlagene Pforte würde beim Öffnen ein Geräusch machen.

Also war es der Comte de Chambord, auf den er hier im Nebel wartete, posthumer Sohn des Herzogs von Berry, Enkel des letzten Karl und – wer konnte es ausschließen? – vielleicht eines Tages der König Frankreichs. Nicht dass Bossi die hohe Stellung des Comtes eingeschüchtert hätte – ganz im Gegenteil. Er fand, dass die Angelegenheit durch diesen Umstand einen zusätzlichen Reiz erhielt, den sie nicht gehabt hätte, wenn es sich hier um die Taten eines Bratkoches oder Bierwirtes gehandelt hätte.

Ein eisiger Windstoß vom Campo di Santo Stefano brachte die Nebelmassen vor ihm in leichte Wallung, und er zog die rechte Hand aus der Tasche, um den Kragen seines Mantels nach oben zu schlagen. Er hatte seinen Posten kurz nach sieben eingenommen. Wenn er Pech hatte, würde er noch ein paar Stunden in der Kälte stehen müssen, bevor der Comte auftauchte. Und wenn es noch schlechter kam, würde der zukünftige König Frankreichs die Nacht in seinem Bett verbringen. Bossi hatte sich vorgenommen, bis Mitternacht zu warten – falls er bis dahin nicht erfroren war.

Es war kurz nach neun, als er ein quietschendes Geräusch an der Gartenmauer hörte und unwillkürlich den Atem anhielt. Dann sah er zu seiner Überraschung, dass zumindest der Anfang der Operation einfacher verlaufen würde, als er befürchtet hatte. Es war unglaublich, aber der Comte de Chambord trug eine Blendlaterne in der Hand. Ein paar Sekunden blieb er vor der Pforte stehen und drehte den Kopf hin und her – wie ein Raubtier, das die Witterung aufnimmt. Dann wandte er sich zum Campo di Santo Stefano, und nachdem er den Platz zur Hälfte überquert hatte, bog er in die Calle dello Spezier ein.

Dem Schein der Blendlaterne in sicherer Entfernung zu folgen war kein Problem. Da Bossi Schuhe mit weichen Sohlen trug, waren seine Schritte unhörbar, und offenbar fühlte sich der Comte vollständig sicher, denn er drehte sich kein einziges Mal um. Als sie die Piazza San Marco überquerten, musste Bossi ein wenig aufschließen, denn der Markusplatz war trotz des üblen Wetters belebt, und der Comte de Chambord war nicht der Einzige, der eine Laterne mit sich führte. Der Comte verließ die Piazza durch den Bogen unter dem Torre dell'Orologio, lief in die Frezzeria, und ein paar Minuten später hatten sie den Campo della Guerra erreicht. Dort blieb er stehen, setzte seine Laterne ab, und Bossi sah, wie er in die rechte Manteltasche griff und sich eine Maske vor das Gesicht zog. Dann ging er langsam weiter, und vor einem Gebäude, dessen Eingang von zwei funzligen Petroleumlampen erleuchtet wurde, blieb er stehen, prüfte noch einmal den Sitz seiner Maske und stieß die Tür auf.

Das Della Guerra also hatte sich der Comte für diesen Abend ausgesucht, ein Tanzlokal von zweifelhaftem Ruf, das Bossi noch nie betreten hatte. Jedenfalls konnte er dem Comte jetzt folgen, ohne sich verdächtig zu machen – als einer von vielen Signori, die hier ebenfalls ein wenig Entspannung suchten. Bossi stieß die Tür auf und fand sich in einem geräumigen Vestibül wieder. Auf der gegenüberliegenden Seite war über einem großen Vorhang aus blauem Samt das Wort *Ballsaal* zu lesen. Stimmengewirr, lautes Gelächter und Musik drangen durch den Vorhang. Der Comte stand an der Garderobe, und Bossi sah, dass es sich zweifellos um denselben Mann wie gestern handelte: Er hatte dasselbe unauffällige Kinn um denselben merkmalslosen Mund. Nur trug er heute eine andere Halbmaske, eine schwarze. Nachdem der Comte seinen Mantel abgegeben und ein rosa Billett dafür empfangen hatte, wandte er sich zum Eingang des Ballsaals, und Bossi folgte ihm.

Als Bossi, der jetzt ebenfalls eine Halbmaske übergestreift hatte, den Raum betrat, stellte er fest, dass die Bezeichnung *Ballsaal* maßlos übertrieben war. Was sich *Saal* nannte, war in Wirklichkeit ein ehemaliger Lagerraum mit gelblich getünchten Wänden und einer niedrigen Balkendecke, an der in regelmäßigen Abständen Petroleumlampen aufgehängt waren. Die leicht erhöhte Tanzfläche, auf der lebhafter Betrieb herrschte, bestand aus gehobelten Brettern, die man auf dem Ziegelfußboden fixiert hatte. Eine Vier-Mann-Kapelle – Klavier, Kontrabass und zwei Violinen – quälte sich durch einen Walzer, und über allem lag eine dicke Wolke aus Zigarren- und Zigarettenqualm. Offiziere – jedenfalls in Uniform – konnte Bossi nicht entdecken. Stattdessen sah er viel einfaches Volk in fadenscheinigen Gehröcken und mit rötlichen, verschwitzten Gesichtern.

Der Comte hatte an der Theke Platz genommen. Bossi begab sich ebenfalls zum Ausschank, ließ sich ein paar Hocker weiter nieder und bat die Saaltochter hinter dem Tresen um ein Glas Champagner. Dann sah er, wie der Comte de Chambord eine dunkelhaarige Signorina mit einer arroganten Handbewegung fortwedelte. Was ihn nicht überraschte, denn bekanntlich war er auf grünäugige Blondinen abonniert. Ein paar Ballgäste, Handwerker mit bunten Hütchen aus Pappe, drängten sich jetzt zwischen ihn und den Comte, verlangten lautstark nach Bier, und da es hier, anders als im Rudolfo, keinen Spiegel hinter der Theke gab, war der Comte plötzlich aus seinem Blickfeld verschwunden.

Erstaunlich, dachte Bossi, indem er das eben servierte Glas mit seinem prickelnden Inhalt zum Mund führte, wie leicht und problemlos sein nächtlicher Einsatz bisher abgelaufen war. Allerdings stellte sich jetzt die Frage, wie er es halten sollte, wenn tatsächlich eine grünäugige Blondine die Bahn des Comtes kreuzte und dieser mit seiner Beute aus dem Guerra verschwände. Natürlich würde er ihnen folgen. Doch was war, wenn der Comte für diesen Gang auf seine Blendlaterne verzichtete? Durfte er das Risiko eingehen, den Täter und sein Opfer in der Dunkelheit zu verlieren? Nein – natürlich nicht. Daraus folgte, überlegte Bossi weiter, dass der Zugriff noch im Vestibül erfolgen musste. Falls der Comte de Chambord überhaupt im Guerra fündig wurde. Denn sehr viele grünäugige Blondinen gab es in Venedig nicht.

Bossi, dessen Sicht auf den Comte immer noch durch die lärmenden Handwerker verstellt war, spürte plötzlich eine Hand an seiner Schulter. Als er sich umdrehte, fiel sein Blick auf eine lächelnde Signorina, und beinahe hätte er seinen Augen nicht getraut. Sie war blond, höchstens zwanzig Jahre alt und hatte Augen, deren helles Grün selbst in dem trüben Licht deutlich zu erkennen war. Sie sah ihn mit einem leicht spöttischen Gesichtsausdruck an. Vermutlich, dachte Bossi, weil sie ihn seiner konsternierten Miene wegen als unbedarften Provinzler klassifizierte, der jetzt, wo es ernst wurde, kalte Füße bekam. Er verneigte sich knapp – immer noch ein wenig steif. Worauf die Signorina, bei der es sich definitiv *nicht* um einen Transvestiten handelte, ihr Lächeln erneuerte, ein wenig mit den Wimpern klapperte und «Hallo, Schätzchen» zu ihm sagte.

43

Tron legte die Kuchengabel auf den Teller zurück, spülte den Rest des Zitronentörtchens mit einem Schluck Kaffee hinunter und sah Bossi an. «Und dann?»

Sie hatten sich für neun Uhr im maurischen Salon des Café Florian verabredet – eine für Trons Verhältnisse frühe Zeit. Bossi, obwohl ihn das Tragen seiner prächtigen dunkelblauen Uniform immer in gute Stimmung versetzte, wirkte übermüdet und frustriert.

Er stieß einen so tiefen Seufzer aus, dass die drei Engländerinnen am Nebentisch die Köpfe drehten und einen mitleidigen Blick auf den jungen, blendend aussehenden Polizeibeamten warfen. «Dann war der Comte de Chambord plötzlich verschwunden», sagte Bossi. «Wenn er zum Ausgang gelaufen wäre, dann hätte er an mir vorbeikommen müssen. Der Bursche hat sich einfach in Luft aufgelöst.»

«Wie lange haben Sie mit der Signorina geredet?»

«Vielleicht fünf, sechs Minuten. Sie ist sofort mit meinem Vorschlag, den Comte in eine Falle zu locken, einverstanden gewesen. Zumal sie kein Risiko eingegangen wäre. Der Comte hätte sich erst im Hotel über sie hergemacht. Und sie hatte mir gesagt, in welches Hotel sie gehen würden.»

«Ein Hotel in der Nähe?»

«Albergo Rossini in der Calle Casselleria.»

«Also nur ein paar Schritte.»

«Ich hätte», fuhr Bossi fort, «den Comte verhaftet, kurz nachdem er und die Signorina das Zimmer betreten hätten.»

«Halten Sie es für denkbar, dass der Comte, während Sie mit der Signorina sprachen, sein Opfer gefunden hat und mit ihm verschwunden ist?»

Bossi machte ein skeptisches Gesicht. «Das ist denkbar, aber unwahrscheinlich. Der Frauentyp, den der Comte bevorzugt, ist selten. Aber, wie gesagt, ich konnte nichts sehen, weil mir diese Biertrinker den Blick versperrt hatten.»

«Könnte er bemerkt haben, dass ihm jemand folgte?»

Bossi schüttelte den Kopf. «Das glaube ich nicht. Außerdem wäre er nicht mit einer Blendlaterne durch die Stadt gelaufen, wenn er mit dieser Möglichkeit gerechnet hätte.»

«Also gibt es keine Erklärung für sein Verschwinden.»

«Nein.»

«Und Sie sind sich ganz sicher, dass es tatsächlich der Comte de Chambord war, den Sie verfolgt haben?»

«Ich bin mir sicher, dass es der Mann war, der mir gestern Abend entkommen ist», sagte Bossi.

«Wegen seines unauffälligen Kinns und Mundes?»

Bossi überhörte die Ironie in Trons Worten. «Er war auch genauso groß wie der Mann gestern Abend», sagte er.

«Haben Sie ihn sprechen hören?»

«Nein.»

Tron lächelte. «Sie könnten vorgestern Abend eine Begegnung mit dem Comte de Chambord gehabt und gestern eine andere Person verfolgt haben.»

Bossi gab ein wenig Milch in seine Tasse und betrachtete ratlos die hellen Wirbel, die auf der Oberfläche des Kaffees entstanden. Dann blickte er auf und sagte: «Was haben Sie vor, Commissario?»

«Vielleicht sollte ich bald ein Wort mit dem Comte de Chambord reden. Und ihn darüber informieren, dass wir gute Gründe hatten, den Palazzo Cavalli zu beobachten.» Tron seufzte. «Ansonsten können wir nur hoffen, dass nicht irgendjemand heute Vormittag über eine tote Signorina stolpert.»

«Wollen Sie noch auf den Polizeipräsidenten warten, bevor Sie mit dem Comte sprechen?»

Tron zog seine Breguet aus der Westentasche – ein Geschenk der Principessa – und hielt sie kurz an sein Ohr, um sich an dem zarten Ticken zu erfreuen. «Es ist kurz vor zehn», sagte er. «Spaur wird nicht vor zwölf Uhr auf der Questura erscheinen. Ich sollte mich vielleicht sofort zum Palazzo Cavalli begeben.»

«Um den Comte was zu fragen?»

«Ob er sich für jedes bartlose Mitglied seines Haushaltes verbürgen kann. Ich werde ihn um Unterstützung bitten. Er kann kein Interesse daran haben, dass sein Haus mit dieser Geschichte in Verbindung gebracht wird.»

«Werden Sie den Comte auch fragen, wo er sich gestern Abend aufgehalten hat?»

«Das wird sich vermutlich aus dem Gespräch ergeben. Ich könnte behaupten, dass ihn jemand auf der Piazza gesehen hat. Wenn der Comte abstreitet, den Markusplatz überquert zu haben, wäre das höchst aufschlussreich.» Tron dachte kurz nach. «Spaur höchstpersönlich könnte dem Comte gestern begegnet sein. Der Baron könnte ihn gegrüßt und sich darüber gewundert haben, dass sein Gruß nicht erwidert wurde.»

Bossi grinste. «Das dürfte den Comte de Chambord aus dem Konzept bringen.»

«Vielleicht. Aber es wäre unklug, sich in diesem Gespräch zu exponieren.»

«Weil der Comte gewarnt wäre?»

«Nicht nur deshalb, Bossi. Wenn wir uns getäuscht haben, reißt uns Spaur den Kopf ab.»

«Aber es war doch seine Idee, den Comte de Chambord überwachen zu lassen.»

Tron zuckte die Achseln. «Ich bezweifle, dass er sich daran erinnern wird.»

Der Palazzo Cavalli, mit seiner eleganten Spitzbogenfassade dem Dogenpalast nachempfunden, lag an der Brücke, die San Marco mit dem Sestiere Dorsoduro verband. Als Henri de Bourbon, der Comte de Chambord, das Anwesen erworben hatte, hatte er auch die benachbarte Schiffswerft abreißen lassen und den Garten angelegt, der jetzt von einer Mauer umgeben war.

Von Santo Stefano schlug es zehn, als Tron den Garten durchquert hatte und das Klingelgestänge am Eingang nach unten zog. Der Nebel der letzten Nacht war weitgehend verschwunden. Stattdessen fiel ein dünner Nieselregen vom Himmel, und Tron ärgerte sich, dass er keinen Schirm aus dem Florian mitgenommen hatte.

Der direkt neben der *sala* gelegene Empfangsraum, in den der Lakai Tron geführt hatte, war groß, aber spärlich möbliert. Ein aufgeklapptes Spinett, der Deckel mit einer

Schäferszene bemalt, stand vor einem der beiden Spitzbogenfenster. An der Gartenwand sah Tron einen wuchtigen Konsoltisch, dessen vordere Beine als vergoldete Delphine gearbeitet waren. Zwei Kerzenleuchter standen auf der rötlichen Marmorplatte. Darüber hing, wie das Bildnis eines Heiligen über einem Altar, ein Porträt des Sonnenkönigs.

Nachdem Tron einige Minuten gewartet hatte, öffneten unsichtbare Hände die Flügeltür zur *sala*, und der Comte de Chambord betrat den Salon. Er trug einen bequemen Gehrock aus dunkelgrauem Wollstoff, dazu eine lässig gebundene Schleife und rote Filzpantoffeln mit dem Lilienwappen der Bourbonen. Henri de Bourbon hatte sich den Bart abnehmen lassen. Er schien schlanker geworden zu sein und wirkte jünger, als Tron ihn in Erinnerung hatte. In der Hand hielt er eine große Serviette. Ob er sie aus Zerstreutheit mitgenommen hatte oder auf diese Weise demonstrieren wollte, dass man ihn beim Frühstück gestört hatte, blieb offen. Auf der Manschette seines linken Ärmels war ein roter Fleck zu erkennen. Tron musste unwillkürlich an die blutigen Manschetten Zuckerkandls denken.

Seinem Ruf entsprechend, war der Comte de Chambord die Verbindlichkeit in Person. Nachdem sie Höflichkeiten ausgetauscht hatten, nahmen sie Platz, und Tron gab eine kurze Schilderung der Ereignisse der vorletzten Nacht. Als er seinen Bericht beendet hatte, wiegte der Comte nachdenklich den Kopf. Seine Reaktion auf Trons Mitteilung, die den *Ausweider* mit dem Palazzo Cavalli in Verbindung brachte, war staatsmännisch gelassen. «Der Mann hat sich in unseren Garten geflüchtet?»

Dass der Comte de Chambord von sich selbst im Pluralis Majestatis sprach, war Tron bei früheren Begegnungen nicht aufgefallen. In Kombination mit seiner fast leutseligen Höflichkeit wirkte das verwirrend. Man wusste nicht so recht, woran man war. Vermutlich, dachte Tron, war das beabsichtigt.

Tron nickte. «Es ist nicht auszuschließen, dass der Mann, den wir suchen, zum Haushalt Ihrer Hoheit gehört. Wir wissen – wie gesagt – leider nur, dass er glatt rasiert ist und einen ausländischen Akzent hat.»

Der Comte de Chambord musterte Tron kühl. «Das dürfte Ihnen kaum behilflich sein.»

«Warum nicht?»

«Weil es sich», sagte der Comte, «bei den einzigen Personen, auf die diese Merkmale zutreffen, um Signor Sorelli und Pater Francesco handelt.» Der Comte faltete seine Serviette zusammen und sah Tron lächelnd an. «Genau genommen, Commissario, müssten Sie auch uns verdächtigen», sagte er. «Wir sind glatt rasiert und haben einen ausländischen Akzent.»

Tron gab das Lächeln des Comtes zurück. Er schwieg einen Moment und sagte dann beiläufig: «Es hat Hoheit jemand gestern Abend auf der Piazza gesehen.»

Na bitte. Darauf war der Comte de Chambord nicht gefasst. Tron sah, wie seine Gesichtszüge einen Augenblick lang verrutschten, sich dann aber sofort wieder glätteten.

Der Comte lächelte gequält. Offenbar hielt er es für unklug, seinen gestrigen Ausflug abzustreiten. «Darf ich erfahren, wer uns dort gesehen hat?»

«Baron Spaur», sagte Tron. «Er hat Hoheit gegrüßt und sich darüber gewundert, dass Hoheit ihn ignoriert haben.» Immer noch in scherzhaftem Ton fuhr er fort: «Aber vermutlich haben Hoheit ein Alibi für den gestrigen Abend.»

Der Comte nahm Blickkontakt zu seinem erlauchten Vorfahren auf. Dann begann er, so als könnte er die Frage wegwischen, den roten Fleck auf seinem Ärmel mit der Serviette zu bearbeiten. «Ich fürchte», sagte er schließlich, «ein Alibi haben wir nicht. Die Angelegenheit, in der wir gestern Nacht unterwegs waren», fuhr er fort, «erfordert äußerste Diskretion. Zeugen über unseren Aufenthaltsort am gestrigen Abend werden wir Ihnen nicht nennen können.»

«Darf ich Hoheit fragen, warum nicht?»

Der Comte senkte die Stimme zu einem Flüstern. «Weil es um das Schicksal Frankreichs geht», sagte er. «Wir hatten eine Unterredung, die weder im Palazzo Cavalli noch an einem öffentlichen Ort stattfinden konnte. Die Agenten Napoleons überwachen jeden unserer Schritte.»

Womit er, dachte Tron, wahrscheinlich richtiglag. Allerdings war zu vermuten, dass auch der kaiserliche Geheimdienst den Comte observierte. Eigentlich hätte er sich jetzt intensiv nach Julien und dem Pater erkundigen müssen. Aber es erschien ihm sinnlos. Er hatte bereits genug erfahren.

Tron stand auf und verbeugte sich. Als er den Gesichtsausdruck des Comtes de Chambord sah, wusste er, dass er nicht vergeblich in den Palazzo Cavalli gekommen war. Er sah aus wie jemand, der einem etwas verkauft hatte, das sein Geld nicht wert war – einen falschen Goldbarren, einen Welpen ohne Stammbaum. Hier war es ein Alibi gewesen, so dünn, dass man die Zeitung hindurchlesen konnte. Aber konnte man sich vorstellen, dass der Comte de Chambord durch die einschlägigen Etablissements streifte und nach grünäugigen Blondinen suchte, um sie zu erdrosseln und auszuweiden? Nein, dachte Tron, das konnte man eigentlich nicht.

44

Er trat ans Fenster, schob die Gardine ein wenig zurück und sah, wie der Commissario den Garten durchquerte, das Tor öffnete und sich auf dem Campo San Vidal nach rechts wandte. Dann trat er vom Fenster zurück, schenkte sich einen doppelten Cognac ein und stieß einen tiefen Seufzer aus. Nein – dass diese Unterredung befriedigend verlaufen war, ließ sich nicht sagen. Zwar hatte es der Commissario nicht ausgesprochen, aber es war ihm deutlich anzusehen gewesen, dass er ihm kein Wort geglaubt hatte. Das *Schicksal Frankreichs* – die *Agenten Napoleons* – das alles hatte sich angehört wie aus einem Groschenroman, aber etwas Überzeugenderes war ihm nicht eingefallen. Und abzustreiten, dass er gestern Abend das Haus verlassen hatte, wäre töricht gewesen. Er konnte sich zwar nicht daran erinnern, dass er dem Polizeipräsidenten auf der Piazza begegnet war und dieser ihn gegrüßt hatte, aber darauf kam es jetzt nicht an.

Jedenfalls durfte er sich glücklich schätzen, dass er den Mann, der ihm gefolgt war, noch rechtzeitig bemerkt hatte. Seltsam, dachte er, wie man im Laufe der Jahre einen siebenten Sinn dafür entwickelte, ob die Luft rein ist oder nicht. Er hatte den Burschen zum ersten Mal auf der Piazza hinter sich gespürt, was eigentlich absurd war, denn der Markusplatz war gestern Nacht trotz des trüben Wetters unerwartet belebt gewesen. Als er die Piazza dann durch den Uhrenturm verlassen hatte und die Merceria entlanglief, *wusste* er, dass es einen Verfolger gab – so als hätte er ein drittes Auge in seinem Hinterkopf. Und einen Mann abzuschütteln, von dem man wusste, dass er einem folgte, war nie ein Problem für ihn gewesen, zumal er die Stadt und ihre einschlägigen Etablissements inzwischen gut kannte. Das Della Guerra war nicht das eigentliche Ziel seines Ausfluges gewesen, doch es lag in der Nähe und verfügte über den Vorteil mehrerer Ausgänge. Als sich der Bursche, dessen Gesicht ihm trotz der Halbmaske seltsam bekannt vorkam, ebenfalls an den Ausschank gestellt hatte, musste er nur noch eine günstige Gelegenheit abwarten, die sich dann auch einstellte: Ein paar Handwerker stellten sich zwischen ihn und seinen Verfolger.

Was sich für *ihn* an diesem Abend nicht mehr einstellte, war der heitere Tatendrang, mit dem er aufgebrochen war. Nachdem er sich durch den Küchenausgang abgesetzt hatte, war er lustlos durch die Stadt gelaufen und eine Stunde später wieder im Palazzo Cavalli eingetroffen – frustriert und mit trüben Vorahnungen erfüllt. Denn war es wirklich eine Überraschung gewesen, als ihm der Commissario vorhin gemeldet wurde? Eigentlich nicht. Er hatte immer damit gerechnet, dass eines Tages die Stunde der Wahrheit kommen würde, und inzwischen konnte er das Ticken der Uhr und das Zischen der Lunte deutlich hören.

Jedenfalls war nicht zu bestreiten, dass ihm das Wasser inzwischen bis zum Hals reichte. Ob er einfach für ein paar Monate verreisen sollte? So lange, bis Gras über die Angelegenheit gewachsen war? Aber das hätte seine Lebensfreude erheblich beeinträchtigt. Es gab keine Stadt, die ihm so viele interessante Möglichkeiten bot wie Venedig. Speziell während der Karnevalszeit, in der alle Welt eine Maske trug, jeder zweite Nachtschwärmer mit einem ausländischen Akzent sprach und auch ausgefallene Wünsche für einen kleinen Aufpreis befriedigt wurden. Und an der Ausgefallenheit seiner Wünsche etwas zu ändern, hatte er lange aufgegeben.

Er schenkte sich einen zweiten Cognac ein, kippte ihn mit einem Zug hinunter und trat wieder ans Fenster. Wahrscheinlich, überlegte er, war der Commissario jetzt auf dem Weg in die Questura, um dem Polizeipräsidenten Bericht über ihr Gespräch zu erstatten. Ob dieser Spaur tatsächlich gegen ihn ermitteln würde? *Durfte* er das, ohne vorher Kontakt mit dem Stadtkommandanten aufzunehmen? Der wiederum das Hauptquartier in Verona in Kenntnis setzen müsste, das seinerseits gezwungen wäre, den Ballhausplatz zu informieren und um entsprechende Instruktionen zu bitten. Nein – dies alles war sehr unwahrscheinlich. Außerdem hatte er den Baron und seine junge Frau – eine ehemalige Soubrette, wie man munkelte – bereits einmal im Palazzo Cavalli empfangen. Und er hatte angedeutet, wie sehr ihn eine weitere Einladung in das Haus des zukünftigen Königs von Frankreich ehren würde. Also würde dieser Spaur beide Augen fest zudrücken und ihm allenfalls einen diskreten Wink zukommen lassen. Er war immer ein guter Menschenkenner gewesen, und in diesem Spaur – so primitiv, wie der Bursche funktionierte – hatte er lesen können wie in einem aufgeschlagenen Buch.

«Dieser Bursche», sagte Spaur eine halbe Stunde später, indem er Tron und Bossi, die vor seinem Schreibtisch Platz genommen hatten, mit einem dynamischen Blick bedachte, «dieser Bursche bildet sich womöglich ein, dass mich seine hohe Position einschüchtert und ich beide Augen fest zudrücke.»

Der Polizeipräsident stieß ein verächtliches Lachen aus und versenkte die Hand in der Schachtel mit dem Demel-Konfekt. «Und dass ich so scharf auf eine Einladung in den Palazzo Cavalli bin, dass ich darüber meine Dienstpflichten verletze!» Spaur wickelte ein Mandelkrokant-Praliné aus und sah Tron an. «Wie sicher sind Sie, dass der Mann etwas zu verbergen hat?»

«Sein Alibi ist faul» sagte Tron. «Er hatte angeblich ein Treffen, bei dem es um das *Schicksal Frankreichs* ging, wie er sich ausdrückte. Mit einer Person, deren Namen er mir nicht nennen wollte.»

«Er hat *gefaselt*?»

«Gefaselt und Ausflüchte gemacht.»

Spaur lehnte sich befriedigt auf seinem Stuhl zurück. «Also haben wir den Mann? Ist es das, was Sie sagen wollen, Commissario?»

«Es sieht fast so aus.»

«Was heißt *fast*? Reicht unser Material aus, um die Sache der Militärpolizei zu übergeben oder nicht?»

«Bossi hat ihn ja nicht *direkt* gesehen.»

Spaur wandte sich an Bossi. «Was soll das bedeuten, Ispettore?»

«Dass ich den Comte lediglich *maskiert* gesehen habe», sagte Bossi. «Er trug eine Halbmaske. Es hätte theoretisch auch jemand anders sein können.»

«So betrachtet», fügte Tron hinzu, «ist der einzige Beweis, den wir gegen den Comte haben, die Tatsache, dass er kein Alibi aufweisen kann und offenbar etwas zu verbergen hat.»

Spaur ließ ein Stück Trüffelkrokant in seinem Mund verschwinden und dachte nach. «Er könnte eine Geliebte haben», sagte er schließlich.

Tron schüttelte den Kopf. «Das hätte er angedeutet. Niemand hätte Anstoß daran genommen, und auf unsere Diskretion hätte er sich verlassen können.»

«Demnach hat der Comte tatsächlich etwas zu verbergen», sagte Spaur.

«Was schlagen Sie vor, Baron?»

«Dass Sie heute noch einen Bericht schreiben», sagte Spaur. «Deuten Sie den außenpolitischen Aspekt der Affäre an und bezweifeln Sie die Zuständigkeit der venezianischen Polizei.»

«Also wird die Kommandantura den Fall übernehmen?»

Spaur nickte. «Dass sich daraus eine erfreuliche Konsequenz für die Polizeistatistik ergibt, wird Toggenburg nicht gefallen. Aber diese Kröte muss er schlucken.»

45

Alphonse de Sivry – dessen am Markusplatz gelegenes Antiquitätengeschäft sich eines hervorragenden Rufes erfreute, obwohl sein Besitzer es weder mit der Echtheit noch mit der Herkunft seiner Ware sonderlich genau nahm – richtete seine Lupe auf die Schnupftabaksdose, die er heute Vormittag in Kommission genommen hatte. Angeblich stammte die Dose aus Familienbesitz. Sivry hatte schon bessere Lügen gehört.

Die Schnupftabaksdose, oval und so groß wie der Handteller eines Kindes, war eine französische Arbeit aus der Zeit des Sonnenkönigs. Sie bestand, bis auf den Rahmen des Deckels und das Scharnier, aus purem Gold. Zwei Dutzend winzige Rubine auf dem Deckel ahmten einen Früchtekranz nach, und es gab den kleinen, fast unsichtbaren Kratzer am Boden. Kein Zweifel, es war dasselbe Stück, das er im Oktober letzten Jahres an einen *cavaliere* verkauft hatte, der mit Sicherheit keine Veranlassung gehabt hatte, sich davon zu trennen. Was nichts anderes bedeutete, als dass diese Dose so heiß war wie ein Stück glühende Kohle – und es sich bei dem Burschen, der sie ihm gebracht hatte, um einen veritablen Esel handelte.

Alphonse de Sivry legte die Lupe aus der Hand und

verstaute die Dose in der Schublade seines Schreibtisches. Dann trank er genussvoll einen Schluck Kaffee, lehnte sich auf seinem Stuhl zurück und lächelte zufrieden. Zwei reizvolle Möglichkeiten ergaben sich jetzt: Er konnte, mit dem Hinweis auf den fragwürdigen Status des Artikels, das Stück selbst für einen Spottpreis erwerben und es später im Ausland verkaufen. Oder er konnte sich auf die Questura begeben, um die Auffindung des Diebesgutes zu melden und damit sowohl dem Commissario als auch dem *cavaliere* seine Ehrlichkeit zu demonstrieren. Was sich, dachte er, vielleicht doch empfahl. Speziell im Hinblick auf die immer wieder auftauchenden Gerüchte, er beziehe seine Artikel zu oft aus dubiosen Quellen.

Also öffnete er die Schublade wieder, nahm die Dose heraus und wickelte sie sorgfältig in sein Taschentuch. Dann erhob er sich, zog seinen Gehpelz über, hängte das *CHIUSO*-Schild an die Tür und schloss sorgfältig ab. Bevor er aus den Arkaden der alten Prokuratien auf den Markusplatz trat, spannte er seinen Regenschirm auf. Es hatte wieder angefangen zu regnen, und er hasste es, wenn sich das Wasser in der Krempe seines Zylinderhutes sammelte.

Eine knappe Stunde später stand Alphonse de Sivry im zweiten Stock eines gepflegten Wohnhauses vor einer Tür, an der der Name *Antonio Lupi* zu lesen war. Als Commissario Tron dem Antiquitätenhändler ein Zeichen gab, zog er den eisernen Klingelzug nach unten. Der Commissario und der Ispettore hatten sich zu beiden Seiten der Tür postiert – unsichtbar für denjenigen, der öffnen würde. Der Ispettore, den Rücken an die Wand gepresst, hielt augenrollend seinen Dienstrevolver im Anschlag. Der Commissario hatte hingegen eine betont lässige Haltung angenommen.

Offenbar schien ihm das kriegerische Verhalten seines Ispettore übertrieben.

Dass die Meldung eines Diebstahls einen hektischen Polizeieinsatz auslösen würde, hatte ihn überrascht. Denn am Anfang hatte sich das Interesse des Commissarios, der gerade mit seinem Ispettore einen Bericht schrieb, in Grenzen gehalten. Allerdings waren die beiden sofort in helle Aufregung geraten, als sie hörten, *wem* die Schnupftabaksdose gestohlen worden war. Und nun stand er hier, mitten in einem Geschehen, das er nicht begriff, und folgte Anweisungen, deren Sinn er nicht verstand.

Nach dem zweiten Klingeln waren tatsächlich Schritte im Flur zu hören. Dann öffnete sich die Tür, und er blickte in das zuerst erstaunte, dann erfreute Gesicht von Signor Lupi. Der, was die ganze Angelegenheit ungeheuer vereinfachte, zu ihm sagte: «Haben Sie schon einen Käufer gefunden?»

Sivry, der sich auf einmal wie Judas höchstpersönlich fühlte, sagte: «Hier sind zwei Signori, die sich für die Schnupftabaksdose interessieren.»

Womit – zu seiner großen Erleichterung – *sein* Part beendet war. Denn jetzt traten der Commissario und der Ispettore heran. Das Letzte, was Sivry sah, waren die vor Schreck weit aufgerissenen Augen von Signor Lupi.

Nein, dachte er, als er wieder unten in der Calle Malvasia stand und seinen Regenschirm aufspannte – er hatte wirklich nicht verstanden, worum es hier ging. Aber der Commissario hatte keinen Zweifel daran gelassen, wie sehr er ihm behilflich gewesen war. Für den Moment musste das reichen.

46

Tron zog die Flasche aus dem Champagnerkühler, verhedderte sich kurz mit der weißen Serviette, die um den Hals geschlungen war, schaffte es dann aber, sich ein weiteres Glas einzuschenken, ohne zu kleckern. Ein Leistung, wenn man in Betracht zog, dass er den Champagner bereits zu drei Vierteln geleert hatte und selten Alkohol trank. Er ließ die Flasche wieder in ihr Eisbett zurückgleiten und genoss das sonore Geräusch, mit dem die Eiswürfel opernmäßig klickten und klackten. Schon dieser Klang, fand Tron, konnte einen sensiblen Menschen in einen leichten Rausch versetzen. Er streckte prostend das Glas über den Tisch, sah, wie sich die Kerzen des Kronleuchters in dem Champagner spiegelten, und intonierte:

Finch'han dal vino, calda la testa

Als die Principessa die Augen nach oben drehte, brach er ab und räusperte sich verlegen.

«Tu dir keinen Zwang an, Tron», sagte die Principessa lächelnd. «Du hast es dir verdient.»

Tron fand, dass das Lächeln der Principessa dem einer Frau glich, die ihren ansonsten wohlgeratenen Kindern an Geburtstagen etwas durchgehen lässt. Würde sie ihn darauf hinweisen, dass er gerade unglaubliche Mengen von Erdbeersorbet verspeist hatte? Dass Erdbeeren im Winter nur zu unglaublichen Preise zu besorgen waren? Würde sie die bescheidene Summe erwähnen, die er als Commissario verdiente? Tron warf einen scheuen Blick über den Tisch. Nein – das würde sie heute nicht tun. Sie lächelte immer noch.

Sie hatten Lupi in seiner Wohnung verhaftet, auf die Questura gebracht und den ganzen Nachmittag lang verhört. Danach hatten sie, bereits im Hinblick auf das Gespräch mit dem Comte de Chambord, ein Protokoll angefertigt. Es gab keinen Grund, an den Aussagen Lupis zu zweifeln, denn in der Wohnung fanden sich unter anderem kompromittierende Briefe aus der Hand des Comtes.

Tron, dessen Kopf in eine leichte Schräglage gekippt war, sagte bescheiden: «Wir hatten Glück, das war alles. Ohne Sivrys Entscheidung, sich sofort an die Questura zu wenden, wären wir immer noch keinen Schritt weiter.»

«Auf jeden Fall», sagte die Principessa, «ist es eine unglaubliche Geschichte.» Sie griff ebenfalls nach ihrem Champagnerglas und trank einen Schluck. «Und er hat es sofort zugegeben?»

«Wir hatten die Schnupftabaksdose, die Quittung und die Aussage Sivrys», sagte Tron. «Es wäre sinnlos gewesen, den Diebstahl zu leugnen.»

«Wo ist Lupi jetzt?»

«Im Polizeigefängnis. Wir haben ein umfangreiches Protokoll aufgenommen.»

«Wie alt ist der Bursche?»

Tron zuckte die Achseln. «Ziemlich jung, Neapolitaner. Große, dunkelbraune Augen. Hübsch, aber ein Esel. Er hätte nichts Dümmeres tun können, als die Dose ausgerechnet zu Sivry in Kommission zu geben.»

«Warum hat Lupi den Comte bestohlen?»

«Weil er Geld brauchte», sagte Tron. «Und weil er wusste, dass der Comte nicht zur Polizei gehen würde. Er bezweifelt, dass dem Comte das Verschwinden der Dose überhaupt schon aufgefallen ist.»

«Der Comte de Chambord könnte abstreiten, die Dose jemals gesehen zu haben.»

«Das wird er nicht», sagte Tron. «Er wird erstaunt die Augen aufreißen und mich fragen, woher ich sie habe. Dann werde ich ihn mit Lupis Aussage konfrontieren und darauf hinweisen, dass wir kompromittierende Briefe gefunden haben.»

«War Lupi vorgestern Abend mit dem Comte zusammen?»

Tron schüttelte den Kopf. «Nein.»

«Also könnte der Mann», sagte die Principessa nachdenklich, «den Bossi vorgestern verhaften wollte, tatsächlich der Comte gewesen sein. Der damit ein zweites Geheimnis hätte.»

Tron machte ein skeptisches Gesicht. «Theoretisch. Bossi konnte leider nur sagen, dass beide Männer einen unauffälligen Mund und ein unauffälliges Kinn hatten. Eine brauchbare Personenbeschreibung sieht anders aus.»

«Dann bring Bossi mit dem Comte zusammen. Vielleicht erkennt er die Stimme wieder.»

«Bossi wird natürlich mitkommen», sagte Tron.

Die Principessa nippte an ihrem Mineralwasser. Sie behielt das Glas in der Hand und starrte ein paar Sekunden lang auf die prickelnden Bläschen, die an die Oberfläche stiegen und platzten. Dann stellte sie die Frage, die Tron bereits erwartet hatte. «Und wenn der Comte de Chambord *nicht* der Mann war, der vor Bossi geflohen ist?»

Tron kratzte die Reste seines Erdbeersorbets zusammen, um die Principessa nicht ansehen zu müssen. Beide dachten sie an Julien. «Dann ist der *Ausweider* jemand anders», sagte Tron. «Und zwar vermutlich eine Person, die ebenfalls im Palazzo Cavalli wohnt. In diesem Fall», setzte er hinzu, «weiß der Comte wahrscheinlich mehr, als er uns sagt.»

Es überraschte Tron nicht, dass die Principessa sofort begriff, was er meinte. «Weil der Comte etwas über einen Mann weiß, der zu viel über *ihn* weiß?»

Tron nickte. «Genau. Schweigen um Schweigen. Für das es jetzt keinen Grund mehr gibt. Nicht nachdem ich ihn mit der Aussage Lupis konfrontiert habe.»

Die Principessa sprach es schließlich aus. «Also bleiben Julien und Pater Francesco übrig.»

«Jedenfalls unter der Voraussetzung, dass es sich bei dem Mann, der sich in den Palazzo Cavalli geflüchtet hat, tatsächlich um den Ausweider handelt», sagte Tron.

«Wenn es aber doch der Comte war», sagte die Principessa matt, «dann hätte er nicht nur ein einfaches, sondern ein doppeltes Doppelleben geführt.» Das hörte sich nicht so an, als würde sie es glauben.

47

«Ein doppeltes Doppelleben», sagte Bossi nachdenklich, «ist philosophisch betrachtet eine interessante Vorstellung.»

Der Ispettore lehnte sich in das Polster der Polizeigondel zurück und schrammte mit seinem Stiefel haarscharf an Trons neuem Zylinderhut vorbei, den dieser auf dem Boden abgelegt hatte. Sie hatten den Dogenpalast und den Molo passiert und näherten sich jetzt der Mündung des Canalazzo. Da es seit den frühen Morgenstunden nicht mehr regnete, hatten sie auf den *felze* – das kleine schwarze Zelt auf der Gondel – verzichtet. Es war kurz vor zehn, und wahrscheinlich, dachte Tron, würde er den Comte de Chambord wieder beim Frühstück stören. In der Hand hielt er einen großen Umschlag, in dem das Verhörprotokoll von Lupi steckte.

«Weil sich nämlich», fuhr Bossi fort, «die Frage stellt, *wer* hier ein doppeltes Doppelleben führt.»

«Der Comte de Chambord natürlich.»

«Oder ein Serienmörder. Jemand, der *auch* Comte de Chambord und *auch* Liebhaber eines jungen Neapolitaners ist. Aber primär ein Serienmörder.»

«Warum sagen Sie das?»

«Weil eine taktvolle Rücksicht auf den Ausweider fehl am Platz wäre.»

Tron, der endlich verstand, worauf der Ispettore hinauswollte, musste lachen. «Bossi, ich will Ihnen erklären, warum ich mit Chambord unter vier Augen sprechen muss. Der Comte wird gezwungen sein, über Dinge zu reden, über die er nur höchst ungern spricht. Wenn eine uniformierte Person dabei ist, hat diese Unterredung den Charakter eines Verhörs. Und ich möchte ein inoffizielles Gespräch mit ihm führen. Ich will, dass er *redet*. Es kann sein, dass ihn jemand in der Hand hat. Jemand, der zu viel über ihn weiß.»

«Das halte ich für spekulativ.»

«Wenn Sie die Stimme des Comtes *nicht* wiedererkennen», sagte Tron, «ist diese Überlegung mehr als eine Spekulation.» Er sah Bossi an. «Erinnern Sie sich daran, was Sie in diesem Fall sagen sollten?»

«Ich warte auf Sie in der Questura.» Bossis Miene signalisierte, dass er nicht damit rechnete, diesen Satz aussprechen zu müssen.

«Genau.» Tron bückte sich, um seinen Zylinderhut aus der Reichweite von Bossis Stiefeln zu rücken. «Wenn ich Sie dem Comte vorgestellt habe, übergeben Sie ihm die Schnupftabaksdose. Das wird ihn überraschen und zu einem Kommentar veranlassen. Ein paar Sätze sollten ausreichen, um seine Stimme wiederzuerkennen – oder auch nicht. Anschließend lassen Sie sich den Empfang des Stückes durch die Unterschrift Seiner Hoheit bestätigen und gehen wieder.»

Bossis Mundwinkel zogen sich beleidigt nach unten. «Ich muss also gehen, weil Sie die Gefühle dieses Mannes nicht verletzen wollen.»

«Weil ich seine Aussage brauche», sagte Tron. «Es steht keineswegs fest, dass es sich bei dem Ausweider um den Comte de Chambord handelt.»

«Um wen denn sonst, Commissario? Um Signor Sorelli? Oder um Pater Francesco?»

«Ich weiß es nicht. Und deshalb muss ich dieses Gespräch mit dem Comte unter vier Augen führen.»

Wie bei Trons letztem Besuch im Palazzo Cavalli dauerte es auch diesmal einige Minuten, bis sich der Comte im Empfangssalon einfand. Während sie warteten, bewunderte Bossi das Porträt des Sonnenkönigs und registrierte das halbe Dutzend Schnupftabaksdosen auf dem Konsoltisch. Tron war ans Fenster getreten und blickte auf die gusseiserne Accademia-Brücke und den Canalazzo hinab. Ein lockerer Möwenschwarm flog über die Brücke wie ein Verbinde-die-Punkte-Rätsel, das ein Gesicht oder eine Faust bedeuten konnte – oder auch irgendetwas, dachte Tron, das keinen Sinn ergab.

Als der Comte de Chambord schließlich erschien, machte er den Eindruck eines Mannes, den man gerade in helle Aufregung versetzt hatte. Er schien unangenehm überrascht zu sein, Tron und den Ispettore zu sehen. An der Tür blieb er stehen und verbeugte sich knapp. «Was können wir für Sie tun, Signori?» Das klang nicht so, als hätte er große Lust, etwas für seine Besucher zu tun.

Tron kam sofort zur Sache. «Es hat sich etwas eingefunden», sagte er, «das aus dem Besitz Seiner Hoheit stammen müsste.» Bossi holte die Schnupftabaksdose aus der Tasche.

Beim Anblick des Gegenstandes zogen sich die Augenbrauen des Comtes zusammen. «Woher haben Sie dieses Stück?»

Tron antwortete mit einer Gegenfrage. «Sind Hoheit sicher, dass diese Dose Ihrer Hoheit gehört?»

Der Comte nahm die Dose in die Hand, klappte den Deckel auf, schloss ihn wieder und untersuchte den Boden. Schließlich nickte er. «Ja, sie ist uns im letzten Monat abhandengekommen.»

«*Wo* abhandengekommen?»

«Irgendwo in Venedig», sagte der Comte vage. Und dann, mit einem nervösen Flackern in den Augen: «Woher wussten Sie, dass es sich um *unsere* Schnupftabaksdose handelt?»

«Das erkläre ich Hoheit», sagte Tron mit einem Seitenblick auf Bossi, «wenn Hoheit dem Ispettore den Empfang der Dose quittiert haben.» Bossis Miene war noch nicht zu entnehmen, ob er die Stimme des Comtes wiedererkannt hatte.

Tron räusperte sich. «Sehe ich Sie nachher, Ispettore?»

Über diese Frage musste Bossi noch ein wenig nachdenken. Schließlich sagte er mit verdrossener Stimme: *«Ich warte auf Sie in der Questura.»*

«Diese Dose», sagte Tron, nachdem Bossi den Salon verlassen hatte, «wollte ein gewisser Antonio Lupi an Monsieur de Sivry verkaufen. Sie kennen das Geschäft von Monsieur de Sivry?»

Als der Name *Lupi* fiel, war der Comte de Chambord zusammengezuckt. Er nickte stumm.

«Signor de Sivry sagte uns», fuhr Tron fort, «er habe Hoheit dieses Stück selber verkauft, und er vermutet, dass Hoheit die Schnupftabaksdose gestohlen wurde. Deshalb hat er sich an die Questura gewandt. Wir hatten inzwischen eine Unterredung mit Signor Lupi. Haben Hoheit eine Erklärung dafür, wie diese Dose in seinen Besitz gelangt sein könnte?»

Tron sah den Comte aufmerksam an. Er hatte das Phänomen zu oft beobachtet, um nicht zu wissen, was jetzt kam. Da waren plötzlich rote Flecken im Gesicht des Comtes, der schnellere Atem und die charakteristischen Schweißperlen auf der Stirn.

Der Comte schloss die Augen und dachte nach – zumindest tat er so. Schließlich schlug er die Augen wieder auf. «Wir haben keine Erklärung dafür», sagte er matt.

«In diesem Fall», sagte Tron, «kann ich Hoheit behilflich sein. Hier ist das Protokoll der Vernehmung von Signor Lupi.» Er reichte es ihm über den Tisch.

Der Comte las die ersten Seiten mit unbewegtem Gesicht. Dann senkte er den Kopf und schwieg. Als er sprach, klang seine Stimme brüchig – wie die eines alten Mannes. «Was wollen Sie von uns?»

«Dass Hoheit uns behilflich sind», sagte Tron schlicht. «Vermutlich wohnt der Mann, den wir suchen, unter diesem Dach. Und diese Person könnte einiges über Hoheit wissen.»

Der Comte lachte nervös auf. «Sie meinen, wenn wir reden, redet er auch? Schweigen um Schweigen?»

Tron beschränkte sich darauf, wortlos den Kopf zu senken.

Dann sah er, wie der Comte de Chambord aufstand und mit steifen Schritten zu dem Konsoltisch lief, über dem das Porträt des Sonnenkönigs hing. Dort blieb er, den Blick auf seinen erlauchten Vorfahren gerichtet, einen Moment stehen.

Nachdem er wieder Platz genommen hatte, sagte der Comte: «Erpresst worden sind wir nicht, Commissario. Jedenfalls *noch* nicht. Aber wir wissen, dass der Mann, um den es hier geht, zufällig von unserer Bekanntschaft mit Signor Lupi erfahren hat.» Er seufzte. «Sie kennen unseren Privatsekretär?»

«Signor Sorelli ist ein Verwandter der Fürstin von Montalcino», sagte Tron.

Der Comte machte ein unglückliches Gesicht. «Sorelli hat fast jeden Abend das Haus verlassen. Und er hat die Artikel aus der *Gazzetta* über die Morde gesammelt.»

«Wenn das alles ist, dann ist es nicht sehr viel.»

«Es ist aber nicht alles. Haben Sie den Ring bemerkt, den Signor Sorelli am Finger trägt?»

«Er trägt einen goldenen Wappenring.»

«Dieser Ring», sagte der Comte de Chambord, indem er einen Blick auf seinen eigenen Wappenring warf, «zeigt ein Eichhörnchen mit einer Krone. Er stammt aus der Familie der Mutter von Signor Sorelli. Wir waren uns einig, dass er auf die erste Hälfte des 15. Jahrhunderts zu datieren ist.»

«Eine Kostbarkeit also.»

Der Comte nickte. «Er ist auch in anderer Hinsicht bemerkenswert.»

«Und in welcher Hinsicht?»

«Des Eichhörnchens und der Krone wegen. Es handelt sich dabei um das Wappen der Laval-Montmorencys, die damals, als der Ring angefertigt wurde, zu den bedeutendsten Familien Frankreichs gehörten.»

«Ich kann Hoheit nicht ganz folgen.»

«Dieser Ring», sagte der Comte, «ist wahrscheinlich von einem Mann getragen worden, der im Oktober des Jahres 1440 nach einem aufsehenerregenden Prozess gehängt und anschließend verbrannt worden ist.» Er sah Tron an. «Sagt

Ihnen der Name Tiffauge etwas? Schloss Tiffauge in der Normandie?»

Tron schüttelte den Kopf.

«Es gehörte in der ersten Hälfte des 15. Jahrhunderts den Laval-Montmorencys», sagte der Comte. «Der damalige Schlossherr war Marschall von Frankreich.» Er schwieg einen Moment, bevor er weitersprach. «Der Marschall wurde im Jahre 1440 gehängt, weil er über hundert Knaben und Mädchen geschändet, gequält und anschließend getötet hat.»

Plötzlich wusste Tron, über wen der Comte sprach. Ihm fiel sogar der Name des Mannes ein. «Meinen Hoheit ... Gilles de Rais?» Tron hatte das unangenehme Gefühl, dass sich sein Verstand in freiem Fall befand. «Reden wir von ... *Blaubart*?»

Der Comte de Chambord nickte.

«Und Signor Sorelli trägt Blaubarts Ring?»

«Es sieht ganz danach aus.»

«Was soll damit bewiesen werden?»

«Der Ring und seine nächtlichen Ausflüge beweisen gar nichts», sagte der Comte. Er erhob sich von seinem Schreibtisch. «Aber es hat sich inzwischen ein wenig mehr ergeben.»

«*Was* hat sich ergeben, Hoheit?»

«Das erklärt Ihnen am besten jemand anders.»

«Und wer?»

«Er hält sich momentan im Zimmer von Signor Sorelli auf.» Der Comte de Chambord wandte sich zur Tür. «Folgen Sie uns, Commissario.»

48

Sie verließen den Salon mit dem Porträt des erlauchten Vorfahren, durchquerten das Vestibül und stiegen schweigend zum Mezzaningeschoss empor. Der Comte schien zu weiteren Auskünften nicht bereit zu sein, also stellte Tron ihm keine Fragen. Vor Juliens Tür stand ein Sergeant der kroatischen Jäger, der beim Anblick des Comtes salutierte und zur Seite trat. An der angelehnten Tür blieb der Comte de Chambord stehen, um Tron den Vortritt zu lassen.

Das Zimmer Juliens war geräumiger, als Tron erwartet hatte. Vor einem der beiden Fenster, die zum Rio dell'Orso hinausgingen, sah Tron einen Schreibtisch, an der linken Wand ein Bett und einen Kleiderschrank, an der rechten Wand einen Sessel und einen ovalen Tisch, auf dem sich Bücher stapelten. Neben dem Bett stand ein weiterer Sergeant – und Oberst Stumm von Bordwehr. Offenbar war der Oberst gerade dabei, seinem Sergeanten etwas zu diktieren, denn der hielt ein Klemmbrett und einen Stift in der Hand. Als der Oberst Tron auf der Türschwelle sah, riss er erschrocken das Kinn hoch. Tron hatte nicht den Eindruck, dass der Oberst erfreut war, ihn hier zu sehen.

«Sind Sie zufällig hier, Commissario? Oder haben sich die Neuigkeiten bereits in der Questura verbreitet?» Der Oberst hatte sich wieder in der Gewalt. Er lächelte und fügte dann in geschäftsmäßigem Ton hinzu: «Ich hätte Sie selbstverständlich noch heute benachrichtigt.»

«Was ist passiert? Und wo ist Signor Sorelli?»

«Wir haben ihn verhaftet», sagte der Oberst knapp.

«Warum?

«Weil Signor Sorelli offenbar ein zusätzliches Geheimnis hatte.»

Wie bitte? *Ein zusätzliches Geheimnis?* Tron verstand kein Wort von dem, was der Oberst sagte. «Ich fürchte, ich kann Ihnen nicht folgen.»

«Die Geschichte», sagte der Oberst, «ist auch ein wenig kompliziert, Commissario.» Er zündete sich eine Zigarette an und ließ das Streichholz achtlos auf den Boden fallen. «Was wissen Sie über Sorelli?»

Gute Frage, dachte Tron. Was wusste er wirklich über den Neffen? Außer, dass er auf ihn eifersüchtig war? Aber auch da war er sich nicht sicher. «Sorelli ist in Venedig geboren, in Rom aufgewachsen und hat lange Zeit in Paris gelebt.»

«Hat er Ihnen gegenüber erwähnt, was er in Paris getrieben hat?»

«Medizin studiert.»

Der Oberst lächelte dünn. «Nicht nur. Er hat auch Freundschaften in Paris geschlossen. Sagt Ihnen der Name Alphonse Daudet etwas?»

Tron hob überrascht die Augenbrauen. «Sie meinen den Schriftsteller?»

«Sorelli und Daudet», sagte der Oberst, «hatten eine lebhafte Korrespondenz, für die wir uns aus guten Gründen interessiert haben. Monsieur Daudet ist nämlich der Privatsekretär des Herzogs von Morny. Und dieser ist bekanntlich ...»

«Der Bruder des französischen Kaisers», ergänzte Tron.

«Den der Kaiser», fuhr der Oberst fort, «gerne für heikle Operationen einspannt. Und Einzelheiten über die Aktivitäten Seiner Hoheit zu erfahren dürfte für Napoleon nicht uninteressant sein.»

Tron stellte fest, dass er immer noch Schwierigkeiten hatte, dem Gespräch zu folgen. «Sorelli hat diese Einzelheiten an Monsieur übermittelt?»

«Die Korrespondenz ist ein wenig blumig, aber wir haben gelernt, zwischen den Zeilen zu lesen.»

«Wollen Sie behaupten, dass Signor Sorelli für die Franzosen spioniert hat?»

Der Oberst nickte. Dann sagte er mit beiläufiger Stimme: «Und nebenbei hat er offenbar noch Zeit gefunden, seine *Operationen* vorzunehmen.»

Einen Augenblick lang verstand Tron nicht, was gemeint war. Dann traf ihn das Wort *Operationen* wie ein stumpfer, schwerer Gegenstand. Er öffnete den Mund, war aber unfähig zu sprechen.

«Da sind die Beweise, Commissario.» Der Oberst zeigte auf Juliens Schreibtisch.

Als Tron sah, was dort lag, hatte er plötzlich das unangenehme Gefühl, sein Verstand löse sich in Einzelteile auf, die in kleinen Flocken zur Decke schwebten. Auf der Tischplatte lagen, gefällig angeordnet wie in der Auslage eines Schaufensters, zwei Rasiermesser, daneben zwei Lederriemen, ein Stapel Briefe und zwei Zeitungsausschnitte aus der *Gazzetta di Venezia*. Eine rote und eine schwarze Maske lagen ebenfalls auf dem Tisch.

«Das haben wir in einer Tasche auf dem Boden des Kleiderschranks gefunden», sagte der Oberst.

Trons Herz pochte so laut, als hätte er eine Kesselpauke in der Brust. «Hat der *Comte* etwas angedeutet?»

Der Oberst schüttelte den Kopf. «Ich habe vorhin Signor Sorellis Zimmer durchsucht, als er im Arbeitszimmer Seiner Hoheit Diktate aufgenommen hat. Es ging nur um seine Tätigkeit für die Franzosen. Und dabei bin ich auf Messer, Lederriemen, Masken und Zeitungsausschnitte gestoßen. Ich war genauso überrascht wie Sie.»

«Und jetzt?»

«Haben Sie nichts mehr mit dem Fall zu tun. Wir werden Signor Sorelli morgen nach Verona überführen und die Vernehmungen dort fortsetzen.»

«Wohin haben Sie ihn jetzt gebracht?»

«In die Arrestzellen am Rio dell Palazzo.»

«In die *Bleikammern*?»

«Mit einem romantischen Blick auf den Ponte dei Sospiri.» Der Oberst lächelte zynisch, zog an seiner Zigarette und stieß dünne Rauchfahnen durch die Nasenlöcher.

«Kann ich mit Signor Sorelli sprechen?»

«Ich glaube nicht, dass Spaur es billigen würde, wenn Sie sich länger mit dem Fall befassen.»

«Sie lassen mich nicht zu ihm?»

Der Oberst schüttelte den Kopf. «Das darf ich nicht. Signor Sorelli ist in Militärarrest.» Er warf seine Zigarettenkippe auf den Boden und zertrat sie wie einen Käfer. «Werden Sie den Polizeipräsidenten heute noch sehen?»

«Der Baron ist in der Questura.»

«Dann teilen Sie ihm mit, dass wir ihm morgen früh einen vorläufigen Bericht schicken werden», sagte der Oberst. «Ich nehme an, dass er zufrieden sein wird. Obwohl die venezianische Polizei sich nicht gerade mit Ruhm bekleckert hat.» Er ging zur Tür und öffnete sie, um zu demonstrieren, dass das Gespräch beendet war. «Und vergessen Sie nicht, Commissario, Sie haben mit dem Fall nichts mehr zu tun.»

49

Spaur leuchtete. Sein Gesicht hatte sich mit jedem Wort, das Tron sprach, aufgehellt. Als Tron mit seinem Bericht über die Ereignisse im Palazzo Cavalli zu Ende gekommen war, hatte der Polizeipräsident den entrückten Ausdruck eines Mannes, der soeben in der staatlichen Lotterie den Hauptgewinn gezogen hatte.

«Das alles», sagte Spaur strahlend, «ist äußerst peinlich für die venezianische Polizei.» Das nachgeschobene resignierende Achselzucken konnte gar nicht unechter sein. «Aber wir müssen die Dinge nehmen, wie sie nun einmal sind.»

Der Polizeipräsident schob die Schachtel mit dem Demel-Konfekt über seinen Schreibtisch und machte – o Wunder! – eine einladende Geste. Tron erinnerte sich nicht daran, dass ihm der Polizeipräsident jemals eines seiner Pralinés angeboten hatte. «Und Stumm hat Ihnen deutlich gesagt, dass dieser Fall nicht in unsere Zuständigkeit fällt?»

«Der Oberst hat mir ausdrücklich versichert, dass er unsere Statistik nicht belastet», sagte Tron. Er entschied sich nach kurzem Überlegen für ein Stück Karamell-Ganache, das seiner Erinnerung nach immer in blaues Glanzpapier eingewickelt war.

«Dann hat sich also alles in Wohlgefallen aufgelöst», resümierte Spaur.

Ausgewickelt erwies sich Karamell-Ganache als Noisette-Praliné. Offenbar hatte jemand in Wien die Farbe des Papiers geändert. Tron ließ das Praliné in seinem Mund verschwinden. «So *scheint* es jedenfalls», sagte er etwas undeutlich.

Spaur überhörte diese Bemerkung – oder hatte sie tatsächlich nicht gehört, denn bei dem Wort *Wohlgefallen* hatte er intensiven Blickkontakt mit der Fotografie seiner Gattin auf seinem Schreibtisch aufgenommen. «Also können die Baronin und ich», fuhr er fort, den Blick immer noch auf ihr Bild gerichtet, «weiterhin mit Einladungen Seiner Hoheit rechnen. Die Baronin hatte sich gestern Abend gefragt, warum es ausgerechnet der Comte de Chambord sein musste.»

Tron ließ die Frage unkommentiert und beschloss, ein wenig deutlicher zu werden. «Falls sich keine neuen Gesichtspunkte ergeben, Baron.»

Spaurs Augenbrauen zogen sich zusammen. «Was soll das heißen, Commissario?»

«Dass ich dieser Lösung nicht traue.»

«Obwohl die Beweise klarer nicht sein könnten?»

«Die einzigen Beweise, die wir haben, sind Messer, Masken und Lederriemen», sagte Tron.

«Das sollte ausreichen.»

«Die Frage ist, wie diese Beweisstücke in das Zimmer von Signor Sorelli gelangt sind.»

Spaur runzelte die Stirn. «Sie unterstellen dem Oberst, dass er Signor Sorelli falsches Beweismaterial untergeschoben hat?»

«Ich unterstelle dem Oberst gar nichts», sagte Tron. «Ich wundere mich nur darüber, dass er mir nicht gestattet, mit Signor Sorelli zu reden.»

«Das ist sein gutes Recht. Abgesehen davon frage ich mich, warum Sie mit Signor Sorelli reden wollen.»

«Ich möchte seine Version der Angelegenheit hören.»

«Sorelli wird leugnen.»

Tron nickte. «Das denke ich auch. Aber ich würde gerne wissen, mit welchen Argumenten.»

Spaur schloss den Deckel der Pralinenschachtel und warf einen bösen Blick über den Tisch. «Sie halten den Comte de Chambord immer noch für den Ausweider?»

«Nein», sagte Tron. «Aber ich bezweifle trotzdem, dass Signor Sorelli die Frauen getötet hat.»

«Und *wer* hat sie Ihrer Meinung nach getötet?»

«Bevor ich darüber nachdenke, würde ich gerne mit Signor Sorelli sprechen.»

Spaur lächelte falsch. «Ich kann mich jederzeit auf dem offiziellen Dienstweg an den Stadtkommandanten wenden.»

Da hatte der Polizeipräsident recht. Aber das würde ein halbes Dutzend Formulare erfordern, bei deren Ausfertigung man zwei Dutzend Fehler machten konnte. Und die Kommandantura würde die Anfrage der Questura vermutlich zur Stellungnahme nach Verona schicken. Natürlich wusste Spaur das. Er wusste auch, dass Tron es wusste.

«Es wird mindestens zwei Monate dauern, bis Sie eine Antwort erhalten», sagte Tron. «Signor Sorelli könnte bereits in den nächsten Tagen nach Verona verlegt werden.»

«Dann fahren Sie ins Hauptquartier nach Verona.»

Tron schüttelte den Kopf. «Ich muss Signor Sorelli noch hier sprechen. Sie könnten ...»

Spaur unterbrach Tron, indem er die Hand hob. «Ich kann gar nichts, Commissario. Der Fall ist abgeschlossen. Die Questura wird sich nicht mehr mit dem Ausweider befassen. Als ob wir nicht auch noch anderes zu tun hätten.»

«Etwas Dringendes liegt im Moment nicht an, Baron.»

«Gar nichts? Trotz des Karnevals?»

«Taschendiebe auf der Piazza, Falschspiel im Café Oriental, ein paar Schlägereien auf dem Molo und der Verkauf von anstößigen Fotografien auf der Riva degli Schiavoni.»

«Also Kleinigkeiten», sagte Spaur. «Das ist ein Beleg für die Effektivität der venezianischen Polizei.»

«Nicht alle Fälle», sagte Tron, dem plötzlich ein Einfall

gekommen war, «sind Kleinigkeiten. Es gibt auch einen dokumentierten und durch Zeugenaussagen bewiesenen Fall von widernatürlicher Unzucht.»

Spaurs Augenbrauen zogen sich entsetzt zusammen. «Sie meinen doch nicht etwa den Comte de Chambord? Ist das Ihr Ernst?»

«Wir haben ein Protokoll der Vernehmung von Signor Lupi», sagte Tron. Er setzte einen bedauernden Gesichtsausdruck auf. «Und es findet sich leider immer jemand, der plaudert. Diese Geschichte wäre ein gefundenes Fressen für die französische Presse.»

«Soll das heißen, dass Sie ...»

Tron verstärkte seinen bedauernden Gesichtsausdruck. «Ich weise lediglich auf die Möglichkeit von Indiskretionen hin.»

War das deutlich genug? Sollte er noch die Gefühle schildern, die der Comte beim Lesen eines entsprechenden Artikels empfinden würde? Und Vermutungen über die Reaktion der Baronin äußern. Nein, offenbar war seine Bemerkung deutlich genug gewesen.

Spaur stieß den Seufzer eines Mannes aus, der gezwungen ist, sich einer üblen Erpressung zu beugen. «Was wollen Sie, Commissario?»

«Ein paar Zeilen an Generalleutnant Nadolny», sagte Tron in neutralem Geschäftston. «Schreiben Sie, dass Sie für einen Ihrer Beamten außerhalb des regulären Dienstweges einen Passierschein brauchen, weil dieser Beamte mit Signor Sorelli sprechen muss. Es wird niemand von dem Besuch erfahren.»

50

«Ich hatte mit dem Oberst gerechnet, aber nicht mit Ihnen, Commissario», sagte Julien knapp sieben Stunden später zu Tron. Er war von seiner Pritsche aufgesprungen, als sich die Zellentür geöffnet hatte. «Ich habe den ganzen Tag niemanden gesehen.»

Julien stand mit hochgeschlagenem Mantelkragen direkt unter der Petroleumlampe, die von der Decke der Zelle hing. Das Licht fiel auf seine von der Kälte gerötete Nase und ließ den unteren Teil seines Gesichts wie eine Maske wirken. Im Halbdunkel der Zelle schienen die Gerüche durchdringender. Es roch säuerlich, wie nach Erbrochenem.

Auf dem Weg zu Juliens Zelle hatte Tron seinen Passierschein dreimal vorzeigen müssen. Einmal einem Sergeanten am Hofeingang des Traktes, dann einem gelangweilten Offizier am Ende eines Ganges im Erdgeschoss und schließlich, im vierten Stock des Gebäudes, dem Sergeanten, der ihm die Zelle aufgeschlossen hatte. Es war verabredet worden, dass der Sergeant eine Stunde später wiederkommen und ihn abholen würde. Bei den Zellen, hatte Tron festgestellt, handelte es sich nicht um die Bleikammern. Die befanden sich einen Stock höher, direkt unter dem Dach. Dies hier waren ganz normale Zellen mit massiven, eisenbeschlagenen Türen und vergitterten Fenstern. Und offenbar ohne jede Heizung, was Julien dazu genötigt hatte, seinen Mantel anzubehalten und den Kragen hochzuschlagen. Es war so kalt, dass sich bei jedem Wort kleine Wölkchen vor dem Mund bildeten. Außer einem Stuhl, einem Eimer und einem Tisch, auf dem eine Wasserflasche stand, enthielt die Zelle nur noch ein Kavalett mit einer grauen Militärdecke. Es würde kein Vergnügen sein, hier die Nacht zu verbringen.

«Es war nicht ganz einfach, Sie zu besuchen», sagte Tron, nachdem er auf dem wackligen Stuhl neben dem Eimer Platz genommen hatte. «Der Oberst hat sich geweigert, mich zu Ihnen zu lassen.»

«Er hat mich auf dem Weg in die Questura verhaftet», sagte Julien. Und dann ohne Zögern weiter: «Ich denke, dass er wusste, wohin ich wollte.»

«Wollte er verhindern, dass ich mit Ihnen *spreche*?»

Julien nickte. «Es sieht ganz danach aus.»

«Was durfte ich nicht erfahren?»

«Dass der Oberst, was mir nicht bekannt war, offenbar im Palazzo Cavalli verkehrt hat», sagte Julien. Er sah Tron eindringlich an.

«Woher wussten Sie das?»

«Durch eine unbesonnene Bemerkung des Comtes», sagte Julien. Er stieß ein verächtliches Lachen aus, was eine kleine weiße Wolke vor seinem Mund entstehen ließ. «Ich war im Arbeitszimmer Seiner Hoheit, um Diktate aufzunehmen, als ein Lakai den Oberst meldete. Auf meine Überraschung, den Oberst hier zu sehen, bemerkte der Comte, dass er nicht zum ersten Mal hier ist. Stumm von Bordwehr ist bei dieser Bemerkung regelrecht zusammengezuckt.»

«Und dann?»

«Gingen die beiden Herren in den Salon, und der Comte kam zehn Minuten später ein wenig bleich zurück. Dann habe ich eine Stunde lang Diktate aufgenommen. Als ich fertig war und den Mantel aus meinem Zimmer holen wollte, hat mich Stumm von zwei Sergeanten im Treppenhaus verhaften und abführen lassen.»

«Mit welcher Begründung hat Stumm Sie festgenommen?»

«Wegen eines Briefwechsels mit einem französischen Freund, dem Privatsekretär des Herzogs von ...»

Tron hob die Hand. «Ich weiß Bescheid.»

«Diese Briefe», fuhr Julien fort, «sind offenbar kompromittierender gewesen, als mir bewusst war. Dass sie abgefangen und gelesen wurden, konnte ich nicht ahnen. Wenn Stumm es darauf anlegt, komme ich wegen Hochverrats vor Gericht.»

«Wollen Sie damit sagen, dass der Oberst Sie wegen Ihrer Korrespondenz festgenommen hat?»

Diese Frage schien Julien zu überraschen. Oder er hatte sich erstaunlich gut in der Gewalt und tat nur so. «Warum sollte Stumm mich sonst festnehmen?»

«Weil er vier Messer, zwei Lederriemen und zwei Masken in Ihrem Zimmer gefunden hat», sagte Tron knapp.

Juliens Kopf fuhr ruckartig nach oben. «Wie bitte?»

«Vier Messer, zwei Lederriemen und zwei Masken», wiederholte Tron. «Das alles lag auf Ihrem Schreibtisch. Ich habe es selbst gesehen.»

«Das ist unglaublich.»

«Was?»

«Dass Stumm so weit geht.»

«Wollen Sie damit sagen, dass der Oberst Ihnen diese Gegenstände untergeschoben hat?»

«Selbstverständlich. Glauben Sie mir etwa nicht?»

Tron zuckte die Achseln. «Ich weiß nicht, was ich glauben soll. Das ist der Grund, weshalb ich hier bin.»

«Darf ich fragen, warum Sie den Comte heute Vormittag besucht haben?»

«Wir hatten Grund zu der Annahme, dass er mehr über eine gewisse Person in seinem Haushalt weiß, als er zugibt.»

«Warum sollte der Comte Ihnen etwas verschweigen?»

«Die betreffende Person weiß über sein Privatleben Bescheid. Und der Comte will nicht, dass sie redet.»

Julien dachte einen Augenblick nach. Dann sagte er: «Spielen Sie auf den Jüngling aus Neapel an?»

«Also wussten Sie es. Das hatte der Comte vermutet.»

«Und sich nicht an Sie gewandt, weil er befürchtet hat, ich könnte dann plaudern?» Julien lachte bitter auf. «Das ist lächerlich. Wodurch habe ich mich in den Augen des Comtes noch verdächtig gemacht?»

«Auch durch den Ring, den Sie am Finger tragen.»

Julien wölbte die Brauen. «Sie meinen das Wappen der Laval-Montmorencys auf dem Ring?»

«Das Wappen Blaubarts.»

Bei dem Wort *Blaubart* verdrehte Julien die Augen. Dann ergriff er die Wasserflasche am Hals, als wollte er eine Ente erdrosseln, und trank einen Schluck. Schließlich sagte er: «Das war ein Missverständnis, dem ich nicht widersprochen habe. Dem Comte ist das Wappen aufgefallen, und ich habe ihm erzählt, dass der Ring ein Erbstück meiner Mutter ist.»

«*Ist* er ein Erbstück Ihrer Mutter?»

Julien schüttelte heftig den Kopf wie ein Schwimmer, der sich das Wasser aus den Ohren schüttelt. «Nein. Ich habe ihn beim Spiel gewonnen. Wir haben nichts mit den Laval-Montmorencys zu schaffen.» Er sah Tron mit runden Augen an, in denen jetzt unverhohlene Angst zu erkennen war. «Halten Sie mich tatsächlich für den *Ausweider*?»

Gute Frage. Die *entscheidende* Frage, dachte Tron. Was hielt er eigentlich von Julien – abgesehen davon, dass er ihn aus persönlichen Gründen lieber in Paris gewusst hätte? War es dem Neffen zuzutrauen, dass er junge Frauen erdrosselte und aufschlitzte? Frauen, die alle blond und grünäugig waren – wie die Principessa? Tat er das gewissermaßen als *Ersatz*? Nein, das war ein grotesker Gedanke. Doch wenn es sich bei dem Neffen nicht um den Ausweider handelte – eine Vorstellung, die Tron auf einmal völlig absurd vorkam –, dann konnte ihm nur der Oberst Messer, Lederriemen und Masken untergeschoben haben.

«Was ich von Ihnen halte», sagte Tron, dessen Beine sich inzwischen anfühlten, als würden sie in Eimern mit Eiswasser stehen, «ist nicht von Belang. Der Fall liegt jetzt in den Händen der Kommandantura. Offiziell kann ich nichts unternehmen.»

«Was könnten Sie *inoffiziell* unternehmen?»

«Mit Ihnen sprechen», sagte Tron. «Und das mache ich bereits. Inoffiziell. Der Passierschein, den ich hier habe», fuhr er fort, indem er auf seine Manteltasche klopfte, «hätte mir eigentlich nie ausgestellt werden dürfen.»

Tron erhob sich von seinem Stuhl. Beim Aufstehen stellte er fest, dass seine Gelenke steif waren, so als hätte er gerade einen Unfall gehabt. Wahrscheinlich, dachte er, lag es an den eisigen Temperaturen. Ob die graue Armeedecke, die auf dem Kavalett lag, warm genug war, um hier ein wenig Schlaf zu finden? Er stellte fest, dass dieser Julien Sorelli ihm leidtat und dass seine törichte Eifersucht offenbar verschwunden war – wenigstens etwas.

«Wir könnten», sagte Tron, «noch einmal mit Pater Hieronymus sprechen und ihn zu seinen Kontakten zu Stumm befragen.»

«Und wenn sich daraus nichts ergibt?»

«Dann nehmen wir uns den Zeitpunkt eines der Morde und versuchen herauszufinden, ob der Oberst dafür ein Alibi hat.»

«Das kann sich hinziehen.»

«Mehr kann ich nicht für Sie tun», sagte Tron.

Julien überlegte einen Moment. Dann sagte er langsam: «Sie könnten sofort etwas für mich tun, Commissario.»

Seine Augen waren auf das kleine, vergitterte Zellenfenster gerichtet. Um seine Mundwinkel zuckte es nervös.

«Und was?»

Julien sah Tron an, hob die Schultern und lächelte entschuldigend. «Einen Blick durch die Gitterstäbe nach draußen werfen.» Er stieß einen Seufzer aus, griff wieder nach der Wasserflasche und trank einen Schluck.

«Ich bilde mir ein», fuhr er dann mit unsicherer Stimme fort, «dass ich ein Licht in der Seufzerbrücke sehe.» Wieder lächelte er entschuldigend und trat einen Schritt zur Seite. Die Wasserflasche behielt er in der Hand. «Sagen Sie mir, was *Sie* sehen. Vielleicht werde ich ja schon verrückt in diesem Eisloch.»

Als Tron an das kleine Fenster trat, den Kopf hob und durch die Gitterstäbe hinausblickte, sah er den dunkelgrauen Nachthimmel, darunter den massigen Block der *prigioni nuove*, des neuen Gefängnisses. Wolkenfetzen, vom Mondlicht beleuchtet, trieben von der Lagune auf die Stadt zu. Tron senkte den Blick, und jetzt war auch der steinerne Riegel des Ponte dei Sospiri zu erkennen, die Verbindung zwischen den Kerkern des Dogenpalastes und dem Gefängnis auf der anderen Seite des Rio del Palazzo. Tron sah die Wölbung der Seufzerbrücke und darauf die Bogen der Voluten. Ein Lichtschein hinter den vergitterten Fenstern der Brücke war nicht zu erkennen.

Die Flasche traf seine Schläfe, als er sich gerade zurückwenden wollte. Der Schlag schickte ihm eine Schockwelle durch den Schädel, warf seinen Kopf ruckartig nach links und ließ Lichtblitze hinter seinen geschlossenen Augen explodieren. Tron drehte sich halb um seine Achse, verlor das Gleichgewicht und hatte noch im Fallen, bevor er endgültig das Bewusstsein verlor, das Gefühl, dass er einen Schubs bekam, der ihn relativ sanft auf dem Kavalett landen ließ.

51

Der Polizeipräsident schenkte Kaffee in eine Tasse ein und deponierte großzügig zwei schokoladenüberzogene Ingwerstücke auf der Untertasse. Dann schob er Tasse und Untertasse fürsorglich über seinen Schreibtisch – an dem ausführlichen Bericht vorbei, den Tron Bossi heute Morgen im Palazzo Balbi-Valier diktiert hatte. Im Gesichtsausdruck Spaurs mischten sich Besorgnis und Bewunderung. «Für das, was gestern Nacht passiert ist, sehen Sie gut aus, Commissario», sagte er.

Was sicherlich stimmte, dachte Tron, wenn man in Betracht zog, dass dieser Schlag mit der Flasche auch fatalere Folgen für ihn hätte haben können. Was vielleicht nicht *ganz* stimmte, wenn man den Kopfverband sah, der ihm heute Morgen frisch angelegt worden war: ein mächtiges, aus vielen Binden zusammengesetztes, haubenartiges Gebilde, das unter dem Kinn mit einer großen Schleife zusammengebunden worden war und ihn beim Blick in den Spiegel an ein Kind mit Ziegenpeter erinnert hatte.

Der Verband gab seiner Erscheinung einen Einschlag ins Lächerliche, verlieh ihm andererseits aber die Aura eines Mannes, der es heroisch abgelehnt hatte, die schmutzige Arbeit den subalternen Rängen zu überlassen. So gesehen – und das war auch ein Grund, aus dem Tron sich in die Questura begeben hatte – bot er ein Bild unbedingter Pflichterfüllung. Und das würde, dachte er, denjenigen, die seine ausgedehnten Kaffeehausbesuche während der Dienstzeit monierten, über Jahre hinaus den Wind aus den Segeln nehmen.

Fühlte er sich gut? Merkwürdigerweise ja. Jedenfalls bis auf einen leichten Kopfschmerz und eine minimale Benommenheit, die er allerdings als angenehm empfand. Sie bewirkte eine gewisse Distanz zu den Geschehnissen, verlieh ihm Gelassenheit – genau das, was er im Moment gut gebrauchen konnte.

Die Erinnerung an das, was sich gestern Nacht im Palazzo Ducale zugetragen hatte, war teils klar, teils verschwommen. Den Schlag hatte er noch registriert, auch die blitzenden Sternchen, die er den Bruchteil einer Sekunde später gesehen hatte. Doch dann war es schwarz geworden, und vermutlich, dachte Tron, war es die Eiseskälte gewesen, die ihn eine gute halbe Stunde später wieder das Bewusstsein zurückerlangen ließ, und nicht der Sergeant und der eilig herbeigerufene Offizier, die ihn an der Schulter rüttelten, auf ihn einschrien und offenbar nicht wussten, was sie zu tun hatten.

Was war geschehen? Julien hatte sich, nachdem er ihn niedergeschlagen hatte, den Mantel angezogen, den Zylinderhut aufgesetzt und war mit Hilfe seines Passierscheins ins Freie spaziert. *Ihn* hatten sie, nachdem der eilig herbeigerufene Hotelarzt des Danieli nichts gegen einen Transport einzuwenden gehabt hatte, auf einer Militärgondel in den Palazzo Balbi-Valier gebracht – zu einer Principessa, die ihren Augen nicht trauen wollte. Bossi war heute Morgen im Palazzo der Principessa erschienen, wo ihm Tron, noch im Bett liegend, den Bericht diktiert hatte. Erst gegen Mittag hatte Tron – gegen den Protest der Principessa – den Entschluss gefasst, sich in die Questura zu begeben, um mit Spaur zu sprechen. Wie hatte Oberst Stumm von Bordwehr auf die Ereignisse der letzten Nacht reagiert? Auf die Flucht des Mannes, den er als Täter ausersehen hatte, und auf den Umstand, dass Trons Passierschein am offiziellen Dienstweg vorbei ausgestellt worden war?

Das waren Fragen, über die der Polizeipräsident nachdenken musste – oder er wollte Tron ein wenig auf die Folter spannen. Spaur nahm einen Schluck aus seiner Kaffeetasse, legte ein angebissenes Praliné auf die Akte und betrachtete es, als wäre es ein Puzzleteilchen, das nirgendwo passen wollte.

«Ich denke», sagte er schließlich, «der Oberst trägt die Flucht von Signor Sorelli mit Fassung.»

«Und die Angelegenheit mit dem Passierschein?»

Spaur nahm das halbe Praliné von der Akte und ließ es in seinem Mund verschwinden. Mit vollem Mund zu sprechen war nie ein Problem für ihn gewesen. «Ist vergessen», sagte er kauend. «Der Oberst hat mit dem Stadtkommandanten gesprochen. Man ist offenbar entschlossen, die Sache nicht weiter zu verfolgen.»

«Gibt es eine Spur von Signor Sorelli?»

Spaur zuckte die Achseln. «Es wird vermutet, dass er um Mitternacht den Lloyddampfer nach Triest genommen hat.»

«Ist an die Kollegen in Triest telegrafiert worden?»

«Leider zu spät. Die Passagiere waren bereits von Bord.»

«Dann wird er versuchen, sich nach Frankreich durchzuschlagen», sagte Tron.

«Was macht der Kopf?»

«Signor Sorelli hätte härter zuschlagen können. Ich bezweifle, dass er die Absicht hatte, mich ernsthaft zu verletzen. Er wollte mich nur kurzfristig aus dem Verkehr ziehen. Die Flasche ist noch nicht einmal dabei zersprungen.»

Spaurs Augenbrauen wanderten aufwärts. «Was soll das heißen, Commissario?»

«Dass ein angeblicher Serienmörder sich scheut, einen Commissario der venezianischen Polizei ernsthaft zu verletzen.»

«*Angeblicher* Serienmörder?»

«Ich glaube nicht, dass er der Mann ist, den wir suchen.»

«Und die Beweise? Die Messer und die Lederriemen?»

«Könnten ihm untergeschoben worden sein», sagte Tron.

«Von wem?»

«Vom Oberst höchstpersönlich.»

«Das ist lächerlich, Commissario», sagte Spaur. Um zu demonstrieren, *wie* lächerlich er es fand, lächelte er kurz, während er sich eine neue Tasse Kaffee einschenkte.

Tron hob die Schultern. «Das Problem ist, dass der Ausweider ein Doppelleben führt. Dass sich hinter einer völlig normalen Fassade ein Monstrum versteckt. Bemerkenswert», fuhr er fort, «finde ich auch, mit welcher Fassung der Oberst die Flucht von Signor Sorelli trägt.»

«Was soll das heißen?»

«Signor Sorelli wird – falls er denn auf dem Dampfer nach Triest war – versuchen, sich nach Frankreich abzusetzen. Da wäre er in Sicherheit, was Stumm von Bordwehr nur recht sein kann.»

«Warum sollte es ihm recht sein?»

«Weil es dann nicht mehr zu einer Verhandlung kommt. Auch vor einem Militärgericht weiß man nie, was passiert.»

Spaurs Stimme klang unwirsch. «Dann wird es eben zu keiner Verhandlung kommen. Jedenfalls ist der Fall für die Militärbehörden zunächst erledigt. Und um eine Angelegenheit der Questura handelt es sich ohnehin nicht. Wo ist also das Problem?»

Tron seufzte. «Das Problem besteht darin, dass Signor Sorelli unschuldig sein könnte. Dann ginge das Morden weiter.»

Spaur schüttelte den Kopf. «Wenn Ihre Theorie stimmt, Commissario, dass es sich bei dem Mörder um den Oberst handelt, dann wird er kaum weitermorden. Denn das würde ja zeigen, dass Signor Sorelli unschuldig ist.»

«Dass Signor Sorelli den Dampfer nach Triest benutzt hat, ist lediglich eine Vermutung.»

«Was soll das heißen?»

«Der Oberst könnte weitermorden und behaupten, Signor Sorelli halte sich immer noch in der Stadt auf.»

Aber das war ein Argument, das Spaur wenig beeindruckte, denn er war mit seinen Gedanken bereits woanders. Er hatte Bossis Bericht zugeklappt und zur Seite geschoben. Jetzt befand sich nur noch die Schachtel mit dem Demel-Konfekt im Zentrum des Schreibtisches – direkt vor dem Bild von Signorina Violetta, mit der Spaur einen kurzen Blickkontakt aufgenommen hatte.

«Es wäre», sagte Spaur mit gleichgültigem Schulterzucken, «in jedem Fall eine Angelegenheit der Militärbehörden.» Er fischte ein weiteres Praliné aus der Schachtel und wickelte es aus. «Sehe ich Sie morgen Abend, Commissario?»

«Wie bitte?»

Spaur sah Tron nachsichtig an. «Der Maskenball. Seit zwei Tagen redet die Baronin von nichts anderem.»

Ach, richtig. Der Maskenball der Contessa. Tron hatte Schwierigkeiten, dem abrupten Themenwechsel zu folgen. «Ich denke schon», sagte Tron, «dass Sie mich sehen werden. Dieser Verband lässt sich erheblich verkleinern.» Dachte er jedenfalls. Und wenn nicht, wäre er gezwungen, auch auf dem Maskenball der Contessa den Helden zu geben – vielleicht keine schlechte Idee.

Spaur nahm einen Schluck aus seiner Tasse. Dann fragte er: «Demaskierung um Mitternacht? Wie üblich?»

Tron nickte. «Wie üblich.»

Spaur lächelte stolz. «Ich glaube nicht, dass Sie mich erkennen werden. Ich gehe als …» Er unterbrach sich, weil er noch rechtzeitig bemerkt hatte, dass seine Maskierung darunter leiden würde, wenn sie vorher bekannt war. Er räusperte sich. «Werden wir das Vergnügen haben, dem Comte de Chambord auf dem Maskenball zu begegnen?» Eine Frage, die Signorina Violetta heute Nachmittag zweifellos stellen würde.

Tron hob die Schultern. «Der Comte hat zugesagt. Ich sehe keinen Grund, warum er wieder absagen sollte. Zumal er ein Interesse daran hat, Normalität zu demonstrieren.»

Spaur nickte. «Ebenso wie die Kommandantura Normalität demonstrieren möchte.» Er sah Tron an. «Sie wissen doch Bescheid, oder?»

Tron runzelte die Stirn. «Worüber sollte ich Bescheid wissen?»

«Toggenburgs Gattin ist erkrankt», sagte Spaur. «Der Stadtkommandant wird sich von einem seiner Offiziere auf den Maskenball begleiten lassen.» Spaur lehnte sich auf seinem Sessel zurück und grinste. «Sie werden das Vergnügen haben, Oberst Stumm von Bordwehr im Palazzo Tron zu begrüßen.»

«Was bedeuten könnte», sagte Tron, nachdem er diese Nachricht verdaut hatte, «dass man in der Kommandantura beschlossen hat, das Kriegsbeil zu begraben.»

Spaur senkte zustimmend den Kopf. «So sehe ich das auch, Commissario.»

Dann griff der Polizeipräsident demonstrativ nach dem Bericht, der immer noch vor ihm lag, und beförderte ihn – klatsch! – auf die Ablage neben seinem Schreibtisch, zum Stapel anderer, wahrscheinlich nie gelesener Akten. *Fall erledigt* sollte das heißen. Darauf folgte ein weiterer Schluck aus der Kaffeetasse und anschließend ein präsidiales Kopfnicken – das Signal, dass die Unterredung beendet war.

Tron stand auf, während Spaur ungeniert die Schublade öffnete und eine Flasche Cognac herauszog, um seinen Kaffee aufzuhübschen. Als er auf den Flur trat, hatte er immer noch den Geruch von Spaurs Herrenparfum in der Nase, eine Mischung von Ambra und Veilchen, bestimmt ein Geschenk von Signorina Violetta.

52

Er betrat die Piazza von der Westseite durch die Alea Napoleonica, ein mittelgroßer, unauffälliger Mann in einem schwarzen Radmantel. Die *bautta* vor seinem Gesicht ließ darauf schließen, dass er sich amüsieren wollte, vielleicht sogar auf ein galantes Abenteuer aus war. Jetzt, am frühen Abend, war die Piazza voller Menschen, und die meisten waren bereits für die Nacht gerüstet, indem sie Masken trugen, Halbmasken, Schnabelmasken, die Damen Perücken, die Herren schwarze Dreispitze, an der Seite die obligatorischen Kavaliersdegen.

Eine Fächerhändlerin näherte sich ihm, dann ein schwarzgekleideter Mann, der seinen Mantel öffnete und ein halbes Dutzend obszöner Fotografien entblößte, die am Innenfutter befestigt waren. Beide verscheuchte er mit einer Handbewegung. Er passierte Stände von Frittolini- und Maronenverkäufern, dann solche, an denen *moleche* angeboten wurden, Taschenkrebse, die lebend in siedendes Öl geworfen wurden. Unter den Arkaden der Neuen Prokurazien sah er die *a giorno* erleuchteten Fenster des Florian, auf der anderen Seite die Fenster des Quadri, davor die unvermeidlichen Gruppen kaiserlicher Offiziere, die sich in ihren weißen Mänteln vom Dunkelgrau des Nebels abhoben.

Denn heute Nachmittag war das Wetter umgeschlagen. Niedrige, zerfaserte Wolken hatten sich über der östlichen Lagune gebildet, sich später zu einer kompakten Decke zusammengeschlossen, und mit dem Einbruch der Dunkelheit war die berüchtigte venezianische *nebbia* über die Stadt gekommen. Jetzt lag der Nebel wie ein grauer, luftiger Brei auf der Piazza und schickte sich bereits an, die Gasbeleuchtung zu verschlingen.

Gut so, dachte er. Die Vorstellung, dass der Nebel die Stadt noch ein paar Tage in seiner Gewalt haben würde, gefiel ihm. Nicht dass das auch nur eines seiner Probleme gelöst hätte. Aber dichter, lähmender Nebel könnte die Dinge noch ein wenig in der Schwebe halten – vielleicht so lange, bis ihm etwas Überzeugendes eingefallen war.

Dass er die Stadt nicht verlassen hatte – er hätte noch in der Nacht den Dampfer nach Triest nehmen können –, war möglicherweise ein Fehler gewesen. Sich mit genügend Bargeld und auch ein wenig Schmuck zu versorgen hätte ihn vor kein Problem gestellt. Er wusste, wo beides verwahrt wurde. Den Diebstahl würde man erst am nächsten Morgen bemerken, und es würde dann noch ein paar Stunden dauern, bis der Verdacht auf ihn fiel.

Das Tier in ihm, dem er seine fatale Lage verdankte, hatte sich schweigend vor seinen Problemen zurückgezogen. Er hatte ohnehin nicht damit gerechnet, dass er, wenn es hart auf hart kam, auf seine Hilfe zählen konnte. Aber kam es jetzt wirklich hart auf hart? Ja, wahrscheinlich. Die paar Worte, die er vor zwei Tagen gesagt hatte, dieser unbedachte Halbsatz, waren der Strick, an dem er baumeln würde, falls ihm nicht bald etwas einfiel. Lächerlich, dachte er, dass ausgerechnet *er* einen solch albernen Fehler begangen hatte.

Er hatte den Campanile passiert und wandte sich, ohne

ein bestimmtes Ziel zu haben, nach rechts. Als er auf den Molo zuging, drückte ein Wind vom *Bacino di San Marco* her eine neue Nebelbank auf die Piazetta, eine dunkelgraue, luftige Lawine, die langsam zwischen dem Dogenpalast und der Marciana in Richtung Piazza trieb. Er schätzte, dass die Sicht inzwischen höchstens drei Meter betrug. Wenn die *nebbia* anhielt – angeblich hatte es Winter gegeben, in denen der Nebel wochenlang blieb –, war die Stadt praktisch von der Außenwelt abgeschnitten. Selbst die Züge würden dann ihren Verkehr einstellen, und das einzige Transportmittel, dessen man sich noch bedienen konnte, war – ganz wie in alten Zeiten – die Gondel.

Als vor ihm ein Streichholz aufleuchtete und sofort wieder erlosch, blieb er stehen. Es flammte zum zweiten Mal kurz auf, erlosch wieder, und dann trat eine Frau aus der Dunkelheit auf ihn zu. Da es intensiv nach Wasser roch, konnte die Kaimauer nicht weit sein. Er schätzte, dass sie auf der Höhe der beiden Säulen standen. Die Frau war blond, aber ihre Haare konnten auch gebleicht sein. Erst jetzt sah er, dass zu ihren Füßen, dicht an ihr Kleid geschmiegt, ein kleiner, rundlicher Hund Platz genommen hatte – ein Mops. Er verabscheute Möpse.

«Sie heißt Anita», sagte die Frau in vertraulichem Ton, nachdem er ihr Feuer gegeben hatte. Und fügte dann hinzu: «So wie seine *moglie*.»

Es dauerte einen Augenblick, bis er begriff, dass der Name auf Garibaldis Frau anspielte. Vermutlich hatte er es mit einer Patriotin zu tun, die möglicherweise grün-rot-weiße Unterwäsche trug – eine patriotische *mammola*.

Der Mops gab jetzt, als hätte er seine Gedanken gelesen, ein empörtes Jaulen von sich, was Frauchen dazu veranlasste, sich zu bücken und das Tier auf den Arm zu nehmen. Als die Frau ihn ansah, setzte sie ein verführerisches

Lächeln auf. Auch der Mops betrachtete ihn mit hervorquellenden, madeirafarbenen Augen. Beide, Mensch und Tier, hatten denselben fragenden Gesichtsausdruck aufgesetzt.

Und das Tier in ihm? Sein *eigenes* Tier? Die Bestie, die beim Anblick dieses leckeren Häppchens eigentlich in wilde Ekstase geraten müsste? Er hatte eine Reaktion seines Tieres erwartet, das Erwachen aus dem depressiven Dämmerzustand, in den es versunken war. Es gab massenhaft kleine Hotels in der Nähe, und das Messer in der Tasche seines Gehrockes war so scharf, wie ein Messer nur sein konnte. Alles das wusste das Tier – oder spürte es zumindest. Dass es jetzt keine Reaktion zeigte, überraschte ihn. Und noch mehr überraschte und erschreckte ihn seine *eigene* Reaktion auf die Frau, die hier in der nebeligen Dunkelheit vor ihm stand. Er hatte tatsächlich Lust, ihr die Kehle durchzuschneiden – *er selbst*. Und zwar sofort.

Er gab, soweit das unter seiner *bautta* möglich war, ihr Lächeln zurück. «Darf ich?» Es dauerte einen Moment, bis sie begriff, was er wollte. Dann streckte sie ihm den Hund entgegen.

Er nahm das Tier und bettete es in seine linke Armbeuge. Der Mops war warm wie ein *scaldino*. Sein Atem ging stoßweise, wobei das Vieh übelriechende Wölkchen in die Luft pustete. Sabber lief aus dem Maul und tropfte auf seine Ärmel. Plötzlich wusste er, was er tun würde.

Er drehte den Kopf erst nach der einen, dann nach der anderen Seite. Um sie herum begann nach drei oder vier Schritten dichter, dunkelgrauer Nebel. Wenn das Rasiermesser seine Arbeit erledigt hatte, würde er einfach in die *nebbia* abtauchen, so wie ein Bühnenkünstler, der nach der Vorstellung hinter dem Vorhang verschwindet. Und vielleicht fiel ihm ja anschließend sogar die Lösung für sein Problem ein. Außerdem brauchte er nach dieser dummen Panne dringend ein Erfolgserlebnis.

Er ging in die Knie und setzte den Mops vorsichtig ab. Wie erwartet wälzte sich das Vieh sofort auf den Rücken, stieß ein heiseres Grunzen aus und glotzte ihn mit seinen hervorquellenden Augen an. Was nur bedeuten konnte: *Kraul mich*. Die kurzen Beine paddelten in der Luft, der Mops sah jetzt aus wie ein Hamster, der in einem unsichtbaren Laufrad rennt. Also kraulte seine linke Hand den Hals des Mopses, während seine rechte in die Tasche seines Mantels glitt. Er zog das Messer heraus und klappte es mit einer ruckartigen Bewegung aus dem Handgelenk auf. Frauchen, die ihn vermutlich als Tierfreund klassifiziert hatte, war ebenfalls in die Knie gegangen.

Und da es keinen Grund gab, länger zu zögern, ging er ans Werk. Das Messer schoss durch die Luft und machte dabei ein zischendes Geräusch. Die Klinge traf die Kehle und fuhr durch das Fell wie ein heißes Messer durch Butter. Warmes Blut schoss empor und spritzte auf seine Hände. Der Mops zuckte kurz, gab mit seinem letzten Atemzug einen gurgelnden Laut von sich. Dann war er still.

Frauchen war, nach einer Schrecksekunde, die er benutzt hatte, um sich wieder zu erheben, in schrilles Geschrei ausgebrochen. Er klappte das Messer zu, machte ein paar schnelle Schritte in die Nebelwand hinein und konnte förmlich spüren, wie sich der Vorhang der *nebbia* hinter ihm schloss. War sie aufgesprungen? Folgte sie ihm? Nein, das hätte er gehört. Offenbar hatte sie genug Verstand, ihn *nicht* zu verfolgen und sich auf ihre Schreie zu beschränken. Piazzetta und Molo waren trotz des dichten Nebels nicht menschenleer, aber es würde mindestens zehn Minuten dauern, bis die Polizei auftauchte.

Natürlich rannte er nicht. Er ging nicht einmal besonders schnell. Als er vor sich die Kaimauer erkannte und die Gondeln sah, die im Wasser dümpelten, blieb er stehen. Nach kurzem Nachdenken wandte er sich nach links. Ein ausgiebiger Spaziergang auf der Riva degli Schiavoni, bis hin zum Arsenale und zurück, würde jetzt genau das Richtige sein. Bereits auf dem Ponte della Paglia fiel ihm die Lösung für sein Problem ein.

53

Die gebratene Wachtel wurde heute Abend mit *radicchio alla griglia* serviert, und wie immer war die Qualität der Küche im Palazzo Balbi-Valier makellos. Allerdings hatte sich Tron – ebenfalls wie immer – mit dem Hauptgang zurückgehalten, um noch genug Appetit für das Dessert aufzubringen, das bereits auf der Anrichte in einem Bett aus zerstoßenem Eis auf ihn wartete. Diesmal handelte es sich um einen Fruchtsalat aus Ananas und einer exotischen Birne, die sich *Mango* nannte und – so die Principessa – als luxuriöse Beifracht auf englischen Teeclippern nach Europa gebracht wurde.

Nachdem Moussada und Massouda abgeräumt und den Obstsalat in kleinen Silberschalen serviert hatten, war Tron aufgestanden, ans Fenster getreten und hatte es eine Handbreit geöffnet. Normalerweise sah man bei Dunkelheit die erleuchteten Fenster der gegenüberliegenden Palazzi und die kleinen Buglichter der Gondeln auf dem Canalazzo. Doch das Einzige, was Tron heute sah, war ein dunkelgraues Nichts, eine luftige und zugleich merkwürdig kompakt wirkende feuchte Masse, die aus Myriaden von mikroskopisch kleinen Wassertröpfchen bestand. Tron streckte die Hand nach draußen, wedelte ein paarmal in diesem grauen Nichts hin und her, und sofort waren seine Finger von einer unangenehmen, fast klebrigen Feuchtigkeit überzogen. Er kannte diese Art von Nebel gut genug, um zu wissen, dass jetzt keine Züge und Dampfer mehr verkehrten. Was bedeutete, dass die Stadt, solange die *nebbia* anhielt, von der Außenwelt abgeschnitten war. Wenn Julien es versäumt hatte, den Raddampfer nach Triest zu nehmen, saß er jetzt in der Falle.

An den Tisch zurückgekehrt, stellte Tron fest, dass sich sein Appetit auf den Fruchtsalat in Grenzen hielt. Das war beängstigend und vermutlich, dachte er, auf den deprimierenden Bericht zurückzuführen, den er der Principessa während des Essens gegeben hatte. Die war seinen Worten allerdings mit großer Fassung gefolgt. Ob daraus zu schließen war, dass sie inzwischen nicht mehr ganz so felsenfest von der Unschuld Juliens überzeugt war? Tron wusste es nicht, und er hütete sich, die Principessa direkt danach zu fragen.

«Hat dich Spaurs Reaktion überrascht?», wollte sie jetzt wissen, nachdem er wieder am Tisch Platz genommen hatte.

Tron schüttelte den Kopf. «Eigentlich nicht. Für ihn ist der Fall mit Juliens Flucht erledigt. Was mich erstaunt hat, war die lahme Reaktion Stumms.»

Die Principessa runzelte die Stirn. «Du meinst, Juliens Flucht kommt ihm entgegen?»

«Es sieht ganz so aus», sagte Tron.

«Was könnte das bedeuten?»

«Dass er entweder selbst in die Geschichte verwickelt ist oder jemanden deckt.»

«Den Comte de Chambord?»

«Bossi hat die Stimme des Comtes nicht wiedererkannt. Aber er hat mir heute mitgeteilt, dass er sich nicht ganz sicher gewesen ist.»

«Was habt ihr jetzt vor?», fragte die Principessa.

Tron häufte sich eine weitere Portion Mangosalat auf den Teller und gab ein wenig Schlagsahne mit zerstoßenem Sahnebaiser hinzu. «Alibis überprüfen», sagte er. «Wir müssen herausfinden, wo sich der Comte de Chambord und der Oberst zu den jeweiligen Tatzeiten aufgehalten haben. Das wird nicht einfach sein, zumal wir offiziell mit dem Fall nichts mehr zu tun haben.»

«Wird der Oberst trotzdem auf den Ball kommen?»

«So habe ich ihn verstanden.»

«Und der Comte de Chambord?»

«Ebenfalls», sagte Tron. «Genauso wie Spaur. Es werden also außer Julien alle versammelt sein.» Ein Stück Mullbinde hatte sich aus dem Verband gelöst und hing jetzt auf den Kragen seiner Hausjacke hinab.

Die Principessa sah ihn mit zur Seite geneigtem Kopf und heruntergezogenen Mundwinkeln an. «Hast du mal eine Kopfbedeckung für den Ball in Erwägung gezogen? Eine, die den Verband verdeckt?»

Ja, das hatte er. In einem speziell dafür angefertigten Kasten wurde immer noch die *zogia*, die Dogenmütze Niccolò Trons, eines Vorfahren aus dem 15. Jahrhundert, verwahrt, und Tron hatte die Vorstellung gefallen, dass er damit sowohl die Österreicher als auch die Anhänger der italienischen Einheit verärgern würde. Allerdings hatte es ihm dann doch widerstrebt, eine Familienreliquie als Faschingshütchen zu benutzen.

«Ich denke, mit diesem Verband kann ich mich sehen lassen», sagte Tron. «Der gibt mir einen Einschlag ins Heroische.» Er griff nach seinem Champagnerglas und trank einen Schluck. «Speziell, wenn ich mich weigere, die Verletzung zu kommentieren. Außerdem», fügte er noch hinzu, «wüsste ich nicht, welche Kopfbedeckung zu einem Frack passt.»

«Trägst du deine Orden?»

Tron schüttelte energisch den Kopf. «Die Republik verbietet das Tragen von ausländischen Orden.»

Die Principessa verdrehte die Augen. «Deine Republik ist 1798 von Napoleon aufgelöst worden, Tron.»

Worauf Tron ebenfalls die Augen verdrehte und das sagte, was er immer sagte, wenn sie wieder einmal an diesem Punkt angelangt waren. «Leider Gottes.»

Normalerweise hätte das eine heftige politische Diskussion ausgelöst, in der er der Principessa dumpfen Nationalismus vorgeworfen und sie ihm in ihrem makellosen Toskanisch erklärt hätte, dass er hoffnungslos altmodisch war. Doch heute schien die Principessa keine Lust zu politischen Gesprächen zu haben. Sie fragte stattdessen: «Wird Bossi morgen Abend dabei sein?»

«Die Contessa hat ihn offiziell eingeladen», sagte Tron. «Ich dachte, das wusstest du.»

«Nein. Kommt er in Begleitung?»

«Bossi sagt, es hätte sich in seinem speziellen Fall niemand gefunden.» Tron setzte das Champagnerglas ab und lächelte. «Aber die Herren werden sich um ihn reißen.»

«Die Herren?»

«Bossi wird in einer Krinoline erscheinen. Sein Dienstrevolver fällt dann weniger auf, sagte er.»

«Wozu, um Himmels willen, braucht er auf dem Ball eine Waffe?»

«Wegen Stumm von Bordwehr. Bossi traut ihm nicht über den Weg.»

«Als ob der Oberst auf dem Ball gewalttätig werden

könnte.» Die Principessa lachte. «Das ist doch nur ein Vorwand für die Krinoline.»

«Vielleicht», räumte Tron ein. «Aber es wäre taktlos gewesen, Bossi darauf hinzuweisen. Außerdem hat er es indirekt zugegeben. Er hat gesagt, dass er gerne mal eine Krinoline ausprobieren würde. In dem Promenadenkleid hätte er etwas zu füllig gewirkt.»

«Hat er das wirklich gesagt?»

«Wörtlich. *Zu füllig*. Es ist ihm so rausgerutscht, aber ich glaube, er hat es ernst gemeint.»

«Ich frage mich», sagte die Principessa, «was Bossis Hang zu Frauenkleidern für eine Bedeutung hat. Welche geheimen Neigungen sich dahinter verstecken.»

«Auf Maskenbällen maskiert man sich. Und Bossi macht bekanntlich alles gründlich.»

«Er hätte auch als gründlicher Augustus auftreten können», sagte die Principessa. «Unter einer Toga wäre genug Platz für eine Waffe gewesen.»

Tron konnte nicht sofort antworten, denn er hatte sich gerade einen weiteren Löffel Mangosalat mit Schlagsahne in den Mund gesteckt. Noch ein, zwei Löffel, und ihm würde schlecht werden. «Und wenn er tatsächlich einen Hang zu Kleidern hätte? Wir alle haben unsere geheimen Neigungen.» Tron legte seinen Löffel auf den Teller und stellte fest, dass er plötzlich Appetit auf ein profanes Fischbrötchen hatte. «Hast du dich inzwischen entschieden, ob *du* maskiert kommst?»

«Die Contessa findet, dass ich zum Haus gehöre», sagte die Principessa. «Also fällt die Maskerade weg. Ich hätte mich ohnehin auf eine *bautta* beschränkt.» Sie schob die Schale mit den Resten des Obstsalats von sich weg und griff nach ihrem Zigarettenetui. «Übrigens habe ich heute Nachmittag die Baronin getroffen.»

Einen Moment lang war Tron irritiert. «Welche Baronin?»

«Die Baronin Spaur und ehemalige Signorina Violetta. Eine sehr angenehme Person.»

«Wo hast du sie getroffen?»

«Auf der Piazza», sagte die Principessa mit beiläufiger Stimme. Und fügte mit noch beiläufigerer Stimme hinzu: «Wir waren dann im Café Oriental.»

Tron gab sich keine Mühe, seine Überraschung zu verbergen. «Ihr beide habt zusammen Kaffee getrunken?»

«Es gab so viel zu erzählen, Alvise», sagte die Principessa. Sie steckte sich eine *Maria Mancini* an, inhalierte und blies eine Rauchwolke über den Tisch. «Warum guckst du mich so entsetzt an?»

«Ich bin nicht entsetzt», sagte Tron. «Ich bin nur erstaunt. Das ist das erste Mal, dass du zusammen mit einer Frau in ein Café gehst. Das machen eigentlich nur Ausländerinnen.»

«Wenn du damit meinst, dass wir Venezianerinnen auf diesem Gebiet Nachholbedarf haben, dann kann ich dem nur zustimmen.» Die Principessa sah Tron missbilligend an. «Übrigens», fuhr sie fort, «hat mir Signorina Violetta verraten, was Spaur und sie auf dem Ball tragen werden.»

«Und was?»

«Sie werden als Antonius und Kleopatra auftreten.»

Wie bitte? Tron schloss die Augen und versuchte vergeblich, sich den Polizeipräsidenten als Antonius vorzustellen. «Signorina Violetta gibt wahrscheinlich eine reizvolle Kleopatra ab», sagte er. «Aber dass Spaur als Antonius eine gute Figur macht, bezweifle ich.»

«Das muss er auch gar nicht.» Die Principessa grinste. «Spaur wird sich als Kleopatra verkleiden und Signorina Violetta als Antonius.»

Einen Augenblick lang war Tron fest davon überzeugt, dass er sich verhört hatte. «Spaur als Kleopatra?»

Die Principessa nickte. «Mit schräg gemalten Augen, einer Krone aus Kuhgehörn, Falkenfedern und einer Sonnenscheibe. Alles aus Pappe. Dazu eine künstliche Viper aus Schlangenleder.»

«Und die Baronin? Was wird sie tragen? Eine Toga?»

Die Principessa schüttelte lächelnd den Kopf. «Sie wird eine taillierte Tunika, Strümpfe aus feiner Kaschmirwolle und Sandalen tragen. Dazu ein Kurzschwert aus Pappe.»

«Ist eine Tunika nicht ... ziemlich *kurz*?»

«Für eine Frau schon. Aber nicht für einen Mann. Und Signorina Violetta kann es sich leisten», sagte die Principessa. Sie verdrehte wieder die Augen – diesmal auf eine träumerische Art und Weise, die Tron ausgesprochen irritierend fand. «Sie wird hinreißend aussehen», fuhr die Principessa fort. «Die Damen werden vor Wut platzen, und die Herren werden wütend sein, weil sie schlecht mit einem Mann tanzen können.»

«Nicht zu tanzen wird der Baronin nicht gefallen», sagte Tron. «Tanz *du* doch mit ihr.»

Die Principessa, die männliche Ratschläge nicht schätzte, lächelte kühl. «Genau das habe ich auch vor, Tron. Und zwar nicht nur einmal. Wir haben bereits alles besprochen.»

Alles besprochen – das klang auch ziemlich irritierend. Tron fragte sich, was dabei noch alles zur Sprache gekommen war und welche geheimen Neigungen die Principessa in ihrem Herzen verbarg.

54

Er brauchte fast zwei Stunden, um sich zu schminken. Das hatte sich als eine harte und ziemlich komplizierte Arbeit erwiesen. Er hatte eine ganze Sammlung von Töpfchen und Tiegelchen in einer buntbedruckten Schachtel gekauft, auf der eine blonde Vaudeville-Schönheit prangte. Die Schachtel kam aus Paris und enthielt eine in Französisch verfasste Anleitung, ohne die er vermutlich gescheitert wäre. Das aber war, wie ihm der Blick in den Spiegel bewies, keineswegs der Fall.

Durch eine leichte Untermalung des Lides hatten seine Augen an Glanz gewonnen, und über seine sonst blasse Gesichtshaut breitete sich nun ein zartes Karmin. Die Nase, die ihm immer ein wenig spitz vorgekommen war, sah jetzt ausgesprochen edel aus. Auch sein kosmetisch verschönerter Mund wirkte voller und sinnlicher. Was überhaupt das Entscheidende war, denn da er eine *bautta* trug, würde sich die Aufmerksamkeit der Herren auf seinen Mund konzentrieren. Nach langem Überlegen hatte er sich für dunkelroten Lippenstift mit einem leichten Perlmuttglanz entschieden. Seine Befürchtung, die Farbe würde nicht zum Rot der *bautta* passen, hatte sich als unbegründet erwiesen. Die beiden Rottöne harmonierten überraschend gut, verstärkten die sinnliche Wirkung seines Gesichts und bissen sich auch nicht mit der blonden Perücke.

Doch letztlich kam es nur darauf an, nicht aufzufallen. Wie diese Tanzkarten funktionierten, würde er an Ort und Stelle herausfinden. Einen Walzer zu tanzen, traute er sich zu. An komplizierten Quadrillen und Contretänzen – tanzte man das heutzutage eigentlich noch? – würde er sich vorsichtshalber nicht beteiligen. Wenn seine Informationen zutrafen, war auf dem Ball der Contessa Tron mit ungefähr hundert Personen zu rechnen – alle mehr oder weniger schrill verkleidet. Dass er auffallen würde, war also unwahrscheinlich.

Und dieser Commissario Tron, Sohn der Contessa Tron, schien nicht gerade der Hellste zu sein. Von ihm war nichts zu befürchten. Wenn man davon ausging, überlegte er weiter, dass ungefähr die Hälfte der Anwesenden *cavalieri* sein würden, blieben fünfzig Personen übrig, unter denen der Mann sein musste, den er suchte. Würde er sich in irgendein exotisches Kostüm werfen? Nein – auch das war äußerst unwahrscheinlich. Vermutlich würde der Bursche einen schlichten Frack tragen, selbstverständlich mit einer *bautta*, denn das war an diesem Abend Vorschrift. Aber er würde ihn trotz der Maske erkennen. Und dann …

Er löste den Blick von seinem Spiegelbild, stand auf und ging langsam zu seinem Kleiderschrank. Dort hing das Kleid, das er sich heute Nachmittag aus einem Kostümverleih besorgt hatte. Ausgiebig beraten von einem jungen Ladenschwengel, war seine Wahl schließlich auf ein schlichtes Ballkleid aus schwarzem Atlas mit gepufften, fast bis zum Ellbogen reichenden Ärmeln gefallen. Dazu würde er lange, den ganzen Unterarm bedeckende Handschuhe tragen. Die Haare zwischen Puffärmeln und Handschuhen hatte er sorgfältig wegrasiert. Seine Handtasche – ebenfalls ausgeliehen – war aus schwarzem, mit Goldapplikationen verziertem Maroquinleder. Dass es sich dabei um ein etwas größeres Exemplar handelte, würde niemandem auffallen. Aber in einer zierlichen Balltasche hätte er das Stilett nicht unterbringen können.

Natürlich war das, was ihm auf dem Ponte della Paglia eingefallen war, nicht besonders originell. Er selbst wäre der Erste gewesen, es zuzugeben. Allenfalls konnte man sagen, dass eine gewisse Originalität des Planes in seiner

Unwahrscheinlichkeit lag. Niemand, der seine Sinne beisammenhatte, würde auch nur ernsthaft daran denken, ein solches Vorhaben in die Tat umzusetzen. Und wer immer ihn – eine *Frau* – dabei beobachtete, würde seinen Augen nicht trauen und die Sache zunächst für einen Faschingsscherz halten.

Ein schneller, aus dem Unterarm heraus geführter Stich also. Problematisch konnte es allenfalls werden, wenn der Stoß nicht das Herz, sondern eine Rippe traf. Doch auch dann würde es ein, zwei Sekunden dauern, bis die Nervenbahnen den Schmerz an das Gehirn weitergeleitet hatten – genug Zeit, um im Gedränge zu verschwinden. Direkt ins Herz getroffen, würde der Bursche zusammensacken, ohne viel zu spüren. Eigentlich – vielleicht noch mit einem Champagnerglas in der Hand – nicht die schlechteste Art zu sterben. Notfalls, dachte er, würde auch ein Stich in den Bauch reichen. Dann trat der Tod durch Verbluten ein. Auch hier kam der Schmerz, vorausgesetzt, die Waffe war scharf genug, immer erst ein paar Sekunden später. Da war er schon ein paar Meter weiter, und selbstverständlich würde sich die Suche auf einen Mann konzentrieren.

Er nahm das Kleid vom Bügel, legte es auf das Bett, setzte sich daneben und zog die Strümpfe an. Dann schlüpfte er in das Kleid und schloss die Knöpfe. Die schwarze, etwas klobig wirkende Handtasche und die über das Kleid geworfene Contouche, die er an der Garderobe abgeben würde, vervollständigten seine Ausstattung. Vor den Spiegel tretend fand er, dass er deutlich älter aussah, als er erwartet hatte. Er stieß einen resignierten Seufzer aus. Es war töricht gewesen zu glauben, dass ihm eine blonde Perücke und ein wenig Schminke die verflossenen Jahre zurückgeben konnten. Andererseits, dachte er, verlieh ihm das höhere Alter einen Einschlag ins Harmlos-Matronenhafte.

Eine Signora, die auf dem Ball eine ihrer Töchter unter die Haube bringen wollte, mochte so aussehen.

«Elisabetta, mach dich interessant», rief er mit hoher, verstellter Stimme in den Spiegel. Darüber musste er laut lachen. Nein – so gesehen war sein Äußeres perfekt. Eine bessere Tarnung war nicht denkbar.

Allerdings war noch eine kleine Angelegenheit zu erledigen, bevor er die Gondel besteigen konnte. Er hatte immer noch keine Einladung für den Maskenball im Palazzo Tron, und ohne diese würde man ihn bereits am Wassertor abweisen. Er bückte sich – was problemlos ging, denn er hatte ein Kleid ausgeliehen, in dem er sich frei bewegen konnte – und zog den flachen Koffer hervor, den er unter seinem Bett aufbewahrte. Er enthielt zwei Lederriemen, ein halbes Dutzend scharfe Messer und den Totschläger, den er kürzlich erworben hatte. Nach kurzer Überlegung entschied er sich für den Totschläger. Wenn er mit ein wenig Gefühl zuschlug, würde der Comte de Chambord keinen dauerhaften Schaden davontragen.

Als er eine gute halbe Stunde später in der Gondel saß, konnte er nicht umhin, die Geschicklichkeit des Gondoliere zu bewundern. Der Nebel war inzwischen so dicht geworden, dass außer dem kleinen Lämpchen auf dem *ferro* der Gondel kaum etwas zu erkennen war. Der Gondoliere musste sich hart am Rande des Canalazzo halten, denn seine einzige Orientierung waren die auf der linken Seite der Gondel aufragenden Palazzi, auf deren Fassade gelegentlich ein schwacher Lichtschein zu erkennen war. Schließlich tauchte der durch ein Dutzend Fackeln hell beleuchtete Steg des Palazzo Tron unvermittelt in der nebligen Dunkelheit auf. Ein letztes Drehen des Ruders in der *forcola* bremste die Gondel ab. Dann schlug der Bug weich an den hölzernen Steg, und hilfreiche Hände streckten sich ihm entgegen.

Dass der Comte de Chambord auf der Gästeliste der Trons als Herzog von Berry geführt wurde – auf der Einladung stand Comte de Chambord –, verursachte eine kurzfristige Irritation unter den Lakaien. Er geriete in Schwierigkeiten, wenn man den Conte Tron nun persönlich zur Aufklärung der Angelegenheit bemühen würde, aber so weit kam es Gott sei Dank nicht. Daran, dass der Comte de Chambord – oder der Duc de Berry – als Signora in einem Abendkleid erschien, nahm niemand Anstoß.

Den Ballsaal des Palazzo Tron betrat er in dem Moment, als von San Stae zehn dumpfe Glockenschläge durch die *nebbia* hallten und sich mit dem Gelächter und dem Klingen der Gläser vermischten. Die meisten Gäste der Trons schienen bereits gekommen zu sein, denn die *sala*, ein länglicher, durch unzählige Kerzen erleuchteter Raum, war bis zum Bersten gefüllt. Er roch den Honigduft der Kerzen, ein Gemisch unzähliger Parfums, den Geruch von feuchter, zerknitterter Seide. Schwarze Pagen in maurischen Kostümen bewegten sich zwischen den Gästen und boten Sorbets, Champagner und Rosenliköre an. Ein bunter Papagei flatterte durch die *sala*, stieß hin und wieder verstört auf die Ballgäste herab, wobei er jedes Mal lautes Gekreische bei den Frauen auslöste. Langsam weitergehend, stellte er mit Befriedigung fest, dass seine blonden Haare und sein sinnlicher Mund durchaus reichten, um die Aufmerksamkeit der Männer zu erregen. Ein maskierter Neptun mit einem hölzernen Dreizack warf einen lüsternen Blick auf ihn. Eine dickliche Kleopatra, bei der es sich offenbar um einen älteren Herrn handelte, zwinkerte ihm anzüglich zu, als er sich an ihm vorbeidrängte, um zur Stirnseite der *sala* zu gelangen.

Dort, rechts vom Orchesterpodium und vor den Fenstern zum Canalazzo, entdeckte er den am Kopf bandagierten Commissario. Als Gastgeber war der Conte unmaskiert, und mit seinen ironisch herabgezogenen Mundwinkeln bot er in der brünstig aufgeladenen Atmosphäre des Maskenballes ein Bild skeptischer Nüchternheit. Er war in einen schwarzen Frack gekleidet und stand an der Seite einer eleganten, weißhaarigen Signora – offenbar die Contessa Tron, seine Mutter. Neben den Trons plauderte die atemberaubend aussehende, ebenfalls unmaskierte Fürstin von Montalcino mit einem jungen Wesen unbestimmten Geschlechts. Die junge Person trug eine skandalös kurze Tunika, dazu Sandalen mit hohen Absätzen, was ihre schlanken Beine höchst vorteilhaft zur Geltung brachte. Ob es sich bei dem Wesen um eine Frau oder einen Mann handelte, war nicht zu entscheiden. Dann setzte die Musik wieder ein. Er sah, wie die Paare sich fanden, auf die Tanzfläche schritten und die ersten, noch zögernden Schritte machten. Das Orchester spielte *Geschichten aus dem Wienerwald* – seinen Lieblingswalzer. Unwillkürlich wiegte er sich im Dreivierteltakt. Fast hatte er Lust, selbst zu tanzen.

Als er sich umdrehte, entdeckte er den Mann, den er suchte. Er stand, höchstens vier Schritte von ihm entfernt, hinter einer Pulcinella und einem Domino und sprach mit einer bizarren Kleopatra, deren dick aufgetragene Schminke bereits zu verlaufen begann. Offenbar wollte ihn die ägyptische Königin zum Tanzen auffordern, denn der Mann schüttelte verlegen lachend den Kopf. Wie erwartet, trug er einen schlichten Frack. Seine Verkleidung beschränkte sich auf eine schmale schwarze Maske.

Merkwürdig, dachte er, wie leicht und problemlos sich alles auf einmal fügte. Er fischte ein Glas Champagner vom Tablett eines Mohren und stürzte das Glas mit einem

Schluck hinunter. Der Champagner war erfrischend und von erstklassiger Qualität. Er fühlte sich heiter, festlich beschwingt und ausgesprochen tatkräftig.

55

Tron, unter seinem Verband schwitzend, stand an der Stirnseite der *sala* und registrierte ohne Überraschung die ersten Zeichen gesellschaftlicher Verwilderung unter den Ballgästen. Wie üblich hatten die Hitze im Saal, der Champagner und die Maskierung eine allgemeine Enthemmung bewirkt, und aus langjähriger Erfahrung wusste er, dass spätestens um zehn die Konventionen zu bröckeln begannen. Da durften die Augen der Herren länger als schicklich auf den Ausschnitten der Damen ruhen und ihre Hände beim Tanz wie beiläufig unter die Hüften rutschen. Intime Geständnisse, normalerweise mit einem indignierten Abwenden des Kopfes beantwortet, waren dann nicht nur gestattet, sondern willkommen. Alles dies war schließlich der Sinn der Maskenbälle. Tron drehte den Kopf, als neben dem Orchesterpodium ein lautstarkes Konfetti-Scharmützel entbrannte. Drei Herren in Kniebundhosen und gepuderten Perücken bewarfen drei junge Damen in seidenen Abendkleidern mit Papierschnipseln und Papierschlangen. Die Damen stießen spitze Schreie aus, während die Herren die Maskenfreiheit benutzten, um ihnen anschließend die Schnipsel aus den Dekolletés zu klauben.

Wie immer versuchte Tron zu erraten, wer sich hinter den jeweiligen Masken verbarg. Den Polizeipräsidenten zu identifizieren war kein Problem. Tron wusste ja, dass Spaur als Kleopatra erscheinen würde. Außerdem schien der Baron es geradezu darauf angelegt zu haben, von möglichst vielen Ballgästen erkannt zu werden, denn gleich nach seiner Ankunft hatte er an der Seite seiner Frau eine Runde gedreht. Jetzt machte er offenbar den Versuch, Stumm von Bordwehr von etwas zu überzeugen – ihm vielleicht einen Tanz anzutragen. Der Oberst, leicht zu erkennen, hatte abwehrend die Hände erhoben und schüttelte lachend den Kopf. Als Vertreter des kaiserlichen Militärs war Stumm in einem formellen, mit seinen roten Galons fast militärisch wirkenden *frac* erschienen. Seine Maskerade hatte sich auf eine schlichte schwarze Maske beschränkt. Er war ohne Begleitung gekommen.

Und Signorina Violetta, die Baronin Spaur? Die Principessa hatte recht gehabt. Die junge Baronin konnte es sich in der Tat leisten, in einer Tunika aufzutreten, die mehr als nur knapp war. Kaum geschminkt, die üppigen Haare unter einem schlichten Kriegshelm aus bronzierter Pappe verborgen, bot sie trotzdem einen atemberaubenden Anblick. Als Signorina Violetta in ihrer männlichen Antonius-Verkleidung die Principessa zum Tanz aufgefordert hatte und die beiden Damen im Dreivierteltakt über die Tanzfläche glitten, war ein Raunen durch die Menge gegangen. Morgen früh, wenn die große Ernüchterung eingekehrt war, würde man die tanzenden Damen zweifellos *de trop* finden, aber heute Abend überwog die Bewunderung. Zu seiner Erleichterung hatte Tron festgestellt, dass sich seine eigene Irritation über die Principessa in Grenzen hielt, zumal er sich selbst dem androgynen Reiz Signorina Violettas nicht entziehen konnte.

Ebenfalls leicht zu identifizieren war sein Freund Alphonse de Sivry, der Gemäldehändler von der Piazza San Marco und heute zum ersten Mal Gast auf dem Maskenball im Palazzo Tron. Sivry war stark geschminkt, trug eine Perücke *à l'Oiseau Royal*, dazu einen kornblumenblauen Anzug im englischen Stil. Er sprach mit hoher Stimme, rollte die Augen wie ein ungarischer Violinzigeuner und begleitete seine Worte mit affektierten Gebärden. Im Grunde, dachte Tron, war Sivry heute Abend keineswegs in Maskierung erschienen. Er hatte lediglich die Maske abgelegt, die zu tragen er normalerweise gezwungen war.

Aber wer war der schwarzgekleidete Pirat, der sich in wilden Bocksprüngen durch die Menge bewegte und jede Blondine mit einem Messer aus Pappe bedrohte? Einer von den verrückten Priulis? Tron erinnerte sich dunkel daran, dass einer von ihnen mal auf einem Maskenball der Trons ein *echtes* Messer gezückt hatte, doch das war lange vor seiner Geburt geschehen, noch in den Zeiten der Republik. Jedenfalls passte der Pirat zu einem bereits leicht torkelnden Neptun, der den Damen neckische Stöße mit seinem ebenfalls aus Pappe angefertigten Dreizack versetzte. Ein Mocenigo übrigens – diese Familie hatte traditionellerweise eine Vorliebe für maritime Verkleidungen.

Und um wen handelte es sich bei der Frau mit der auffällig großen Handtasche und der blonden und etwas schief sitzenden Perücke, die sich schüchtern durch die Menge schob? Irgendwie kam sie Tron bekannt vor, doch um Bossi handelte es sich nicht. Der Ispettore hatte zwar heute ebenfalls eine blonde Perücke auf dem Kopf, aber er hatte keine Handtasche und trug eine Krinoline aus dunkelblauer Seide und einen weißen Fächer aus Straußenfedern.

Rätsel über Rätsel, dachte Tron, dunkle Geheimnisse, die sich erst um Mitternacht, bei der allgemeinen Demaskierung, aufklären würden. Das aber störte ihn wenig, denn der unangenehme Teil des Balls lag jetzt hinter ihm –

der traditionelle Eröffnungstanz, bei dem es fast zu einer Katastrophe gekommen war. Pünktlich um halb neun hatten Tron und seine Mutter den Ball wie in jedem Jahr mit den Figuren des *Aimable Vainqueur* eröffnet. Tron liebte Menuette, aber er hasste es, sie öffentlich zu tanzen – speziell dann, wenn fünfzig Augenpaare kritisch beobachteten, ob sein *pas menu* auch die erforderliche Leichtfüßigkeit hatte. Wie befürchtet, war es bei einer *ronde*, einer Drehung, zur Katastrophe gekommen. Die Contessa hatte sich nach links gedreht, er selbst irrigerweise nach rechts. Bei dem Versuch, seinen Fehler zu korrigieren, war er mit den Füßen durcheinandergeraten und – nun ja, nicht *ganz* gestürzt, aber halb. Zwar war es ihm gelungen, seinen halben Sturz in eine *plié* umzudeuten, eine Beugung des Knies. Die aber war völlig fehl am Platz und wurde durch ein *demi-coupé*, eine anschließende Streckung des Beines, nur notdürftig kaschiert. Der Beifall des Publikums war äußerst ironisch gewesen.

Jetzt hatte die Musik wieder eingesetzt, und Tron sah, wie die Paare sich formierten, um gemeinsam auf die Tanzfläche zu schreiten. Eigentlich hatte er vorgehabt, die Principessa zum Tanz aufzufordern, musste dann aber feststellen, dass sie bereits besetzt war – sie verschwand gerade laut lachend am Arm der Baronin Spaur. Also beschloss er, sich in die *sala degli arrazzi*, das Gobelinzimmer, zu begeben, in dem traditionellerweise das kalte Buffet aufgeschlagen wurde. Ob noch etwas von dem köstlichen, auf zerstoßenem Eis gebetteten Zitronensorbet vorhanden war? Diesem *Gedicht* von Sorbet, das auf seinen Wunsch hin bereitet worden war und auf das er sich den ganzen Abend gefreut hatte? Doch als Tron im Gobelinzimmer – eine Schale und einen Löffel bereits in der Hand – vor das Buffet trat, musste er feststellen, dass ihm jemand zuvorgekommen war. Das große, mit Zitronenlaub dekorierte Glasbehältnis war leer, und der Täter stand direkt daneben.

Es handelte sich um eine blonde Signora mit einer roten *bautta* und ausgesprochen männlich wirkenden Händen – es war die Frau, die ihm bereits in der *sala* aufgefallen war. In der rechten Hand hielt sie einen Löffel, in der linken eine Glasschale, in der sich eine unverschämt große Portion Sorbet befand – der ganze Rest. Tron beschränkte sich darauf, eine eisige Verbeugung anzudeuten, obwohl er eigentlich Lust gehabt hätte, den Burschen auf der Stelle zu erschießen. Jawohl, den *Burschen*. Denn dass es sich hier um einen Mann handelte, war jetzt völlig klar. Keine Frau hätte die Nerven gehabt, wie ein wildes Tier über das Zitronensorbet herzufallen. Als Tron sich wütend abwandte, stieg ihm der Duft von *bouquet à la Maréchal* in die Nase. Das löste zum zweiten Mal eine dunkle Erinnerung in ihm aus, die er nicht einordnen konnte.

56

Bemerkenswert, dachte er, wie souverän sein Organismus auf den Schock reagiert hatte, den er eben verarbeiten musste – kein verräterisches Erbleichen, kein plötzliches Zittern der Hände, nur eine leichte Anwandlung von Flauheit im Magen. Als er vor dem Buffet stand, eine Schale Zitronensorbet in der Hand, war aus heiterem Himmel der Commissario neben ihm aufgetaucht. Der Conte hatte bei seinem Anblick gestutzt, und seine Miene hatte sich schlagartig verdüstert. Dann konnte er förmlich sehen, wie Tron die Maske des kultivierten Gastgebers vom Gesicht rutschte und auf einmal reine Mordlust in seinen Augen stand – ein Anblick zum Fürchten. Doch ein paar Sekunden später hatte sich der Commissario kühl verbeugt und war ohne ein Wort aus dem Zimmer verschwunden.

Ein Irrer, dachte er, indem er einen erleichterten Seufzer ausstieß. Vermutlich, dachte er weiter, musste man in diesem Beruf irgendwann verrückt werden. Mit kleinen Verschrobenheiten begann es, dann kamen die verstörten Blicke, verbale Ausfälle folgten, schließlich unmotiviertes Werfen mit Tassen und Tellern – bis der Familie am Ende nichts anderes übrig blieb, als für eine geschlossene Unterbringung zu sorgen. Und so, wie die Dinge lagen, war leider davon auszugehen, dass dem armen Schwein die Ereignisse dieses Abends den Rest geben würden.

Dass er selbst unter diesen Umständen keinen Appetit mehr auf das kalte Zitronenzeugs hatte, war nur verständlich. Er stellte die Schale, aus der er sich kaum bedient hatte, angewidert auf das Buffet zurück. Ohnehin verstand er nicht, was ihn dazu bewogen hatte, sich diese gelbe Pampe auf den Teller zu schaufeln. Halbgefrorenes hatte er schon immer verabscheut.

Sich dem Burschen, nachdem er ihn entdeckt hatte, an die Fersen zu heften, war nicht erforderlich gewesen. Die wenigsten Gäste trugen einen *frac*, und er würde seinen Mann mühelos wiederfinden. Auch dass der Mann den Ball vorzeitig verließ, war nicht zu befürchten. Er würde auf keinen Fall versäumen, sich nach Mitternacht, dann selbstverständlich demaskiert, der Gastgeberin zu präsentieren, um die Glückwünsche seiner Organisation zu übermitteln. Schließlich bestand der Sinn dieses Besuches darin – wie sagte man in diesen Kreisen? –, Flagge zu zeigen.

Als er den Ballsaal wieder betrat, war gerade ein Walzer

zu Ende gegangen. Die Paare standen noch einen Moment lang applaudierend auf der Tanzfläche, bevor sie sich erhitzt zu den Sitzgelegenheiten an den Wänden der *sala* begaben. Seinen Mann brauchte er nicht lange zu suchen. Der hatte ebenfalls getanzt und kam jetzt zusammen mit seiner Tanzpartnerin von der Tanzfläche. Genau gesagt, *kam* er nicht, sondern er torkelte wie ein Betrunkener, denn der Walzer schien ihm übel mitgespielt zu haben. Was durchaus verständlich war, denn bei seiner Tanzpartnerin handelte es sich um niemand anders als um die ägyptische Königin höchstpersönlich. Im Gegensatz zu ihrem Tanzpartner schien die Tochter Atons den Walzer genossen zu haben. Zwar war ihr Kuhgehörn verrutscht, ihre Falkenfedern zerzaust und die goldene Sonnenscheibe verloren gegangen, aber das alles schien die Kleopatra nicht zu kümmern. Sie lachte dröhnend und schlug ihrem Tanzpartner kameradschaftlich auf die Schulter – so kräftig, dass diesem die Zunge aus dem Mund schnellte und sein Kopf in den Nacken geschleudert wurde.

Da niemand, der seine Sinne beisammenhatte, sich freiwillig eine solche Tanzpartnerin aussuchte, war zu vermuten, dass sich hinter der Maske dieser bizarren Kleopatra irgendein hohes Tier verbarg. Handelte es sich um Generalleutnant Toggenburg, den Stadtkommandanten? Oder gar um einen exzentrischen Erzherzog, einen Bruder des Allerhöchsten? Auszuschließen war dies nicht. Glaubte man den Gerüchten, dann gab es enge Verbindungen zwischen den Trons und der kaiserlichen Familie. Angeblich hatte sogar Kaiserin Elisabeth einmal höchstpersönlich einen Ball der Trons besucht.

Er schritt an der Längsseite der *sala* entlang, drängte sich durch knisternde Seidenroben, kam an erblindeten Spiegeln und vergoldeten Kandelabern vorbei, aus denen das

Wachs der Kerzen herabtropfte. Vor einem der Fenster zum Canalazzo, ein Glas Conegliano in der Hand, in das er hin und wieder eine terrakottafarbene Makrone tunkte, blieb er stehen und sah sich um. Ohne Überraschung stellte er fest, dass dieses Fest sich wenig von den Maskenbällen unterschied, wie er sie in den billigen Spelunken der Stadt kennengelernt hatte. Gewiss – der Rahmen war opulenter, die Kostümierungen kostspieliger, und an den Wänden der *sala* hingen Porträts von Dogen und Prokuratoren von San Marco. Aber hinter der hochherrschaftlichen Fassade, den klingenden Namen, herrschte dieselbe brünstige Lüsternheit wie in den verrauchten Spelunken. Auch im Ballsaal des Palazzo Tron wurde gegrapscht und getatscht, was das Zeug hielt, und es wurden dieselben anzüglichen Reden gehalten – wie jetzt in der Tanzpause, als die Herren hinter ihren Masken, in denen die Augen wie Quecksilberpunkte blitzten, nach neuen Tanzpartnerinnen suchten. Dass er selbst bisher noch nicht zum Tanz aufgefordert worden war, kränkte ihn ein wenig, doch zugleich begrüßte er es. Denn allzu viel männliche Aufmerksamkeit und die Notwendigkeit, sie unter diesen Umständen höflich abzuwehren, hätten zweifellos die Konzentration auf seine eigentliche Aufgabe behindert.

Der Mann, dessen Lebensspanne, ohne dass er selbst es wusste, jetzt rapide ihrem Ende entgegeneilte, hatte sich ganz in seiner Nähe auf einem Fauteuil niedergelassen. In der rechten Hand hielt er ein Likörglas, die linke hing kraftlos und leicht zuckend von der Lehne herab. Mit seinem in den Nacken geworfenen Kopf und seinem blöde aufstehenden Mund bot er das Bild einer Person, die eben der Schlagfluss getroffen hat. Ein paar Augenblicke lang war er davon überzeugt, dass der Bursche tatsächlich einem Gehirnschlag erlegen war und dass ihm die bizarre

Kleopatra die grausame Arbeit abgenommen hatte. Doch dann belebte sich der Mann wieder. Er bog den Kopf nach vorne, die Kiefer klappten zusammen, und die Augen schienen sich unter der Maske wieder zu öffnen. Er erhob sich mühsam, nahm einen weiteren Likör vom Tablett eines Mohren, den er herbeigewinkt hatte. Schließlich bezog er eine etwas schwankende Stellung neben dem Sessel, auf dessen Lehne er sich mit der linken Hand stützte. Fast, aber auch nur fast, tat ihm der Bursche leid.

Und plötzlich wusste er, wie er seine heikle Aufgabe lösen konnte. Verharrte der Mann noch ein paar Minuten in seiner gegenwärtigen Position, würde es kein Problem sein, hinter ihn zu treten, ohne dass er selbst jemanden im Rücken hatte. Der Sessel, auf den der Bursche sich stützte, war einer von vieren, die rechts vom Orchesterpodium und parallel in etwa einem Schritt Abstand zur Fensterfront der *sala* standen – sodass sich dahinter ein schmaler Gang ergab, den man betreten konnte, ohne Aufmerksamkeit zu erregen. Auf zwei der vier Fauteuils saßen grauhaarige Damen, beide mit Vogelmasken und in ein lebhaftes Gespräch vertieft. Auf dem Sessel direkt neben dem Mann war ein dicker Napoleon gestrandet, dessen Kopf auf die Brust gesackt war. Entweder schlief der Korse, oder er war betrunken. Dass er sich in seiner Verfassung als störend erweisen würde, war äußerst unwahrscheinlich. Er stellte das Champagnerglas auf einen Konsoltisch und drängte sich langsam zum Anfang des Ganges hinter den Sesseln. Dort, mit dem Rücken zum Canalazzo und hinter einer der beiden grauhaarigen Damen, die immer noch lebhaft miteinander plauderten, blieb er kurz stehen.

Die Musik hatte erneut eingesetzt, und wieder hatten sich die Gäste paarweise auf die Tanzfläche begeben. Das Orchester spielte jetzt *Unter Donner und Blitz*, eine *prestis-*

simo und mit häufigem Einsatz von Becken und Pauke vorgetragene Polka. Wie bei schnellen Polkas üblich, stießen auch hier die Paare lachend zusammen, kamen ins Straucheln, taumelten und fingen sich wieder. Die *sala*, vor zwei Stunden noch, als der Commissario und die Contessa Tron den *Aimable Vainqueur* getanzt hatten, eine Stätte gesitteter Abendunterhaltung, hatte sich in eine wilde Menagerie verwandelt, in der sich das Kreischen der Damen und das Gelächter der Herren mit dem *forte* des Orchesters zu einem infernalischen Getöse verbanden.

Es lief, kurz gesagt, alles perfekt für ihn. Er war in dem schmalen Gang hinter den Sesseln bis zum Orchesterpodium geschritten und stand jetzt unmittelbar hinter dem Mann. Der hatte seine Position nicht verändert und stützte sich immer noch, mit deutlicher Schlagseite, auf die Lehne des Sessels. Ein kurzer Blick in die *sala* überzeugte ihn davon, dass alle Augen auf die Tanzfläche gerichtet waren. Er atmete tief durch und öffnete seine Tasche. Dann zog er vorsichtig das Stilett heraus und beugte sich ein wenig aus der Hüfte nach hinten, wobei er einen leichten Luftzug spürte, der durch die schlecht schließenden Fenster in die *sala* drang. Mit dem rechten Arm holte er langsam aus, atmete zum zweiten Mal tief durch und stieß die Klinge mit aller Kraft in die Seite des Mannes – dorthin, wo sich das Herz befand.

Den Bruchteil einer Sekunde später wurde ihm klar, dass seine Attacke gescheitert war. Anstatt den Frack des Mannes mühelos zu durchdringen, war das Stilett auf einen Widerstand gestoßen. Der Bursche kippte nach vorne, richtete sich dann aber wie ein halb gestrauchelter Polkatänzer wieder auf und drehte sich zu seinem Angreifer um, indem er einen erstaunlich hohen und unmilitärischen Schrei ausstieß. Er machte einen schnellen Schritt an dem Sessel vorbei nach vorne und zog den Mann, ihn an der Hüfte packend, mit der linken Hand an sich. Dabei wirbelte er um die eigene Achse, verlor das Gleichgewicht und stürzte, den Arm immer noch um die Hüfte des Mannes geschlungen, krachend auf den Fauteuil. Dort fand er sich in höchst lächerlicher Position wieder: Der Mann saß auf seinem Schoß, sein Kopf lehnte an seiner Schulter, und jetzt konnte er die Fischbeine des Korsetts spüren, die dem Mann das Leben gerettet hatten. Der Bursche keuchte laut, seine Maske war herabgerutscht. Aus seiner linken Seite sickerte warmes Blut herab. Die Musik war abrupt abgebrochen, und vor dem Sessel hatten sich, halbkreisförmig aufgestellt, Gaffer eingefunden, die mit ihren vom Tanz erhitzten Gesichtern auf ihn herabglotzten. Immerhin hatte er Geistesgegenwart genug, dem Oberst das Stilett an die Kehle zu setzen.

57

Tron, ein Champagnerglas in der Hand und die Augenbrauen ungläubig emporgezogen, blickte auf die beiden Männer herab, die sich einen der Fauteuils an der Fensterseite der *sala* teilten. Ein Mann saß auf dem Schoß des anderen. Ersterem war die Maske herabgerutscht, und es handelte sich – klar erkennbar – um Oberst Stumm von Bordwehr. Der Mann, auf dessen Schoß der Oberst saß, war immer noch maskiert. Er hatte eine blonde Perücke auf dem Kopf und trug ein Abendkleid aus schwarzem Atlas. Es dauerte einen Augenblick, bis Tron begriff, dass das Stilett, das der Mann mit der blonden Perücke dem Oberst an die Kehle hielt, *nicht* aus silbern angestrichener

Pappe bestand. Ein kräftiger Stich, und Stumm von Bordwehr wäre auf der Stelle tot.

Der Oberst hatte die Augen geschlossen und stöhnte leise. Sein Frack war geöffnet, und auf dem weißen Frackhemd war ein handtellergroßer Blutfleck zu erkennen. Unterhalb seiner Kehle, wo sich das Stilett in die Haut presste, war ein winziger Trichter entstanden, aus dem rote Blutstropfen quollen. Tron bezweifelte, dass eine barsche Aufforderung, die Waffe fallen zu lassen, den Mann mit dem Stilett beeindrucken würde. Tron deutete eine knappe Verbeugung an. «Was kann ich für Sie tun, Signore?»

Der Mund des Mannes verzog sich zu einem Lächeln. «Ich nehme an», sagte er, «wir sind uns darüber einig, dass ich nicht mehr viel zu verlieren habe.» Er gab ein seltsam hohes Kichern von sich, und einen Moment lang hatte Tron die Illusion, mit einer hysterischen Frau zu reden.

«Was wollen Sie?»

Das Gesicht des Mannes hob sich, als er sprach. Er drehte den Griff des Stiletts, und das Licht der Kerzen glitt wie Wasser über die Klinge. «Ich will einen Revolver», sagte er.

«Warum? Sie haben das Stilett. Das reicht, um den Oberst zu töten.»

Die Stimme des Mannes klang gelangweilt. «Das mit dem Stilett funktioniert nur, wenn ich es an seine Kehle halte.»

«Das können Sie doch», sagte Tron.

«Ich habe nicht die Absicht», sagte der Mann, «den Rest meines Lebens auf diesem Sessel zu verbringen. Mit einem Offizier auf dem Schoß, der ein Korsett trägt.»

Bei dem Wort *Korsett* stöhnte der Oberst auf. Tron sah, dass die Blutflecken auf dem weißen Frackhemd größer geworden waren. Auf dem roten Stoff zeichneten sich die

Fischbeine als helle Striche ab. Er fragte: «Wollen Sie uns verlassen?»

«Ich würde es in der Tat vorziehen», sagte der Mann im Ton konventioneller Höflichkeit, «Ihre Gastfreundschaft nicht länger zu beanspruchen. Aber dazu muss ich die Treppe hinunterlaufen. Es wäre schön, wenn ich einen Revolver hätte. Den könnte ich Signor Stumm an die Schläfe setzen. Das wird Sie davon abhalten, etwas Heldenhaftes zu unternehmen.»

«Und dann?»

«Werden Sie mir am Wassertor eine Gondel zur Verfügung stellen. Der Oberst wird mich noch eine kleine Wegstrecke begleiten.»

«Wohin wollen Sie?»

«Nur bis zu einer Stelle, an der es sich bequem aussteigen lässt.» Der Mann zuckte gleichgültig die Achseln. «Und ich mich dorthin begeben kann, wo ich dieses Kleid loswerde.»

«Wer garantiert uns, dass Sie den Oberst und den Gondoliere nicht anschließend erschießen? Sie sagten, dass Sie nichts zu verlieren haben.»

Die Mundwinkel des Mannes senkten sich. «Warum sollte ich die Männer töten? Die Gondel wird mich absetzen und weiterfahren. Ich werde im Nebel verschwinden.»

«Ich kann Ihnen nur einen Dienstrevolver zur Verfügung stellen», sagte Tron.

«Es wird mir ein Vergnügen sein, ihn zu benutzen, Commissario», sagte der Mann in den Frauenkleidern.

«Darf ich Ihnen», sagte Tron im selben Ton konventioneller Höflichkeit, «den Revolver meines Ispettore anbieten?»

Der Mann nickte. «Aber sicher. Ich nehme nicht an, dass der Ispettore etwas Törichtes versuchen wird, wenn er die

Waffe aus seinem Holster zieht. Vielleicht weisen Sie ihn als Vorgesetzter noch einmal darauf hin.»

«Das wird nicht nötig sein», sagte Tron. Er drehte den Kopf zu Bossi, der hinter ihn getreten war. «Geben Sie dem Mann Ihren Revolver, Ispettore.»

Bossi setzte zu einem Protest an, schwieg dann aber, als Tron die Hand hob.

«Halten Sie ihn am Lauf, Ispettore», sagte der Mann zu Bossi. «Mit zwei spitzen Fingern. So wie man eine tote Ratte am Schwanz anfasst.»

Bossi steckte die rechte Hand unter seine Krinoline, zog seinen Revolver hervor, den er dann mit zwei Fingern seiner linken Hand am Lauf anfasste.

«Geben Sie die Waffe an den Commissario weiter», sagte der Mann. «Der wird sie in der gleichen Weise zwischen die Finger nehmen. Und Sie, Commissario, werden den Revolver dann auf den Tisch an meiner rechten Seite legen. Ich nehme an», setzte er noch hinzu, «die Waffe ist geladen.»

«Meine Dienstwaffe ist immer geladen», sagte Bossi.

«Dann legen Sie, Commissario, die Waffe auf den Tisch und klappen Sie sie auf. In dieser Reihenfolge. Ich möchte die Patronen in der Trommel sehen. Danach klappen Sie den Revolver wieder zu und treten ins Glied zurück.»

Tron sah, wie Bossi ihm die Waffe, sie zwischen Daumen und Zeigefinger haltend, entgegenstreckte. Er ergriff den Revolver ebenfalls mit zwei Fingern. Es war tatsächlich so, als würden zwei Jungen sich eine tote Ratte übergeben.

Ungefähr fünfzig Augenpaare verfolgten die Übergabe der Waffe mit angehaltenem Atem. Aus den Augenwinkeln sah Tron in der ersten Reihe die Contessa und die Principessa. Die Contessa presste sich ein Taschentuch vor den Mund, die Principessa hatte den skeptischen, kühlen

Gesichtsausdruck, den sie immer in prekären Situationen aufsetzte. An ihrer Seite stand, mit hochrotem Kopf und schwer atmend, Spaur, neben diesem mit trichterförmig geöffnetem Mund Signorina Violetta. Der Rest der Gesellschaft schien die Angelegenheit als interessantes Spektakel zu betrachten. Einige in der ersten Reihe, gewissermaßen auf den teuren Plätzen, nippten aus ihren Champagnergläsern, die Damen fächelten sich mit ihren Fächern Luft zu. Tron wusste genau, was die meisten Gäste dachten. Endlich mal ein Maskenball, auf dem etwas los war – endlich mal eine spannende Aufführung. Das war zynisch, und niemand würde es später zugeben, aber Tron kannte seine Venezianer.

Er machte, den herabhängenden Revolver zwischen den Fingern, zwei langsame Schritte auf den Mann zu. Dabei registrierte er, dass Bossi nicht zu seinem Platz im Publikum zurückgekehrt war, sondern sich neben den fluchtartig verlassenen Stühlen der Musiker postiert hatte. Dafür gab es keinen Grund, aber den Mann schien es, da er den Ispettore immer noch im Blick hatte, nicht zu irritieren.

Bossi stand jetzt einen halben Schritt hinter der Pauke und dem großen Becken aus Messing. Er sah den Ispettore mit emporgezogenen Augenbrauen an, senkte dann den Blick langsam auf die Pauke und das Becken – und räusperte sich. Plötzlich begriff Tron, was Bossi im Sinn hatte. Die Pauke und das Becken. Es war albern, aber es konnte funktionieren. Und es war seine eigene Entscheidung, es zu tun oder es lieber zu lassen – eine Entscheidung, die er innerhalb der nächsten sechzig Sekunden treffen musste. Tron überlegte. Wann würde Bossi das Signal geben? Der Ispettore wusste, dass er, Tron, ein miserabler Schütze war. Nur aus kurzer Entfernung hatte er – wenn denn überhaupt – eine Chance, den Kopf des Mannes zu treffen. Also würde das Signal kommen, wenn er die Waffe wieder zugeklappt hatte. Dann musste er den Revolver hochreißen und – ohne dass er Zeit gehabt hätte zu zielen – abdrücken. Und beten, dass die Kugel nicht die Brust oder den Kopf des Obersts traf, sondern des Gesicht das Mannes – seine Maske, seinen Mund oder seine Stirn.

Tron machte einen weiteren Schritt nach vorn. Unmittelbar vor dem Tisch an der Seite des Mannes, dessen Augen unter der Maske vermutlich nach links wanderten, blieb er stehen. Er senkte den Oberkörper langsam nach unten, indem er das rechte Knie leicht beugte. Der schwere Kolben der Waffe berührte das Holz des Tisches mit einem dumpfen Geräusch. Tron fand, es klang, als würde der Deckel eines Sarges zugeschlagen. Er klappte den Revolver auf, wobei er zu seinem Erstaunen keine Schwierigkeiten mit dem Mechanismus hatte. Er drehte den geöffneten Revolver ein wenig, sodass der Mann die Trommel mit den sechs Patronen sehen konnte. Der gab ein kurzes, befriedigtes Grunzen von sich und nickte – das Zeichen, dass Tron den Revolver wieder schließen durfte. Wie still es auf einmal in der *sala* war. Tron hörte kein Knistern der seidenen Roben, kein nervöses Füßescharren, kein Räuspern, kein Tuscheln. Das Einzige, was er vernahm – und er war froh darüber, dass nur *er* es hörte –, war das wilde Schlagen seines Herzens, das den Klicklaut, mit dem die Waffe einrastete, übertönte.

Später schworen alle, dass Bossis Paukenschlag und das gleichzeitige Klirren des Beckens lauter gewesen seien als die Detonation des Revolvers. Den Bruchteil einer Sekunde danach sah Tron, wie sich die rechte Hand des Mannes – die mit dem Stilett – versteifte, ein paar Zentimeter nach unten klappte und wie sich die Maske des Mannes ruckhaft nach links bewegte. Tron riss den Revolver hoch, zog den Abzug mit aller Kraft nach hinten und schloss instinktiv die Augen.

Der Rückstoß riss ihm die Waffe aus der Hand, und der Revolver fiel polternd zu Boden. Beißender Korditgeruch breitete sich aus. Tron taumelte zurück und wäre gestürzt, wenn ihn Bossi nicht aufgefangen hätte. Als er die Augen wieder öffnete, lagen der Oberst und der Maskierte übereinander auf dem Boden, und es war der herbeigeeilte Spaur, der den stöhnenden Oberst hervorzog und nach einem Arzt schrie. Erst als der Applaus der Ballgäste immer lauter wurde, begriff Tron, dass ihm ein Meisterschuss gelungen war.

Der Maskierte war so mausetot, wie ein Mann es nur sein konnte. Die Kugel hatte sein linkes Auge getroffen, die samtüberzogene Maske jedoch wunderbarerweise unbeschädigt gelassen. Nur wenn man in die Hocke ging, was Tron jetzt mit zitternden Knien tat, war auf dem dunkelroten Hintergrund der Maske ein wenig Blut zu erkennen. Tron drehte den Kopf des Toten zur Seite, zog vorsichtig die Maske vom Gesicht und nahm die blutverklebte Perücke ab. Das Projektil war widerstandslos durch die Weichteile des Kopfes gedrungen, hatte aber, als es von innen auf den Schädelknochen traf, einen Teil der Schädeldecke am Hinterkopf nach außen gesprengt, sodass eine faustgroße Austrittswunde entstanden war. Auf der Tapete hinter dem Stuhl war eine Collage von Blut, Gehirnmasse und Knochenpartikeln zu erkennen – es war, als hätte jemand eine Terrine mit *anguille in umido* an die Wand geschleudert.

Das Gesicht des Mannes war bis auf das fehlende Auge unversehrt. Das andere, immer noch glänzende Auge war geöffnet, und einen Moment lang bildete Tron sich ein, dass er sich selbst in der Spiegelung auf der dunklen Pupille erkennen konnte, den Feuerstoß der Waffe, dahinter seine Gestalt in weißer Hemdbrust und in schwarzem Frack – das alte, immer wieder kolportierte Märchen, von dem er wusste, dass es nicht stimmte: dass in das Auge des Toten das Abbild seines Angreifers eingebrannt sei. Und dann erkannte er den Mann.

58

Das Zitronensorbet, von Massouda (oder Moussada) auf einer ovalen Platte serviert, kam in der Form zweier fingerbreit auseinander platzierten, honigmelonengroßen Halbkugeln, die auf einem Bett von grünlichen Minzblättern ruhten. Die Halbkugeln wiesen nicht die geringste Unregelmäßigkeit auf und wurden jeweils von einer roten Kirsche gekrönt. Diese Art und Weise, das Zitronensorbet zu servieren, gab der Angelegenheit einen Einschlag ins Erotische, ließ sich aber auch philosophisch deuten, denn zusammengefügt ergaben die beiden Sorbethälften eine Kugel – Aristoteles zufolge, erinnerte sich Tron, die perfekte Form schlechthin. Welcher Maler hatte sich dadurch empfohlen, dass er aus der Hand einen absolut runden Kreis zeichnete? War es Giotto gewesen? Oder Raffael? Und, eine ganz andere, aber nicht weniger wichtige Frage: Gab es in der Küche vielleicht noch mehr von diesen perfekten Halbkugeln?

Tron hatte sich, die Tischsitten souverän ignorierend, bereits am Anfang des Diners über das Dessert hergemacht und dabei versucht, die Ereignisse der letzten Nacht in einem sinnvollen Zusammenhang darzustellen. Nach einem anstrengenden, auf der Questura, der Kommandantura und im Militärkrankenhaus verbrachten Tag hatte er dabei hin und wieder die Übersicht verloren, worauf die Principessa jedes Mal mit präzisen Fragen intervenierte – in ihrem Florentiner Italienisch, das Tron insgeheim bewunderte und das ihn zugleich nervös machte. Jetzt schien er, abgelenkt von den erotisch-philosophischen Halbkugeln, eine Frage der Principessa überhört zu haben.

«Ich wollte wissen, wie es ihm geht», sagte die Principessa. Sie lächelte nachsichtig.

Richtig, der Oberst. Die Nachfrage der Principessa schien sich auf dessen Gesundheitszustand zu beziehen. Offenbar hatte er sich an diesem Punkt nicht deutlich genug ausgedrückt.

«Den Umständen entsprechend», sagte Tron. Er ließ die letzte Kirsche in seinem Mund verschwinden, und seine Artikulation wurde ein wenig undeutlich. «Der Oberst hat viel Blut verloren. Die Klinge hat das Herz nur knapp verfehlt. Ein Lungenflügel ist verletzt, aber er meint, er hätte Schlimmeres erlebt. Er war bei Solferino dabei.»

«Also wird er es überleben?»

Tron nickte. «Stumm rechnet damit, in einer Woche entlassen zu werden.»

Er beugte sich über den Tisch, und einen Moment lang sah er sein Spiegelbild in der silbernen Haube über den *Cailles rôties*, den gebratenen Wachteln – verzerrt, aber erkennbar. Heute Morgen war der Verband an seiner linken Schläfe durch eine Art Pflaster ersetzt worden, und er fand, dass er weniger heldenhaft aussah als noch gestern auf dem Ball – eher wie jemand, der sich bei einer häuslichen Reparatur den Kopf gestoßen hatte.

Die *Aufräumarbeiten*, wie die Contessa sich ausdrückte, hatten sich bis weit nach Mitternacht hingezogen. Daran war nicht zuletzt das überraschende Auftauchen der Militärpolizei schuld gewesen, die darauf bestanden hatte, die Ermittlungen unverzüglich zu übernehmen. Das hatte ein hässliches Wortgefecht zwischen drei Oberleutnants und dem Polizeipräsidenten ergeben, der nicht einsehen wollte, dass seine Autorität durch die schräg geschminkten Augen und das knallige Rouge auf den Wangen beeinträchtigt war. Spaur war nicht amüsiert gewesen.

Und die Gäste? Wie hatten sie auf das abrupte Ende des Balles reagiert? Tron hatte nicht den Eindruck, dass sie enttäuscht gewesen waren – ganz im Gegenteil. Das Stück, das vor ihnen aufgeführt worden war, hätte kaum aufregender sein können. Dass der Held des Dramas schlicht und einfach Glück gehabt hatte, wussten sie nicht. Tron hatte den Umstand, dass seine Augen geschlossen gewesen waren, als der Schuss fiel, niemandem gegenüber erwähnt. Ob Bossi es bemerkt hatte? Tron glaubte es nicht. Es war alles viel zu schnell gegangen und schon vorbei gewesen, als die Zuschauer begriffen hatten, was sich da vor ihren Augen abspielte.

Nur wenige Minuten nachdem der Schuss gefallen war, hatte Tron vom Orchesterpodium herab das Ende des Balles verkündet. Als der Applaus der Gäste kein Ende nahm und ihn die Damen, wie nach einer gelungenen Premiere im Malibran, mit Blumensträußchen bombardierten, musste er sich mehrmals verbeugen. Schließlich hatte er sich umgedreht und den Kapellmeister gebeten, das Requiem von Scarlatti zu spielen, zu dessen Klängen die Gäste langsam aus dem Ballsaal geströmt waren. Ein angemessenes Ende, fand Tron. Jedenfalls würde man den Ball der Contessa Tron als den Höhepunkt der diesjährigen Saison im Gedächtnis behalten.

«Und der Comte de Chambord?», wollte die Principessa jetzt wissen. «Wie geht es dem?»

«Der hütet ebenfalls das Bett», sagte Tron. «Aber er wird es überleben. Übrigens», fügte er hinzu, «hatte der Pater am Sonntag vor drei Wochen etwas für ihn in Verona erledigt und ist dann mit dem Nachtzug zurückgekommen. Da traf er auf sein erstes Opfer – auf die Frau, die ein paar Tage später an den Fondamenta degli Incurabili gefunden wurde. Es passt also alles zusammen.»

«Was genau ist im Palazzo Cavalli passiert?»

«Pater Francesco hat den Comte niedergeschlagen, als der sich gerade für den Ball maskieren wollte. Dann hat er ihn geknebelt und unter das Bett gerollt.»

«Weil Pater Francesco die schriftliche Einladung für den Ball brauchte?»

Tron nickte. «Sie haben den Comte de Chambord erst heute Morgen unter dem Bett entdeckt. Außer einer Platzwunde am Kopf hat er keine größeren Verletzungen davongetragen.»

«Ich habe immer noch nicht ganz verstanden, warum Pater Francesco den Oberst töten wollte.»

«Er musste ihn töten, weil der Oberst Bescheid wusste», sagte Tron. Er ließ den großen Servierlöffel, mit dem er sich eine neue Portion auf den Teller häufen wollte, einen Moment lang in der Schwebe. «Pater Francesco ist vor zwei Jahren in Verona in eine unappetitliche Geschichte mit einer Prostituierten verwickelt gewesen, die auch einen Offizier betraf. Deshalb hat damals die Militärpolizei ermittelt. Sie hatten also im Hauptquartier eine Akte über den Pater. Als er hier als Beichtvater und Hauskaplan des Comtes de Chambord aufgetaucht ist, hat man ihn gebeten, hin und wieder einen Bericht über die Aktivitäten des Comtes abzuliefern.»

«Du meinst, sie haben ihn mit der Geschichte in Verona erpresst.»

Tron zuckte die Achseln. «Mehr oder weniger. Ein Beichtvater ist eine hervorragende Informationsquelle.»

«Seit wann hat der Oberst gewusst, dass es sich bei Pater Francesco um den Ausweider gehandelt hat?»

«Sie haben nach der Verhaftung Juliens miteinander gesprochen», sagte Tron. «Da hat Pater Francesco etwas erwähnt, was er eigentlich nicht wissen konnte. Was nicht in der Zeitung stand und nur in unserem Bericht zu lesen war. Ein kleines Detail über den Mordversuch in San Giovanni in Bragora.»

«Was für ein Detail?»

«Dass Pater Hieronymus die Schlüssel für die Kirche an einem Brettchen in der Sakristei verwahrt hat.»

«Die beiden Priester kannten sich?»

Tron nickte. «Offenbar. Als der Oberst nachgefragt hat, scheint sich Pater Francesco in Widersprüche verwickelt zu haben.»

«Also ist es auch nicht der Oberst gewesen, der die Messer und die Lederriemen im Kleiderschank von Julien deponiert hat?»

«Es kann nur Pater Francesco gewesen sein.»

«Hat der Oberst Pater Francesco mit seinem Verdacht konfrontiert?»

«Ja, das hat er», sagte Tron. «Aber der Pater hat ihn darauf hingewiesen, dass es keine Beweise gegen ihn gibt. Was ja stimmte. Und der Oberst war sich auch nicht ganz sicher.»

«Wann hat dieses Gespräch zwischen dem Oberst und Pater Francesco stattgefunden?»

«Dienstagnachmittag», sagte Tron.

«Und da Pater Francesco kein Risiko eingehen wollte, hat er beschlossen, den Oberst auf dem Ball zu töten.»

Tron nickte. «Wäre der Anschlag gelungen, hätten alle gedacht, dass sich Julien noch in Venedig aufhielt und sich an dem Oberst rächen wollte.»

«Und wenn Julien bewiesen hätte, dass er die Stadt längst verlassen hatte?»

«Dann hätte man sein Alibi bezweifelt», sagte Tron. «Ich glaube nicht, dass die Militärbehörden den Fall wieder aufgerollt hätten.»

«Was hat der Oberst jetzt vor?»

«Seinen Abschied zu nehmen», sagte Tron. «Seine letzte Amtshandlung wird ein ausführlicher Bericht sein.»

«Ein Bericht, in dem er selbst eine möglichst gute Figur macht?»

Tron schüttelte den Kopf. «Wir haben Stumm das Leben gerettet, und das hat er nicht vergessen. In dem Bericht wird die Wahrheit stehen. Dass es sich bei dem Spitzel, den man auf den Comte de Chambord angesetzt hat, um den Ausweider gehandelt hat. Und dass er versagt hat.»

«Sehr nobel. Überrascht dich das?»

Tron machte ein nachdenkliches Gesicht. «Stumm von Bordwehr hat von Anfang an aus verschiedenen Persönlichkeiten bestanden. Er war der eifersüchtige Irre und der verantwortungsvolle Offizier zugleich.»

«Ebenso wie Pater Francesco. Der Priester und der Mörder.» Die Principessa sah Tron an. «Und was bedeutet das für eure Statistik?»

«Dass diese Verbrechen nicht in unser Ressort fallen», sagte Tron. «Die ganze Angelegenheit betrifft nur das Militär.»

«Hast du Spaur heute gesehen?»

Auf einmal fühlte sich Tron ausgelaugt, todmüde und zu nichts mehr nütze – wie die Reste des geschmolzenen Zitronensorbets, die sich in eine unappetitliche gelbe Soße verwandelt hatten. Er schob seinen Teller zur Seite und nickte. «Spaur war natürlich erfreut über den Ausgang der Geschichte und hat mir von seinen Pralinés angeboten.»

Die Principessa nahm eine *Maria Mancini* aus ihrem Zigarettenetui und zündete sie an. Sie inhalierte den Rauch der Zigarette und blies, wie sie es manchmal tat, einen Ring über den Tisch. Bevor der Kringel sich verformte und auflöste, bildete er ein paar Sekunden lang einen perfekten Kreis. «Dann kann ich also», sagte sie, «Julien telegrafieren, dass er rehabilitiert ist.»

Wie bitte? Tron war überzeugt, dass er sich verhört haben musste. «Du weißt, wo er sich aufhält?»

Die Principessa lachte. «Julien hat mir heute Morgen ein Telegramm geschickt.»

«Woher?»

«Aus Rom. Er hat in Triest einen Dampfer nach Ancona genommen und ist von dort nach Rom gefahren.»

Tron musste schlucken. «Und das alles erzählst du mir jetzt erst?»

«Ich wollte mir», antwortete die Principessa mit ausdrucksloser Stimme, «zuerst deine Geschichte anhören.»

Das war ein etwas rätselhafter Satz, und Tron hatte da verschiedene Ideen, was er bedeuten konnte, aber er fühlte sich momentan nicht in der Lage, darüber nachzusinnen. Zumal die Wunde unter seinem Pflaster auf einmal wie eine alte Kriegsverletzung zu schmerzen begann. Ob damit zu rechnen war, dass Vetter Julien unter diesen Umständen nach Venedig zurückkehren würde? Und ob er die Principessa nach ihrer Einschätzung fragen sollte? Nein, das würde er nicht tun – auf keinen Fall.

Von der Pendule auf dem Kamin her schlug es zehn, und plötzlich fiel Tron ein, dass es jetzt genau vierundzwanzig Stunden her war, dass er Pater Francesco in der *sala* des Palazzo Tron erschossen hatte. Er schloss die Augen und versuchte, sich an den Applaus zu erinnern, der ihn ein paar Minuten später auf dem Orchesterpodium empfangen hatte, aber es gelang ihm nicht. Merkwürdig, dachte er, mit welcher Genauigkeit er sich hingegen an die Tapete hinter dem Sessel erinnern konnte, an das bizarre Muster, das die Revolverkugel auf dem Weg durch Pater Francescos Schädel an der Wand erzeugt hatte. Und dann dachte er, dass auch diese Erinnerung früher oder später verblassen und sich irgendwann auflösen würde – wie das *Sorbet au citron* auf seinem Teller.

Er stand auf, durchquerte das Speisezimmer der Principessa, trat ans Fenster und schob den Brokatvorhang zur Seite. Der Nebel hatte sich ein wenig gelichtet, und aus dem *piano nobile* des gegenüberliegenden Palazzo Barbaro drang ein schwacher Lichtschein. Eine Gondel glitt lautlos vorbei, und Tron blickte ihr hinterher, bis das kleine Lämpchen an der *ferra* in der Dunkelheit verschwunden war. Als er sich umdrehte, um an den Tisch zurückzukehren, sah er, dass die Principessa ebenfalls aufgestanden war. Sie hatte ein Glas Champagner in der Hand und kam ihm langsam entgegen.

Venedig sehen ... und sterben.
Commissario Tron ermittelt

Schnee in Venedig
rororo 25299

Venezianische Verlobung
rororo 25300

Gondeln aus Glas
rororo 25301

Die Masken von San Marco
Kaiser Franz Joseph, Kaiserin Elisabeth und ein fingiertes Attentat mit einem Haken: Der Attentäter hat tatsächlich vor, den Kaiser zu töten! Der vierte Fall für Commissario Tron.
rororo 24202

Requiem am Rialto
Venedig im Februar 1865: Es ist Karneval, die Stadt ist voll mit maskierten Fremden – und mit Prostituierten, die aus ganz Europa nach Venedig strömen. Tron muss sich mit einem absonderlichen Mord befassen: Die Leiche einer blonden Prostituierten ist gefunden worden. Der Frau wurde mit großer Kunstfertigkeit die Leber entfernt ...
Ein heißer Fall für Commissario Tron: actionreich und abgründig!

rororo 24688

Weitere Informationen in der Rowohlt Revue *oder unter* www.rororo.de

Das für dieses Buch verwendete FSC®-zertifizierte Papier *Lux Cream* liefert Stora Enso, Finnland.